DANS LE SECRET DES PRINCES

Christine Ockrent
Comte de Marenches

Dans le secret des princes

Stock

A Lillian
et à mon fils Anselme †

Marenches

« C'est d'après les formes que j'établis les plans qui mènent à la victoire, mais ceci échappe au commun des mortels. Bien que chacun ait des yeux pour saisir les apparences, nul ne comprend comment j'ai créé la victoire. »

SUN TZU

NOM DE CODE : AVE MARIA

Cet homme, vous ne l'avez jamais vu ni entendu. Pas de déclaration fracassante à la télévision, de portraits enrubannés, pas de propos distillés à la presse. Ce ne sont pourtant ni la matière ni la verve qui lui font défaut : il a longtemps exercé l'une des plus cruciales et des plus mystérieuses charges de l'État. Alexandre de Marenches a dirigé pendant près de onze ans les services secrets français sous deux présidents, Pompidou et Giscard d'Estaing. Un prix de longévité que lui accordent même ses collègues occidentaux de la C.I.A. et du MI 6, un record d'indépendance et de mutisme aussi à ce poste tant exposé aux caprices de la politique et aux risques du métier.

Surnom : Porthos.

Il en a la stature. Ajoutons-y la noblesse d'Athos, la manière d'Aramis, le courage de d'Artagnan. Quatre mousquetaires en un, raccourci qui ne lui déplairait pas puisqu'ils sont cavaliers, paillards et roublards à leurs heures. Un peu trop populaires sans doute, un peu trop voyants... Le comte de Marenches est par goût, par tradition, un homme discret. Par profession aussi, ou plutôt par occupation. Sa biographie officielle tient en cinq lignes [1] et cette brièveté le ravit.

1. 1946, janvier : attaché à l'état-major de la Défense nationale (général Juin). 1946, avril : attaché à l'état-major de la Défense nationale (général Juin). 1970, 6 novembre (depuis) : directeur général du service de documentation extérieure et de contre-espionnage (S.D.E.C.E.). 1981, 12 juin : a quitté ce poste.

11

C'est un seigneur. La féodalité et ses croisades lui eussent mieux convenu que la République et ses coups fourrés, même si bien des valeurs coïncident quand on accepte de faire fi des étiquettes politiques. D'une certaine tradition de l'aristocratie il garde, avec un archaïsme non dénué de coquetterie, le mépris de l'argent et des simulacres du pouvoir, le sens du panache et de l'humour, le goût des jolies femmes et des chevaux de qualité, le sens de l'honneur et le besoin de servir. Un système de valeurs qui s'accorde à une vision du monde cohérente jusqu'au simplisme et pourtant subtile à force de connaissance. De cet homme que la naissance et la fortune semblaient condamner aux oisivetés du jet set international, le destin fit un résistant, un soldat, un émissaire et un agent secret au service de trois hommes qui pour lui ont incarné la France : Juin, de Gaulle, Pompidou. Il n'est pas de gauche, il récuse la droite, ce n'est pas un intellectuel, ni un politique, ni un mondain, mais un homme de réflexion et d'action. Il entend à sa manière servir la France et l'Occident, dont les causes pour lui se confondent en un même mot : liberté. Ses interlocuteurs sont les présidents, les rois et les puissants qu'il accepte de conseiller. Le monde pour lui est en rouge et bleu : totalitarisme contre démocratie.

De cette analyse il a fait un métier.

Quel métier ? Grand ordonnateur des coups fourrés de la République, renseignements, enlèvements, assassinats ? Général d'une armée passe-murailles, coutumière des petites prouesses et des grosses bévues qui font la trame d'un John Le Carré ? Patron d'une entreprise truffée d'électronique, dont les opérations le disputent en virilité et en élégance à Ian Fleming ? Bras souterrain, souillé de combines à la française que le pouvoir politique délègue volontiers à des agents en basses œuvres férus de San Antonio ?

Les clichés abondent dans notre vision des services secrets et ce n'est pas l'information qui les dissipe. Il n'est pas dans la tradition ni dans les mœurs de la presse en France de pousser très loin la curiosité et la rigueur quand il s'agit d'explorer les ombres des pouvoirs. Le scepticisme national s'en trouve nourri. On ne s'étonne même pas des rebondissements d'un feuilleton comme celui de Greenpeace : selon les

12

sondages, une majorité de Français ne souhaite pas connaître la vérité...

En démocratie – ailleurs, le problème ne se pose pas –, information et renseignement font par nature mauvais ménage. Ou alors ce sont la désinformation et ses volutes qui embuent davantage encore la réalité.

Admettons donc que nous ne savons rien, ou pas grand-chose, de cet univers du Renseignement qui déborde le nôtre. On oscille volontiers entre crédulité et cynisme. Oui, il y a des gens qui « savent », qui manipulent, qui complotent dans un grand jeu dont nous sommes les pions. Non, il n'y a que des besogneux, des mythomanes, des trafiquants dont les agissements n'influent en rien sur le cours des choses. Méfions-nous des journalistes qui romancent, des romanciers qui informent et chérissons cette ignorance qu'ébranle parfois, malgré leurs limites et leurs caprices, l'insistance des média...

Pourtant, que d'interrogations, que d'affaires, que d'attentats, de régimes qui sombrent, d'hommes qui disparaissent, d'informations qui s'achètent ou se volent... Qui pose les bombes, comment traque-t-on les terroristes, peut-on s'en protéger ? Que faire pour délivrer nos otages ? Dans ce monde dont tous les jours la complexité nous provoque, que font donc les Services secrets ? A quoi servent-ils ? Silence ou chuchotements. On a bien droit à quelques récits d'anciens agents, ou soi-disant tels, qui règlent des comptes obscurs. Quant au patron, c'est vrai, il est plus facile au journaliste d'approcher celui de la C.I.A. que celui de la Piscine. Rapports de force obligent, dans des démocraties aux mœurs si différentes. Dans un cas comme dans l'autre, pourtant, il faut être naïf ou tartuffe pour prétendre le confesser. Cent fois, j'ai tenté d'approcher M. de Marenches, de le convaincre devant une caméra ou un magnétophone d'aborder Kolwezi, Bokassa, Copernic, les renifleurs, Greenpeace... Pour obtenir un éclairage plutôt qu'une vérité, une suggestion plutôt qu'une conviction, une clef plutôt que le trousseau.

Alexandre de Marenches accepte aujourd'hui de se raconter. De raconter, pas toujours de parler. Aux mensonges qu'impose, dit-on, la raison d'État, son sens de l'honneur

13

préfère les silences. Quelquefois ce sont des aveux, souvent, délibérément, ce sont des refus. De ce livre qui n'est pas une enquête ni un interrogatoire, mais un dialogue, ce ne sont pas tant les dessous de deux présidences que l'on découvre à certains détours, c'est une vision et le chemin d'un homme. L'analyse peut paraître parfois caricaturale. Le parcours ne saurait laisser indifférent.

Christine OCKRENT.

1

L'apprentissage

MARENCHES. – Fin 42, j'avais vingt et un ans, et j'avais décidé de gagner l'Espagne. J'avais fait un an plus tôt, en 1941, une tentative du même ordre qui avait mal tourné. Il fallait donc franchir les Pyrénées, et cette fois-ci en compagnie d'un groupe d'une vingtaine de personnes. Brusquement, j'ai senti une menace, un danger. Si un œuf roule sur une table, on le saisit instinctivement au dernier moment : c'était la même chose. J'ai compris que je ne devais pas me joindre à eux. Le « pifomètre », le hasard et la chance jouent un grand rôle dans une vie. La plupart des gens ne parlent que de leurs mérites...

Bien m'en a pris. Ce groupe, dénoncé, fut cueilli, enfermé au camp de Val-Carlos, jeté dans un wagon à bestiaux et envoyé au fond d'une mine de sel en Pologne. Personne n'en est revenu. Je l'ai appris plus tard.

A la tombée de la nuit, j'ai quitté la ferme où j'étais caché et nous avons attaqué la montagne avec mes trois passeurs basques, réglés d'avance. La grande difficulté à cette époque consistait non seulement à franchir la frontière et affronter la montagne mais, d'abord, à pénétrer dans la zone frontière. Les nazis et leurs nombreux agents contrôlaient quiconque n'était pas de la région. Caché sous les boules et les baguettes dans la camionnette d'un boulanger qui empestait le gazogène mais sentait bon le pain, j'étais parvenu dans une ferme d'un village – Sainte-Engrâce – où, après quarante-huit heures d'attente, trois guides sont venus me chercher pour m'aider à traverser la montagne.

15

Je n'étais guère équipé pour traverser les Pyrénées en plein hiver. J'avais de bonnes chaussures de marche, un costume, une chemise et une merveilleuse vieille canadienne de chez Madelios qui m'avait servi depuis 1939 et que je possède toujours. Elle m'a suivi partout. Par moments, je me demande si ce n'est pas moi qui l'ai suivie. C'était tout.

OCKRENT. – Étiez-vous armé ?

M. – Non. Le risque de se faire arrêter par les forces d'occupation et leurs séides était trop grand. Si on avait trouvé sur moi une arme, mon compte aurait été bon ! De toute façon, dans cette aventure, une arme ne servait à rien. Pour beaucoup d'Espagnols, ceux qui cherchaient à rejoindre l'Angleterre, l'Amérique ou l'Afrique en traversant leur pays représentaient l'ennemi. En revanche, il y avait aussi en Espagne de braves gens.

Les passeurs qui me guidaient sur les chemins escarpés marchaient en silence. Il me revenait en mémoire certains récits ayant trait à ces mêmes défilés où Roland s'était fait attaquer à Roncevaux. Je savais que des Basques – mauvais, ceux-là – avaient assassiné leurs « touristes » pour les dévaliser. On avait même arraché leurs dents en or. Vers deux heures du matin, nous avons atteint à quinze cents mètres d'altitude un paysage lunaire où se trouvait une cabane de bergers. Il neigeait. Nous nous sommes arrêtés pour nous reposer. Allongé sur un banc, j'ai vu les trois guides sortir pour « faire un tour », ont-ils dit. Au bout d'un moment, ne les voyant pas revenir, j'ai ouvert la porte. Il faisait très froid, moins quinze ou moins vingt. Un désert chaotique s'étentait sous mes yeux. Le silence, la nuit... Heureusement, la lune et les étoiles. Les guides avaient disparu. J'étais seul.

De quel côté se trouvait l'Espagne ? Et la France ? Des à-pics, des précipices m'environnaient. Si ces types avaient été capables de se sauver, abandonnant en pleine montagne, dans un lieu abominable, un garçon qui n'était pas un alpiniste professionnel, ils auraient pu aussi bien m'assommer ou revenir avec une patrouille et des chiens pour toucher une prime. Ils auraient fait coup double. Je me suis donc aussitôt mis en route en me repérant sur la lune.

16

J'ai marché le reste de la nuit, malgré le froid et la neige. Le jour s'est enfin levé. Je marchais toujours. Une descente s'amorçait. J'étais en mauvais état, dégringolant de bloc en bloc, les mains en sang. Petit à petit, la neige s'est clairsemée, des bosquets sont apparus. J'ai aperçu tout en bas une rivière qui longeait un chemin de terre. Je me suis dit qu'il fallait suivre le sens de l'eau. Bien entendu, en montagne, l'eau s'écoule des sommets vers les vallées, vers la civilisation et les hommes. J'ai enfin rejoint ce chemin. Un peu plus tard, on a crié un : « Halto! » énergique. Deux gardes civils portant le célèbre chapeau en cuir bouilli me tenaient en joue avec leurs Mausers type 14-18.

Ils m'ont demandé mes papiers. Je leur ai expliqué que j'étais américain et que je n'en avais pas. J'aurais pu m'en procurer par mes amis américains en poste à Vichy mais, en 1942, les États-Unis étaient déjà entrés en guerre contre l'Allemagne. Des papiers ennemis auraient aggravé mon cas.

Lorsqu'un camion de bûcherons chargé de bois est passé, les gardes civils l'ont stoppé et m'y ont fait grimper. Nous avons roulé jusqu'à Isaba, une petite ville de la province de Navarre où les policiers locaux se sont livrés sur ma personne à des interrogatoires musclés plutôt désagréables. J'avais envie d'y répondre mais je n'avais aucune chance. Mieux valait encaisser les coups en pensant à des jours meilleurs. Quand ils m'ont fait déshabiller pour la fouille, ils ont remarqué sur ma veste une griffe de *Saks, Fifth Ave, New York,* que j'avais fait découdre d'une robe de ma mère. Ce détail m'a sauvé. Finalement, après plusieurs séances, ils ont fini par croire au scénario que j'avais mis au point. C'est alors qu'un heureux hasard m'a fait rencontrer une jolie Cubaine, l'épouse du chef de la police locale. Dans la vie, j'aime beaucoup les jolies femmes. Elles m'ont souvent été bénéfiques... Bref, cette charmante Cubaine a eu pitié de ce malheureux jeune homme plutôt malmené. Elle a usé de son influence pour qu'on me transfère sous bonne escorte à Pampelune, capitale de la province.

Après un séjour en prison, j'ai été mis en résidence surveillée dans un hôtel réquisitionné. Pendant plusieurs semaines, j'ai attendu un sauf-conduit que devait me remettre la direction générale de la Sûreté, par l'intermédiaire du ministère de l'Intérieur. Effectuant en 40-41 des missions de renseignements entre la zone occupée et la zone libre, j'avais fait prévenir des amis madrilènes que je leur adresserais un message codé lorsque j'aurais franchi la frontière.

Ma mère m'avait envoyé des États-Unis quelques subsides qui me permirent d'acheter des choses aussi exotiques qu'une chemise ou une brosse à dents. Lorsque je reçus le fameux sauf-conduit, on me recommanda de prendre un petit train, un « tortillard » qui rejoignait l'express Paris-Hendaye-Saint-Sébastien-Irun-Madrid. L'Europe occupée s'arrêtait à Hendaye, au passage de la frontière. Quelques personnes montèrent en territoire espagnol. J'avais loué un « single » dans un vieux wagon-lit d'autrefois, qui avait un côté Orient-Express ou Transsibérien d'avant 1917 avec ses verreries de Lalique et ses boiseries d'acajou. Il y avait des draps. Quel luxe! J'avais demandé à l'employé des wagons-lits, casquette ronde et costume marron chocolat, de me réveiller un quart d'heure avant que n'apparaisse le palais de l'Escurial. Je n'étais pas le seul à avoir eu cette idée : mon voisin de compartiment me rejoignit dans le couloir. C'était un gentleman grand, mince, aux cheveux argentés, typiquement britannique avec sa moustache blanche. Il portait une robe de chambre ornée de dessins cachemire du meilleur faiseur, des pantoufles superbes.

Je savais que les Anglais avaient des intérêts dans des sociétés minières au nord de l'Espagne, la Royale Asturienne des Mines. Probablement s'agissait-il d'un directeur général ou d'un membre du conseil d'administration d'une grande affaire anglaise ? Je ne m'étais pas trompé. Il s'exprimait avec l'accent d'Oxford le plus pur. La conversation s'engagea selon les politesses d'usage. J'étais un jeune homme bien élevé, n'est-ce pas... Ce monsieur très aimable me fait remarquer qu'il ne m'avait pas vu la veille à la gare. Je ne résistai pas à l'envie de lui raconter que j'arrivais de France occupée.

« *Oh! Really?* »

J'ajoutai que cela n'avait pas été facile.

« *How interesting!*

— Les Pyrénées, à pied, en ce moment, avec le temps qu'il fait... »

Il compatit.

« *Oh yes! That must have been very difficult.* »

Mis en confiance par ce gentleman, retrouvant d'instinct ces mœurs anglo-saxonnes qui faisaient partie de mon éducation, je lui racontai donc mes aventures qu'il trouva, comme tout bon Britannique, très sportives.

Lorsque le contrôleur nous a annoncé : « Madrid dans dix minutes! », ce monsieur m'a dit :

« *It was nice talking with you, young man. I think I'll go and dress.* »

Moi, j'étais déjà habillé puisque je n'avais qu'un seul costume, mon unique costume. Il est descendu sur le quai, manteau raglan, col de velours noir, chapeau Eden bordé de soie, tandis que l'employé des wagons-lits se chargeait de ses bagages. Deux ou trois personnes l'attendaient qui le saluèrent avec beaucoup de déférence, tandis qu'un porteur s'occupait de ses valises. Au moment de remettre à l'employé des wagons-lits un petit billet plié comme on m'avait appris à le faire, je ne pus m'empêcher de lui demander qui était ce monsieur.

« Ah! Monsieur ne sait pas? Il s'agit du baron von Stohrer, l'ambassadeur d'Allemagne à Madrid. »

Mon cerveau fonctionnait, mais mes jambes étaient soudain paralysées. Alors qu'il s'éloignait en compagnie de ses conseillers, je me disais qu'il allait se retourner, me faire arrêter. Il ne l'a pas fait. Les miracles existent et parfois on en comprend les clefs, plus tard.

J'ai repris mes esprits pour chercher un hôtel. Pas question de choisir l'un des cinq plus somptueux, qui doivent fourmiller de Services secrets, ni un bouge – j'en sortais. J'examine la liste des hôtels. Un nom me plaît : Florida. J'étais censé être américain. Pourquoi pas? Je me rends à la réception pour demander une chambre. Il y en avait une de libre. Encore sous le choc, je ne prête pas attention aux uniformes qui circulaient dans le hall de l'hôtel. J'appelle un ami de ma famille, un journaliste américain patron de l'United Press à Madrid, et je lui communique le mot de passe.

Ralph Forter a été enchanté d'apprendre que j'étais là. Lorsque je lui ai dit que j'étais descendu au Florida, il y a eu une espèce de gargouillis à l'autre bout de la ligne. Il m'a demandé si je me moquais de lui. Mais non! Il change de ton et, très vite, transmet ses instructions :

« Alex, pas un mot. Ne téléphone plus. Ferme ta porte à double tour. Ne bouge surtout pas! J'arrive. » Je n'y comprenais rien.

Dix minutes plus tard, il a frappé, encadré de deux gorilles qui m'ont réclamé mes bagages. Je n'en avais pas. Nous sommes sortis du Florida, lui en premier, moi le suivant, encadrés par ses hommes. Ils m'ont poussé dans une voiture que conduisait un chauffeur.

Forter, après un soupir de soulagement, s'est tourné vers moi :

« Mais tu es complètement fou, mon pauvre vieux!
– Pourquoi? Qu'est-ce que j'ai fait? »

J'avais l'impression d'avoir été enlevé. Ralph se passait la main sur le front.

« Tu as choisi comme hôtel la Centrale de la Gestapo pour l'Espagne. C'est là que ces messieurs logent... »

Mes sensations se sont mélangées en un horrible cocktail dont j'avais déjà ressenti les effets une heure plus tôt. Je m'étais rendu directement de la gare au Florida. Quel instinct!

Forter m'a installé dans un endroit sûr. Il m'a organisé un déjeuner le surlendemain au Ritz avec le colonel Stephens qui avait connu mon père au cours de la Première Guerre mondiale et qui m'avait vu tout enfant. Il dirigeait en Espagne le contre-espionnage américain, l'O.S.S., ancêtre de la C.I.A., l'*Office of Strategic Services,* les services spéciaux des États-Unis, et se préparait à créer des réseaux de Renseignement en France occupée.

Nous prenions un verre dans le hall du Ritz. Il y avait le ministre conseiller de l'ambassade des États-Unis, les Stephens, venus autrefois chez mes parents en Normandie, et Ralph. Nous étions assis dans un coin sur des fauteuils qui sont encore en place. La porte à tambour tourne. Entre un monsieur d'un certain âge, celui que j'avais pris pour un Anglais dans le train, l'ambassadeur d'Allemagne. Il me reconnaît et me fait un signe d'amitié. Je décolle un peu de mon fauteuil pour répondre à son salut. Naturellement, mes amis, étonnés que je connaisse quelqu'un à Madrid, se retournent et restent sans voix. Le ministre conseiller de l'ambassade des États-Unis, le chef des Services spéciaux américains en Espagne, le directeur de l'agence United Press à Madrid se taisent. Comment un garçon de vingt et un ans, arrivé depuis deux jours à Madrid, connaît-il l'ambassadeur du Troisième Reich, le baron von Stohrer? Étais-je un agent nazi? Avais-je l'intention de les infiltrer? S'ils ne m'avaient pratiquement vu naître, ils se seraient posé à bon droit quelques questions.

Comment aurais-je pu alors savoir que von Stohrer, l'ambassadeur d'Allemagne à Madrid, allait faire partie du complot monté contre Hitler en juillet 44 par le comte von Stauffenberg, et qui échoua de peu?

2

Grandeur et servitudes

MARENCHES. – J'appartiens à l'une de ces familles tradition-nelles qui ont beaucoup payé dans les guerres. Après tout, autrefois, l'impôt du sang était notre « business ». La défense du pays représente une activité comme une autre.

Mon père était un grand blessé de la Première Guerre. Son frère Henri, officier au 1er tirailleurs algériens, a été tué en 1918, et ma tante Ganay est morte à Ravensbrück.

Notre maison n'est pas illustre, mais très ancienne, enracinée dans le Piémont au XIIIe siècle et, depuis 1452, en Franche-Comté. Nous avons servi les ducs de Bourgogne, la Maison d'Autriche et, depuis la conquête de la Franche-Comté par Louis XIV, la France [1].

---

1. Gollut [2], écrivait, en 1592, que « la famille des Marenchiis était bien ancienne, entre les Piémontaises, comme étant déjà au temps de l'Empereur Frédéric Barberousse, recommandée entre les nobles du pays ».
   Il y a, en effet, dans les archives de Marenches, une charte de 1186, connue par un vidimus de 1628, qui est ainsi analysée dans un ancien inventaire : « Pour faire voir l'ancienneté de cette Maison et les terres et châteaux qui y étaient depuis plus de six cents ans est une reprise de fief, fait en l'an 1186, par noble Raymond et François de Marenches, fils de noble Nicolas de Marenches, à la personne de Frédéric Barberousse, Empereur, de leur château et seigneurie de Jussan (et de Bredulo), desquels leurs prédécesseurs en avaient déjà eu l'investiture en l'an 1054, et de celui de Roman[isio], acquis par ledit Nicolas en l'an 1167, duquel il avait eu l'investiture par le roi de Sicile. Ledit Empereur Barberousse, l'en ayant investi de nouveau en l'an 1186, par ladite reprise de fief datée à Milan, le 17 des calendes de juin.
   2. Le célèbre généalogiste de Franche-Comté.

23

OCKRENT. – « Servir », c'est une notion qui pour vous est l'apanage de l'aristocratie et d'une certaine éducation ?

M. – La noblesse est un état d'esprit qui n'a pas toujours à voir avec les spermatozoïdes. On peut être le fils d'un duc et pair ou celui d'un petit paysan d'Auvergne. La noblesse c'est avant tout l'acte gratuit. A partir du moment où celui qui se prépare à agir se demande combien cela va lui rapporter, il devient mercantile. Un certain nombre de familles ont donné, pendant des siècles, de bons serviteurs à la Couronne ou à l'État. Il leur est aussi arrivé de mal tourner. Un maréchal de Napoléon, probablement un ancien palefrenier ou un ancien sous-officier, croise un jeune « bas-bleu » dans un salon. L'autre lui dit : « Monsieur le Maréchal, pouvez-vous me rappeler d'où viennent vos ancêtres ? » Réponse : « Jeune homme, dans ma famille, l'ancêtre, c'est moi ! »
Je suis partisan des privilèges à condition de les mériter tous les matins. On mérite les privilèges en ayant une vie convenable et, si possible, en servant. Si l'on ne fait pas de saloperies, de crasses aux amis, qu'on ne leur place pas de peaux de bananes et que l'on ne commet pas de vilenies, pourquoi ne pas avoir de privilèges ? Mais il faut les payer et il faut servir. La vie d'un homme digne de ce nom doit être une aventure, si possible élégante. Je me méfie des aventuriers, mais j'aime les aventureux.

O. – Parmi ces privilèges, il y a l'argent ?

M. – L'argent est un gage de liberté. De liberté pour servir.
A certains postes, il faut une indépendance totale. Il faut savoir contredire le pouvoir politique, même au niveau du chef de l'État. Lorsque, en tête à tête avec lui pour lui annoncer des événements qu'il n'a pas envie d'entendre, si vous devez lui dire avec la déférence qui convient que l'on n'est pas de son avis et qu'il se trompe, si, à cet instant crucial, vous songez à votre avancement, aux honneurs et si, une fraction de seconde, vous le ménagez, à cet instant précis, vous commencez à trahir. La plupart des hommes qui accèdent aux grands postes de l'État ont, en général, dépassé la cinquantaine. Ils se trouvent à

quelques années de la retraite. A de rarissimes exceptions près, non contents d'avoir réussi leur carrière administrative, d'avoir accumulé honneurs et décorations, ce que certains mauvais esprits ont appelé méchamment des pourboires, ces gens-là veulent encore un supplément.

C'est pour cela que j'ai aimé l'armée : on n'y parlait jamais d'argent. Il y a une camaraderie, en particulier dans les unités d'élite, qui n'existe guère dans la vie dite civile. Pourtant, je n'ai jamais été militaire d'active... J'ai été deux fois engagé volontaire, puis officier de réserve, mais jamais d'active. Pas une journée.

O. – Vous êtes un homme riche ?

M. – J'ai eu la chance d'hériter de ma famille un peu d'argent qui m'a permis de vivre en toute indépendance, de beaucoup voyager et de ne pas avoir besoin d'un salaire. J'ai été élevé à la manière des Britanniques qui pratiquent l'*understatement*, les sous-entendus, et qui font de la modestie une formule de politesse et d'humour. Mon père disait : « Tu as eu plus de chance que les autres. Cela ne te donne aucun droit mais des devoirs supplémentaires. » Comme il le rappelait à une époque où l'uniforme et la soutane comptaient : « Quand, par hasard, on a un blason dans sa famille, il se porte à la manière d'une soutane ou d'un uniforme. » Cette philosophie n'est ni commode ni facile. Elle augmente les difficultés mais elle aide à vivre et c'est une motivation qui n'est pas plus bête qu'une autre.

O. – Vous avez reçu une éducation à l'ancienne ?

M. – Je suis trilingue de base. Je parlais couramment l'allemand parce que nous avions une *Fraülein* à la maison. Avant, j'avais une nurse anglaise ou irlandaise pour apprendre l'anglais. J'ai été pensionnaire à l'école des Roches, puis plusieurs années en Suisse, à Fribourg.

Je suis retourné ensuite aux Roches. J'ai commencé à faire la guerre à dix-huit ans. Je suis une espèce d'autodidacte qui a eu le temps de beaucoup lire et de réfléchir... et qui a appris son métier sur le tas. Je ne suis pas un intellectuel.

Il fallait à l'époque être un homme de culture générale, se trouver en mesure de répondre à la question : « Peut-on rendre service ? » Et servir. On nous demandait d'être bien équilibré, de savoir s'exprimer et de monter convenablement à cheval.

O. – Votre milieu familial, c'était aussi celui du pouvoir, des pouvoirs...

M. – Les « relations » faisaient partie de la vie familiale. J'ai sauté sur les genoux du maréchal Foch. Le maréchal Pétain, le vainqueur de Verdun, était témoin du mariage de mes parents.

La fréquentation des « grands de ce monde » m'a toujours semblé normale. On n'a pas à grimper, on est arrivé, alors qu'on peut voir à longueur de vie toutes sortes de parvenus pas encore arrivés, pris parfois de déraison ou de vertige à la contemplation de leur propre carrière... Pour moi, il était naturel de voir de près ceux que d'autres appelleraient les « puissants ».

Ma première permission de détente, en 1939, je suis venu la passer dans la maison de Normandie. J'étais habillé en bleu horizon, avec des éperons... Je me souviens d'un déjeuner auquel assistait le ministre des Finances de l'époque, Paul Reynaud. Au café, il a bien voulu consulter le cavalier de deuxième classe que j'étais, pour savoir ce que je pensais des événements. A la fin de l'année 39, j'étais un peu surpris de voir que le ministre des Finances affichait un optimisme béat qui n'était pas le mien. Je voyais les choses du haut d'un cheval, sabre au côté. Nous n'avions pas la même optique.

Aux actualités de l'époque, on nous montrait des parades militaires nazies fabuleuses. Leurs manœuvres impeccables, leur matériel ultramoderne n'étaient nullement cachés. Des affiches bien françaises couvraient les murs. Elles représentaient le Sahara ou un paysage de neige du Groenland et portaient en sous-titre : « Nous vaincrons parce que nous sommes les plus forts ! »

On racontait que les nazis ne seraient pas dangereux en hiver. Leurs uniformes étant en papier, ils se déchireraient aussitôt... Une autre affiche montrait deux soldats soutenant un

26

énorme char d'assaut en contreplaqué. Donc, leurs fameux tanks ne valaient rien. Le général Gamelin prétendait que les Stukas, les nouveaux avions de chasse allemands, étaient incapables de voler sur une longue distance. Nous ne risquions rien. La ligne Maginot nous protégerait.

Je me suis permis de dire à Paul Reynaud que l'attitude de la France et de la Grande-Bretagne me faisait penser au mot de la Du Barry sur l'échafaud : « Encore un instant, monsieur le bourreau! » Les Alliés n'avaient pas davantage bronché lors de l'assassinat du chancelier Dollfus, en juillet 1934, ni lorsque l'armée nazie avait envahi Vienne, le 12 mars 1938, puis la Tchécoslovaquie... Nous avions pris l'habitude de nous coucher devant Hitler, par peur. L'Allemagne ne dissimulait plus ses intentions et ses préparatifs. Mais Paul Reynaud restait optimiste et la France avec lui. Pourquoi envisager le pire ? J'ai compris alors que personne n'aime les porteurs de mauvaises nouvelles. J'avais dix-huit ans.

O. – D'où vous venait cette lucidité ?

M. – Il y avait trois ans que j'observais les événements. Comment ne pas remarquer le réarmement de Hitler, les retraites aux flambeaux monstres, l'épuration et la chasse aux minorités, en particulier les Juifs ? Hitler avait signé un décret le 4 février 1938 : « Dorénavant, j'assumerai directement et personnellement le commandement de l'ensemble des forces armées. » J'avais compris : il rassemblait à lui seul les pouvoirs. Toute trace de démocratie avait disparu. Nous étions à la merci de l'irrationnel.

La capitulation de Munich m'avait dégoûté. A Londres, la Chambre des communes acclamait Neville Chamberlain : l'homme au parapluie, symbole de la lâcheté, le Premier ministre qui venait de signer avec Hitler, en compagnie d'Édouard Daladier, les accords qui, en septembre 1938, permirent aux troupes nazies d'occuper la Tchécoslovaquie. La France et l'Angleterre avaient admis ce dépeçage, comme elles avaient laissé Hitler remilitariser la Rhénanie en mars 1936, sans protester, alors que c'était inadmissible, interdit par le traité de Versailles qui avait mis fin à la guerre de 14-18.

Après les accords de Munich, les députés anglais travaillistes et conservateurs, debout, ont fait une *standing ovation* à Chamberlain. Churchill qui était resté assis s'est levé et a dit : « Entre le déshonneur et la guerre, vous avez choisi le déshonneur et vous aurez quand même la guerre ! »

O. – Votre père n'a rien vu de cela. Il est mort quand vous étiez enfant ?

M. – J'avais onze ans. Sa mort a été atroce pour moi. Plus tard, auprès du maréchal Juin, j'ai retrouvé une sorte d'affection paternelle... Mon père, Charles de Marenches, était un homme extraordinaire, très bien physiquement, grand et fort. Il avait fait une guerre exceptionnelle. Il était extrêmement cultivé et modeste.

Il avait été l'élève du père du général de Gaulle, Henri de Gaulle, préfet des études au collège de l'Immaculée-Conception, rue de Vaugirard. Il retrouvera son fils Charles quelques années plus tard à Arras. En septembre 1912, après être sorti de Saint-Cyr treizième – Alphonse Juin était le major de la promotion – Charles de Gaulle a demandé à être affecté au 33e régiment d'infanterie à Arras, que commandait le colonel Pétain. Mon père s'y trouvait également. Il était lieutenant en « premier ».

Dès le début de la Grande Guerre, ce régiment dit « de couverture », à effectif plein en temps de paix, quatre mille hommes, a traversé à pied la frontière belge. Le chargement du fantassin avec armes, munitions et équipement était à l'époque de plus de vingt kilos.

Le 14 août, mon père et le lieutenant de Gaulle ont reçu les premiers coups des Allemands, de la citadelle de Dinant. Mon père est resté sur le terrain, le 15 août, très grièvement blessé. Il a reçu l'une des premières Légions d'honneur de la Grande Guerre.

Le général de Gaulle et mon père se sont retrouvés ensemble pour de nouveaux combats à Berry-au-Bac, en 1916, où mon père a été de nouveau blessé tandis que de Gaulle était atteint d'un coup de baïonnette. Évanoui, il a été fait prisonnier. Malgré cinq tentatives d'évasion, il est demeuré en captivité jusqu'en décembre 1918.

O. – Et votre père?

M. – En raison de ses blessures, ne pouvant plus combattre, il a été nommé aide de camp du général Pershing, désigné en 1917 comme commandant en chef des forces américaines sur le front français. Il a entraîné ses engagés volontaires au côté de Foch. Pershing exerçait un ascendant extraordinaire sur ses « boys ». Ils s'appelaient Patton, George Marshall, capitaine en 1917, intime de mon père, qui s'est battu en Champagne et dans l'Argonne. Il y avait aussi Bradley, MacArthur...

Ces hommes avaient risqué leur vie dans des conditions inhumaines. Le président Truman, ancien capitaine d'artillerie, m'a raconté personnellement comment, un jour, son cheval ayant reçu un éclat d'obus près de Saint-Dié, il était resté bloqué sous la bête. Les dirigeants américains de la Seconde Guerre mondiale avaient gardé le souvenir vivace de 17-18. Pour eux, tant d'héroïsme symbolisait la France et non les événements misérables de 40 où le haut commandement était représenté par un commandant en chef syphilitique, régnant sur une armée en déroute et une nation effondrée en trois semaines.

Les *Pershing boy's* sont devenus trente ans plus tard, du côté américain, les grands chefs alliés de la Seconde Guerre mondiale. Il y avait entre eux des liens dont j'ai bénéficié puisque j'étais le fils de leur camarade. C'est pour cette raison que la société des Cincinnati m'a nommé membre d'honneur. L'ordre de Cincinnatus, fondé par Washington, comprend trois cent soixante-dix personnes. La branche française de l'ordre compte un membre par famille, en général l'aîné. Il existe quelques membres choisis à titre personnel. Je suis l'un de ceux-là.

Lors d'un déjeuner offert par le général Juin à la fin de la guerre, le général Patton, après avoir prononcé un toast à l'éloge de Juin, s'est tourné vers moi : « Je voudrais aussi lever mon verre à la mémoire du père d'Alexandre, l'homme qui m'a appris la guerre. » Et Juin ajouta : « Et les femmes! » Il répliqua : « Oh! Ça, je connaissais... »

O. – Vos attaches anglo-saxonnes sont plus proches encore du côté de votre mère ?

M. – Ma mère était américaine, d'origine française et huguenote. A la Révocation de l'Édit de Nantes, sa famille avait émigré à Saint-Domingue, alors Hispaniola, puis aux États-Unis au moment de la révolte de Toussaint Louverture, au XVIIIe siècle.

On ne s'embrassait pas beaucoup dans ma famille. Le souvenir d'enfance que je garde de ma mère ? La gouvernante ou la femme de chambre vient m'annoncer dans ma chambre, où je suis couché, que ma mère va venir me dire bonsoir. Arrive une dame, très belle, portant trois rangs de perles. Elle se penche sur moi et me dit : « Au revoir ! » On entend ensuite un claquement de portière. Le chauffeur démarre. Elle se rend à un dîner.

3

La drôle de guerre

MARENCHES. – Le 3 septembre 1939, je faisais les foins en Normandie. La déclaration de guerre nous a produit l'effet d'un orage qui éclate, libérant une tension accumulée depuis plusieurs années. Les Français étaient persuadés, grâce à l'aveuglement de leurs dirigeants, qu'ils étaient invincibles. On se demande pourquoi! J'ai été très marqué par les événements de 1940 parce que je croyais au père Noël. Le père Noël s'appelait la France. C'est pour cette raison que je me suis engagé à dix-huit ans.

La débandade a duré trois semaines. L'armée française, avec ses officiers se sauvant à toutes jambes, n'était pas celle qu'évoquait mon père. Évidemment, à cheval, avec des sabres et des mousquetons d'un autre âge, modèle 1892, révisé 16, nous n'étions pas très outillés pour affronter la Wehrmacht.

Par impréparation, bêtise, manque d'organisation et intrigues politiques, alors que la menace internationale devenait visible comme une maison, on a refusé de regarder la vérité en face. La France a fui jusqu'aux Pyrénées. Et le maréchal Pétain a signé l'armistice.

J'ai vu les routes encombrées d'innombrables réfugiés aux attelages hétéroclites, la plupart du temps hippomobiles, venus de différents pays d'Europe. Une partie des cadres de l'armée se sauvait, ayant parfois abandonné ses troupes. Par contre, il y a eu des unités parmi les régiments de cavalerie, certaines unités d'infanterie, la Légion et l'armée d'Afrique, héroïques,

31

toujours les mêmes. Le gros s'est sauvé devant les Allemands et le haut commandement a fui ou s'est laissé faire prisonnier. Les avant-gardes allemandes étaient, elles, très mobiles, impressionnantes avec leurs longs manteaux gris et leurs side-cars Zundapp, magnifiquement équipées et extrêmement motivées.

OCKRENT. – Le 18 juin 1940, avez-vous écouté l'appel que tellement peu de gens ont, en fait, entendu ?

M. – Dans le petit groupe de garçons de moins de vingt ans dont je faisais partie, on ne parlait que de l'appel du général de Gaulle. Je sortais de l'hôpital militaire de Rambouillet et j'étais en permission de convalescence à Saint-Jean-de-Luz, si bien que je n'ai pas été fait prisonnier. J'avais souscrit un engagement pour la durée de la guerre. La guerre continuait et on continuait avec elle. C'est tout simple.

O. – Mais continuer où ? En Angleterre avec de Gaulle ou en France ?

M. – A l'époque, certains pensaient et beaucoup pensent encore que le rôle du maréchal Pétain était, dans le fond, d'assumer une partie de la responsabilité des événements et peut-être de servir de paratonnerre à ce qui allait arriver par la suite. D'ailleurs, si l'on regarde les choses froidement, cela a quand même empêché l'occupation de la zone libre jusqu'en novembre 1942. Nous sommes l'été 40, ne l'oubliez pas. Il y a beaucoup de gens pour qui le maréchal Pétain, vainqueur de Verdun – et les Allemands en pensaient autant –, était le seul Français pour lequel ils éprouvaient de l'admiration.
   J'ai alors hésité entre monter sur un bateau polonais en partance pour l'Angleterre et rentrer en Normandie chez moi pour reprendre en main le domaine où il n'y avait plus aucun responsable. J'ai retrouvé la maison pillée. J'ai commencé par remettre l'exploitation en ordre. Le nombreux personnel, hommes, femmes et enfants, était hagard. Ils étaient partis sur les routes avec de grands chariots agricoles, tirés par des chevaux et tous leurs impedimenta. Au bout de quelques jours,

mêlés au flot anarchique des réfugiés de tout poil, et ne sachant où aller, dépassés par les troupes allemandes, ils ont fini par s'arrêter et s'en sont retournés chez eux. Ils n'avaient pas compris pourquoi le pays s'était écroulé aussi vite. Il n'y avait plus de téléphone ni d'électricité.

J'avais plus de quatre cents hectares, avec des bois, des pâturages et une ferme de polyculture et d'élevage. Il y avait en gros cent vingt bêtes à cornes, ce qui nous donnait beaucoup de mal. Je devais procurer le nécessaire aux gens qui travaillaient avec moi. J'ai toujours refusé de faire du marché noir parce que c'était contre mon éthique, mais j'ai fait du troc pour avoir des pneus de bicyclette, qui étaient très rares, ou des bottes l'hiver. Les gens de cette grande propriété vivaient un peu en circuit fermé depuis l'avant-guerre. Certains d'entre eux, comme le chef de culture, M. Burel, avaient connu mon père.

O. – Comment les Allemands qui occupaient la région vous traitaient-ils ?

M. – Je n'avais pas de contacts avec eux, sauf au moment des réquisitions de chevaux où je représentais la commune. Je parlais couramment leur langue et quand, par hasard, certains venaient jusqu'à la maison, je leur disais toujours : « Je ne vous fais pas asseoir parce que, si nous étions dans des positions contraires, je pense que vous ne me feriez pas asseoir non plus. » Tant qu'on avait affaire à la Wehrmacht, c'est-à-dire aux militaires allemands, il s'agissait de gens disciplinés, réglo, si j'ose dire. Cela pouvait tourner très mal, et quelquefois fatalement mal, si l'on avait affaire aux membres du Parti ou de la Gestapo.

O. – Vous n'étiez toujours pas démobilisé ?

M. – Pour l'être, il faut aller en zone libre... et c'est là que se situent quelques histoires qui relèvent de ce qu'on appelle la Résistance. Un terme tellement galvaudé qu'on hésite à en parler. Toujours est-il que quelques amis et moi étions convaincus, dès 40, qu'il fallait continuer le combat en zone occupée. Nous avons donc observé ce que faisaient les Allemands qui, dès 41 par exemple, se sont mis à construire des aérodromes, notamment à Évreux et à Saint-André-de-l'Eure. On y allait à cheval ou en carriole et nous reproduisions des croquis qu'il fallait ensuite porter aux Alliés, à Vichy. J'y connaissais un ou deux Américains de l'ambassade dont l'amiral Leahy, qui deviendra plus tard le chef d'état-major du président Roosevelt à la Maison-Blanche, et Ralph Heinsen, le patron de l'agence United Press. C'est ainsi que j'ai effectué un certain nombre de voyages, assez sportifs, quelque peu risqués, entre l'Eure et Vichy et que s'est établie une liaison qui a fonctionné jusqu'au moment où j'ai passé les Pyrénées. Il s'agissait, la plupart du temps, de franchir, à pied, durant une trentaine de kilomètres, la ligne de démarcation, porteur de documents ou de plans. C'est à cette époque que j'ai commencé à comprendre que le Renseignement est fait de milliers de petits indices, à la manière d'un puzzle.

O. – Votre mère, à ce moment-là, se trouvait auprès de vous ?

M. – Dès le début de la guerre, elle est partie pour les États-Unis rejoindre sa sœur, ma tante Ethel. Un personnage, elle aussi. A Paris, elle avait acheté l'hôtel particulier attenant au sien, rue Verdi (maintenant un grand immeuble) uniquement pour abriter sa Rolls et son chauffeur. Elle avait une femme de chambre, Cécile, qu'elle aimait beaucoup et qui était restée à Paris. Fin 41, ma tante me fait parvenir une lettre des États-Unis : « Mon cher Alexandre, veux-tu être assez gentil pour faire en sorte que Cécile vienne en Amérique me rejoindre. Elle sera mieux ici qu'en Europe où il y a, paraît-il, des tas de privations. »

J'ai tenté alors différentes démarches en zone occupée. Rien à faire! Un beau jour, une superbe voiture à fanion allemand arrive chez ma mère, rue Weber. Deux personnages un peu inquiétants en sortent et réclament Cécile. En vingt-quatre heures, on la photographie, on lui procure permis, *Ausweis*, passeport et on la met au train pour Lisbonne. Elle a ensuite pris le bateau, destination les États-Unis.

Après la guerre, lorsque j'ai revu tante Ethel en Amérique, elle m'a dit : « Je savais que tu n'étais pas très dégourdi, mais ton inefficacité dans l'affaire de Cécile a été absolument extraordinaire! Il a fallu que je m'en mêle et là, ça s'est réglé en trois jours.

– Comment avez-vous fait?

– C'est très simple. J'ai été voir mon ami Cordell Hull, le secrétaire d'État américain aux Affaires étrangères à qui j'ai dit : " Mon cher Cordell, c'est un scandale que Cécile, ma femme de chambre, ne puisse pas me rejoindre. " Il a communiqué immédiatement avec Ribbentrop, le ministre allemand des Affaires étrangères, à Berlin. Ce n'était pas si compliqué! »

O. – En Normandie, votre château n'avait pas été réquisitionné par les Allemands?

M. – Ils sont venus s'y installer par moments. Je ne l'habitais pas parce qu'on savait qu'en général les états-majors ou les troupes d'occupation adoraient les châteaux.

Je me rappelle l'histoire d'un cousin lointain de mon père, le marquis d'Havrincourt, qui vivait au château d'Havrincourt, à Havrincourt dans le Nord. En 14, on avait dit que la guerre serait fraîche et joyeuse. Les soldats qui s'embarquaient gare de l'Est criaient : « A Berlin! » et les Allemands, de leur côté, chantaient : « *Nach Paris!* » Havrincourt avait une cave célèbre, comme c'est souvent le cas dans le Nord. Il s'était dit : « L'état-major ennemi va s'installer chez moi, nous allons vider la cave et cacher toutes les bouteilles dans l'étang. Quand on reviendra, dans quinze jours, ça ira... »

La surprise du général allemand qui s'est installé au château a été extraordinaire. Le soir de son arrivée, il contemple le magnifique étang bleu-vert et le lendemain, au réveil, allant à sa fenêtre, celle de la chambre principale du château, il constate que l'étang est devenu tout blanc : des milliers d'étiquettes décollées durant la nuit flottaient à la surface : château-margaux, romanée-conti, chablis! Il a fait immédiatement vider l'étang. Quand le pauvre maître de maison est rentré, quatre ans plus tard, il ne lui restait plus une bouteille.

35

Ainsi prévenu, j'avais fait aménager dans les communs une maison qui avait des murs d'un mètre d'épaisseur.

Un dimanche matin, brusquement, j'entends des bruits de voitures. Naturellement, je fonce à la fenêtre. Deux automobiles allemandes s'arrêtent, faisant crisser leurs pneus sur le gravier. Sautent hors des voitures des professionnels, des hommes de la Feldgendarmerie, mitraillette au poing, le doigt sur la détente, qui se postent aux quatre coins de la maison. Nous avions caché dans l'ancien pigeonnier seigneurial, sous un amás de pommes de terre, un certain nombre d'armes, dont un fusil-mitrailleur. Je me les étais procurées dès mon retour en 40. Le camarade, qui était venu passer quelques jours en Normandie, israélite et fils d'un des plus grands dignitaires de la maçonnerie, Georges D., les avaient sorties la nuit précédente avec moi pour les nettoyer et les graisser. Nous avions travaillé jusqu'à une heure avancée de la nuit pour les remettre en état. Ce socialiste était l'un des rares résistants de l'époque, un personnage hors du commun. Son culot et son courage lui ont permis d'échapper au sort de nos autres compagnons de l'époque : les camps et la mort. Fatigué, je dis à cet ami : « Écoute, on finira demain soir. » Nous avons rangé provisoirement les armes dans le placard de ma chambre au premier étage de la petite maison.

On frappe au carreau et une gouvernante, Florence Linarès – elle est toujours vivante –, une réfugiée espagnole dont le courage et le dévouement durant cette période furent admirables, leur ouvre. Il y a là un officier allemand de la Feldgendarmerie avec un adjudant-chef et deux ou trois gendarmes. Ma gouvernante monte l'escalier qui se trouve au fond de la pièce et me rejoint en haut. J'étais en tenue de cheval, botté. Elle me dit : « Les Allemands sont là. » Je lui réponds : « Merci, Florence, je les ai vus par la fenêtre. » Pour descendre, je passe devant le placard où se trouvent les armes à découvert. En bas, il y avait là quatre militaires avec des mitraillettes. Je me suis dit : « C'est fini. On n'a pas eu le temps d'enlever les armes. L'ami qui est ici avec moi est juif. Eh bien, il faut l'admettre. Le parcours est terminé. Ça s'arrête là. Il reste une seule chose à faire : que cela se passe poliment. »

Il faut être digne dans ces cas-là. J'ai horreur des gens qui se mettent à baver ou qui ont la colique. Ce n'est pas convenable.

Les Allemands, en bas, voient d'abord mes pieds descendant l'escalier, puis mes jambes et mes genoux. J'aperçois leurs bottes, leurs uniformes et leurs grades. Me voici devant eux. L'officier sort de sa poche une feuille pliée en quatre et me dit : « Nous avons en main une dénonciation anonyme selon laquelle vous auriez chez vous des armes de guerre. » Moment pénible. Il me dit : « Savez-vous ce qui va vous arriver si nous trouvons ces armes ? Vous serez fusillé. » J'ai répondu que je ferais exactement la même chose à leur place. Il ajoute : « Maintenant, si vous le permettez, nous allons procéder à une perquisition et à une fouille complètes. » Je me suis vu devant le peloton d'exécution. C'est embêtant. Ce n'est pas drôle. Surtout à vingt ans.

Le grand problème dans ces moments-là est de ne pas changer de couleur, d'éviter de trembler et, d'une façon générale, de ne montrer aucune émotion.

Un premier miracle s'est produit. L'officier s'est retourné vers l'adjudant-chef et a dit en allemand : « Feldwebel, allons au château ! » Ils avaient apporté des grappins et, avec des cordes, ils ont sondé l'étang d'un hectare devant le château. A n'importe quel instant, ils étaient capables de fouiller l'autre maison, celle où étaient cachées les armes, la mienne. Toute la journée, je me suis dit : « Eh bien, quoi, ils y vont ? »

Comme le dénonciateur n'avait pas trouvé mon nom dans un journal, il l'avait découpé dans un annuaire téléphonique. Le reste de la lettre anonyme se composait de mots collés, découpés dans les journaux. Ce travail d'artiste précisait : « Entre autres, dans les cheminées... » Les cheminées étaient nombreuses. Chaque fois que le cortège passait dans la pièce suivante pour se diriger vers la cheminée, l'horrible suspense recommençait. Le château était inhabité à cette époque. Le ou les criminels qui m'avaient dénoncé auraient été capables de cacher des armes de guerre dans une cheminée. Je me disais : « Et si l'on découvre un fusil-mitrailleur ou je ne sais quoi ? Ce sera d'autant plus ridicule que j'aurai beau jurer : "Ce n'est pas moi qui les y ai mises !", on me fusillera pour des armes qui ne m'appartiennent pas – alors qu'on devrait m'exécuter pour celles qui sont à moi et qui se trouvent dans le pavillon du parc où j'habite. »

Ils n'y sont jamais entrés. Fatigués par une journée de fouilles inutiles, dernier miracle, ils ont renoncé à perquisitionner l'autre maison.

O. – Vous aviez donc été dénoncé ?

M. – Vous savez, les Français sont souvent les pires ennemis des Français... Laissez-moi vous raconter une autre histoire. L'un des cultivateurs du village avait été arrêté pour un fait mineur et enfermé à la prison d'Évreux. Je suis allé à Évreux, à la Kommandantur du département, et j'ai demandé à voir le commandant. Après une longue attente, je suis reçu par un homme d'un certain âge, le colonel von Knopp. J'ai tout de suite vu que c'était un cavalier parce qu'il portait des passements jaunes, et un réserviste décoré de la guerre de 14. Je me suis présenté à lui dans sa langue et lui ai dit : « Je viens vous voir parce qu'il s'est produit une injustice. On a arrêté M. Legendre que je connais très bien. Je ne sais pas ce qu'on lui reproche. »

Nous avons parlé un peu cheval et cavalerie. Nous avons découvert que nous appartenions à la même arme. Au bout d'un moment, il m'a fait asseoir et ce vieil officier m'a confié : « Vous savez, je fais un travail pénible mais, comme je suis officier de réserve et d'un certain âge, on ne m'a pas envoyé en Russie... Ce qui me dégoûte le plus, je vous prie de m'excuser de vous le dire, ce sont les lettres anonymes qui nous sont adressées par vos compatriotes. » Ce n'était pas agréable à entendre. Il a ajouté : « Tenez, venez voir ! » Il s'est levé, a pris une clef. Derrière son bureau se trouvait une armoire à pans coupés. Il a ouvert. Il y avait là, ficelées par paquets de cent, des piles de lettres. Il m'a dit : « Ce sont des lettres anonymes. Qu'en pensez-vous ? »

M. Legendre a été libéré. Je suis parti content, mais empli d'une grande amertume.

Je dois dire que ma plus grande surprise en rentrant en France à la fin de la guerre, au côté du général Juin devenu le bras droit du général de Gaulle, a été de trouver quarante-deux millions de résistants...

Le Patron

OCKRENT. – En 1942, vous avez vingt et un ans, vous voulez continuer à faire la guerre, vous réussissez à passer les Pyrénées et l'on vous retrouve à Madrid où les Français sont divisés en clans rivaux...

MARENCHES. – En clans de sergents recruteurs. Il y a des sergents recruteurs pour l'Afrique du Nord, d'autres pour l'Angleterre et puis toutes sortes de gens qui se dirigent allégrement vers les appartements du Waldorf Astoria, à New York, pour attendre que ça se passe.

O. – Pourquoi décidez-vous, à Madrid, d'aller en Afrique du Nord plutôt qu'à Londres ?

M. – Mais c'est très simple : on ne se bat pas en Angleterre. On se bat en Afrique.

O. – Pour vous, entre de Gaulle et Pétain, que vous connaissiez l'un et l'autre pour des raisons familiales, il y avait quand même un choix à faire.

M. – Dans mes souvenirs d'enfance, il y a le colonel Pétain et surtout le lieutenant de Gaulle. Pétain subit, de Gaulle continue à se battre. Pour moi, le problème ne se pose pas en termes de politique intérieure française. Le problème, c'est qu'on a commencé une partie en 1939, contre des gens qui sont entrés chez nous sans y avoir été conviés, ce qui n'est pas convenable.

O. – Êtes-vous anti-pétainiste ? Est-ce alors un terme qui a un sens pour vous ?

M. – A l'époque, un jeune militaire ne se posait pas ce genre de questions. J'avais déjà perçu, dès Madrid, ce qu'étaient les clans et les divisions de la Gaule : les Arvernes luttant contre les Eduens qui, eux-mêmes, mettent des peaux de bananes sous les pieds des Séquanes... On voit, aujourd'hui encore, s'épanouir ce vice bien gaulois.

A Madrid, encore sous le choc de mes aventures, je n'avais qu'un souci : me battre, quitter le monde plus ou moins neutre pour le monde libre. Un ami, diplomate, me proposa de l'accompagner jusqu'à Gibraltar. En y arrivant, j'ai vécu l'un de ces moments que Churchill appelait *the finest hours,* un moment privilégié. Il y a une sorte de digue entre le village frontière et le Rocher lui-même. Notre voiture s'est arrêtée devant un poste pour les contrôles d'usage, une grille s'est fermée derrière elle, une autre la bloquait devant. Des gens en uniforme ou en civil, certains travaillant probablement pour la Gestapo, nous scrutaient de très près. Ils ont examiné nos papiers. Depuis la frontière et mon incarcération, je passais pour un Américain. J'ai éprouvé, à cet instant, un dernier moment d'inquiétude. J'avais jeté mon destin vers la France libre.

Finalement, on nous a laissés partir. Le monde libre s'est manifesté au bout de la digue, sous l'uniforme d'un soldat des Royal Marines, avec son casque blanc de type colonial, le fusil Enfield sur l'épaule. Il marchait de long **en large**, tenue briquée et brodequins étincelants. C'est le premier personnage du monde libre que j'ai vu. Un Britannique. Dans ces moments-là, on a envie de bondir de la voiture, d'embrasser la sentinelle. Je me rappellerai toujours cette image, cet homme, ce soldat britannique, impeccable. Je le vois encore.

Je suis resté deux ou trois jours à Gibraltar, puis j'ai profité d'un DC 3 qui se dirigeait vers Alger. La cavalerie est mon corps d'origine. Je me suis présenté à l'inspection de la cavalerie d'Afrique du Nord. Le général Hennet de Goutelle m'a reçu très gentiment. Bien sûr, quand on arrive de France occupée et des prisons espagnoles, on est l'homme du jour. Il y avait peu de rescapés de l'Occupation à ce moment-là. Il me dit : « Jeune homme, où voulez-vous aller ? – Mon général, que me proposez-vous ? – Allez donc faire un tour au 5e chasseurs d'Afrique. » Là, j'ai un choc affreux. La première chose que je vois dans la cour du quartier, c'est une auto-mitrailleuse datant de 1916 ! Je me suis dit : « Tant qu'à faire, il vaut encore mieux monter à cheval... » Et j'ai rejoint le 2e régiment de spahis algériens, sur la frontière du Rif espagnol, à Tlemcen. Un régiment modèle second Empire : discipline de fer, des soldats de métier. Il y avait un mélange extraordinaire de panache à la française et de film de Hollywood, très beau, très coloré. Le temps est superbe, l'air sent bon, il y a des chevaux, des jolies filles, tout ce qu'il faut pour être heureux... mais pas la guerre.

Après quelques mois, je demande à retourner à Alger parce qu'on·parle d'un débarquement possible dans la péninsule italienne. En raison de certaines compétences que d'aucuns m'attribuent, on m'envoie au Deuxième Bureau, à Alger.

Alger est un charmant panier de crabes. La vie y est un mélange incroyable de plaisirs et d'extrême pénurie. Au restaurant le plus chic d'Alger, Le Paris, on ne buvait pas dans des verres – on ne fabriquait pas de verres en Afrique du Nord et dans l'Empire – mais dans des culs de bouteilles sciées. Le tailleur militaire avait encore du tissu mais il confectionnait des uniformes à condition que l'on lui fournisse le fil et les boutons. Il ne trouvait aucune fabrique de fil ni de boutons en Afrique du Nord, mais il y avait le marché noir. Il y avait surtout des politiciens – tenant le haut du pavé ou cherchant à le tenir – qui appartenaient en gros à deux catégories : les gaullistes et les gens de Vichy, ou ex-Vichy. Entre autres, le général Giraud, avec son leitmotiv : « Un seul but : la victoire ! »

Cela se passe à la française, c'est sympathique, intelligent, brillant, rigolo, mais tout le monde se mange le foie, la rate et le gésier. Et puis, il y a les Alliés. Des Australiens, des Sud-Africains, des Néo-Zélandais, des Canadiens. Tout l'Empire britannique est là et les Américains... Le port d'Alger est encombré de dizaines de bateaux qui attendent pour décharger. Dans les rues, il y a une animation fantastique, tous les uniformes du monde y circulent. On y côtoie les Algérois (surtout les Algéroises, superbes!) et ceux que nous appelons maintenant les Pieds-Noirs, des gens exubérants, du Midi – une race en formation, un peu comme on peut voir une race californienne se constituer sous nos yeux. Il faut rappeler qu'on mobilise à cette époque autant de Pieds-Noirs qu'en 1916. Toutes les classes sont appelées, depuis les jeunes jusqu'aux gens d'un âge déjà certain. C'est l'une des raisons qui font que, quelques dizaines d'années plus tard, au moment de l'affaire d'Algérie, nombre d'entre eux ont eu des difficultés à comprendre ce qui leur arrivait. A l'époque, on les mobilisait pour faire la guerre en Tunisie sous les ordres du général Juin.

O. – Juin vous ne l'aviez pas encore rencontré. Représentait-il déjà une légende dans le monde militaire?

M. – Juin était un homme très connu depuis la guerre de 14, dans le monde militaire. Il avait fait une guerre exceptionnelle. Il était amusant de rappeler aux généraux américains, qui n'avaient jamais mis les pieds sur un champ de bataille, que Juin avait été blessé pour la première fois dans le Rif en 1912. Cela les impressionnait toujours.

Juin est l'homme qui se bat, pas un homme politique. Il commandait l'armée de Tunisie. Cette armée se battait avec la première armée anglaise pendant que l'Afrika Korps reculait, admirablement d'ailleurs, sous les ordres de Rommel et ensuite de von Thomas. Juin coopérait surtout, avec le commandant de l'armée anglaise, sir John Anderson.

Ils se voient quelques jours avant Noël. Sir John lui dit : « Mon général, bientôt Noël, Christmas. Je crois que nous pourrions nous donner chacun un petit cadeau. Que suggérez-vous? » Juin répond : « Écoutez, sir John, étant donné les événements, je propose qu'on se fasse des cadeaux utiles. » L'Anglais dit : « Bien entendu, quelle bonne idée! » Cela se passe au cours d'un repas qui a lieu au quartier général britannique. Juin continue : « Sir John, ce qui me manque le

42

plus ce sont des véhicules, nous devons marcher à pied, on perd un temps fou... »

La veille de Noël, s'acheminent sur la route les quelques véhicules anglais dont sir John fait cadeau à l'armée française. Dans l'autre sens, un seul véhicule croise ce convoi : c'est le cadeau de Juin à sir John. Dans cette voiture, un homme à côté du chauffeur, un seul – puisqu'il faut des cadeaux utiles –, et c'est un cuisinier. L'une des immenses qualités de Juin était l'humour. Envoyer un cuistot au Britannique, après le déjeuner au quartier général! Ce cuistot ne quittera plus le lieutenant-général sir John.

Des années plus tard, je passe à Gibraltar, ce roc étonnant, d'un autre âge et très moderne puisqu'il abrite maintenant des installations électroniques destinées à contrôler tous les passages des sous-marins dans le détroit. Le soir même, ayant déposé ma carte de visite au palais du gouverneur, je reçois une invitation à dîner de sir John Anderson, devenu gouverneur de Gibraltar. Il y a là un certain nombre de convives, dont une de ces immuables ladies dont les robes ressemblaient aux rideaux de ma chambre en Normandie. Vers la fin du dîner, on entend deux ou trois hommes qui marchent à la britannique, d'un pas martial, avec des chaussures ferrées, dans le couloir qui mène à la salle à manger. Pas question de se retourner : on est chez des Britanniques, il ne faut pas avoir l'air d'avoir entendu quoi que ce soit! Brusquement, on entend un « Garde-à-vous! » retentissant. On ne bouge toujours pas. Le gouverneur lève la tête (on regarde quand même, on ne peut résister) et, à ce moment-là, on voit un superbe sous-officier moustachu, accompagné de deux hommes en armes, qui porte un coussin de velours où trône une clef majestueuse : « *The keys of Her Majesty's fortress!* » annonce-t-il d'une voix forte en posant la clef sur la table : on vient de fermer la forteresse de Sa Majesté et, comme tous les soirs, l'on remet la clef symbolique au gouverneur. Le sous-officier fait un demi-tour réglementaire et s'en va. Dans le fond, tout le monde est très ému, mais il n'est pas question de le montrer.

A ce dîner, Son Excellence a cru devoir inviter le vice-consul de France, un consul honoraire. Je lui demande : « Monsieur le consul, avez-vous une grosse activité à Gibraltar? – Oh non... »

J'ajoute : « Avez-vous beaucoup de gens dans votre circonscription ? – Ah! dit-il, à Gibraltar même, j'ai un Français, le cuisinier du gouverneur. » Je réponds : « Monsieur le consul, je crois que je vois de qui vous voulez parler. » Il n'a pas très bien compris. Je ne lui ai pas raconté l'histoire de l'échange de cadeaux à ce Noël de Tunisie.

O. – Retournons à Alger où bruissent les intrigues.

M. – Là, je rencontre des amis du général Juin, des gens qui le connaissent bien. Quand je leur dis que j'ai obtenu mon affectation pour le corps expéditionnaire d'Italie, ils me demandent de lui remettre une lettre. Juin s'était déjà embarqué pour l'Italie trois jours plus tôt.

Je m'envole pour Naples et, là-bas, je vais me présenter au commandement du corps expéditionnaire. On me dit : « Mon lieutenant, le général Juin veut vous voir. » Je suis à la fois surpris, content et extrêmement ému parce qu'à cette époque-là, voir l'illustre général Juin – le plus grand chef des Français –, héros de la Première Guerre mondiale, c'était un fameux événement pour un jeune officier.

Je me mets sur mon trente et un et je vais me présenter à l'heure dite dans son P.C., une sorte de camion au nord de Naples. Il avait à la main la lettre de ses amis d'Alger, M. et Mme de R. que je lui avais fait transmettre. Il était en tenue d'été. C'était un bel homme qui, pour reprendre l'expression du maréchal Lyautey, son maître, « avait l'œil peuple ». On remarquait très vite qu'il avait une sorte d'anomalie dans le bras droit, due à une grave blessure de la guerre de 14. Il se servait de la main gauche et saluait de celle-ci. Il tapotait nerveusement son bureau de la main droite. A un moment, il me dit : « Vous arrivez d'Alger, mon vieux ? Qu'est-ce qui se passe là-bas ? »

Je savais que son nom de code, utilisé au cours des conversations téléphoniques, était Hannibal. Et j'ai aussitôt pensé aux guerres Puniques. Pour lui décrire les grenouillages bien français qui avaient lieu à Alger, je lui répondis : « Mon général, pour résumer, c'est le suffète Hannon et le sénat de Carthage. » En effet, à cette époque, à Alger, le talentueux général de Lattre de Tassigny s'était vu préférer Juin par le général de Gaulle pour le commandement du corps expéditionnaire en formation. Il se mit à rire. Je crois que c'est à partir de ce moment-là que nous nous sommes compris, et pour longtemps.

Il m'a ensuite dit : « J'ai lu quelque chose portant votre nom quand j'étais à l'École de guerre. » Je lui ai expliqué le rôle qu'avait tenu mon père au cours de la Première Guerre mondiale. Juin avait lu le livre que celui-ci, avec le général de Chambrun, avait écrit sur l'armée américaine en France en 17-18 [1]. Le général m'a demandé : « D'où venez-vous ? – J'arrive de Normandie, mon général. – Que voulez-vous faire ? – Mon général, je suis là pour faire la guerre. S'il y a un poste intéressant et au premier rang, je souhaite m'y trouver. »

Il a téléphoné devant moi au chef d'état-major, le général Carpentier : « Je voudrais que vous affectiez Marenches à quelque chose de vigoureux. Il y tient. »

Je me suis retrouvé officier de cavalerie, servant dans une unité de choc composée de tirailleurs marocains, engagée dans les Abruzzes. Là, j'ai vécu pendant quelque temps des choses assez étonnantes au niveau sportif, comme diraient les Britanniques. Ce n'était pas l'Italie des cartes postales touristiques. J'en suis sorti vivant grâce à une série de hasards. Les chasseurs de haute montagne tyroliens étaient très bien équipés, entièrement habillés de blanc. Nous, nous étions en kaki... Dans l'Apennin, en plein hiver, la température tombe à moins quinze, moins vingt. Nous n'avions pas à cette époque d'hélicoptères. Beaucoup de blessés mouraient gelés. Au cours de différents engagements, nous avions perdu les trois quarts de nos effectifs. Les blessés étaient descendus à dos d'homme, puis à dos de mulet. Quand ils arrivaient, ils étaient souvent morts. Il y avait encore quelques loups et des aigles.

Un jour, le général Juin se présente. Nous venions de quitter notre position et étions descendus sur une route carrossable, loqueteux et sales, pas rasés depuis quinze jours. Nous nous

1. *L'Armée américaine dans le conflit européen*, 1931.

sommes mis en rangs pour présenter les armes au grand chef. Il ne restait pas beaucoup d'officiers survivants. La 11e compagnie, elle, n'avait plus un seul officier. Elle était commandée par un sergent-chef. Il n'y avait plus de capitaines, plus de lieutenants, plus de sous-lieutenants, plus d'aspirants, plus d'adjudants-chefs, plus d'adjudants. Comme je me trouvais là, le général Juin a bien voulu me reconnaître et le colonel qui l'accompagnait a cru devoir dire des choses aimables à mon sujet.

Le corps expéditionnaire du général Juin comptait selon les époques cent vingt mille à cent trente mille hommes, dont environ cent mille « indigènes » d'outremer, Berbères, Kabyles, Pieds-Noirs, Tabors marocains du général Guillaume (dix mille cavaliers et fantassins) et la 1re division française libre, des unités venues de toutes les parties de l'Empire. Il y avait jusqu'à des Tahitiens, le célèbre bataillon du Pacifique, et même des gens des comptoirs de l'Inde... Un nommé Ben Bella, adjudant de tirailleurs, s'y distingua. Il a reçu la médaille militaire comme tant d'Algériens, de Tunisiens, de Marocains, de Sénégalais, légionnaires évadés de France. Les habitants de l'Empire français ont sauvé la métropole. Les combattants musulmans, remarquables guerriers, ne craignaient guère la mort : ils croyaient en la baraka. On voyait chez les Tabors marocains des crânes rasés où ne subsistait qu'une petite mèche qui permettait à Allah, disait-on, de les saisir pour les emmener au paradis.

Nous étions face à des blockhaus, à des lance-flammes, à des champs de mines. Juin tenait à prouver aux Alliés la valeur de l'armée française. Il fallait effacer la trace du désastre de 40. Les sections chantaient : « C'est nous les Africains! », *La Marseillaise* ou « La Allah ihl Allah! » On entendait : « *Zidou l'goudem!* En avant! »

C'est à cette époque que j'ai rencontré mon épouse, durant la campagne d'Italie, dans des conditions aussi romantiques que dramatiques. A dix-sept ans, diplômée de la Croix-Rouge, Lillian, dont les parents habitaient à l'époque au Maroc, avait été confiée par eux à la comtesse du Luart, personnage extraordinaire, créatrice et chef de la formation chirurgicale mobile numéro un.

46

Mme du Luart, fille d'un général de cavalerie russe, épouse d'un grand propriétaire de la Sarthe, était une femme d'une classe exceptionnelle. Il régnait dans cet hôpital de campagne, situé très près du front, sous la tente, une ambiance étonnante : il y avait de la boue partout, du sang et les grands blessés. Au cours des offensives et des contre-offensives, nous avions subi des pertes considérables. Lillian circulait au milieu de tout cela avec beaucoup de courage, sans avoir conscience de son incroyable beauté. Le « père Juin », comme l'appelaient affectueusement ses soldats, à la fin de la campagne d'Italie, lui a remis lui-même la croix de guerre.

Elle était la seule jeune fille à cette époque qui avait refusé de sortir avec moi, ce que j'avais trouvé aussi surprenant que choquant.

A la fin de la guerre, elle changea heureusement d'avis et m'épousa. J'ai eu de la chance. C'est la seule femme qui a pu me supporter plus de huit jours. C'est dire son dévouement et son abnégation depuis tant d'années.

O. – La campagne d'Italie n'était pas pour autant une partie de plaisir...

M. – Le corps expéditionnaire français, avec ses quatre divisions et demie, faisait partie de la 5ᵉ armée U.S. sous le commandement du général Clark. A notre droite, se situait la 8ᵉ armée anglaise, l'ex-armée de Montgomery, le vainqueur de la guerre du désert contre Rommel. Les deux armées se trouvaient sous le commandement du général Alexander, un très beau soldat britannique. Il avait ses braves Canadiens et le général Anders, que son peuple attendait sur son cheval blanc, le symbole de la liberté. Ce grand Polonais et ses troupes, qui se distinguèrent par leur courage insensé dans les combats du Mont-Cassin, n'avaient pas admis l'occupation de leur pays par Staline. Anders est un héros. Mais on l'a empêché d'avancer vers l'Est, ce qui avait été aussi le plan Juin et Churchill, en raison des funestes accords passés avec Staline à Téhéran en 43.

Le drame, au Département d'État à Washington, était qu'il ne fallait pas heurter la sensibilité du camarade Staline qui réclamait l'ouverture d'un second front pour alléger ses armées face à ses anciens alliés nazis.

Les fonctionnaires américains qui ne croyaient pas en la conversion de Staline furent rétrogradés. Ceux qui témoignaient que «Staline avait changé» furent promis à un avancement rapide. Chacun – sauf de rares exceptions – avait oublié que Staline était un communiste qui croyait à la doctrine communiste de la conquête de la planète par le communisme. Un réseau de sympathisants soviétiques eut accès à des documents secrets. Ils s'infiltrèrent au Trésor, au département de la Guerre, jusque dans l'entourage du président. La désinformation fait partie des armes secrètes de la guerre moderne.

Cela dit, même dans les moments les plus tragiques, les plus effrayants de la guerre, on trouve des détails cocasses. Ainsi, durant la campagne d'Italie, j'avais un camarade, un vrai guerrier, le brave Lindsay Watson, un Français d'origine écossaise dont on disait qu'il était un fils naturel de Winston Churchill. (Je dois avouer qu'il lui ressemblait beaucoup.) Ce bon Watson avait au corps expéditionnaire un petit mess à lui, d'excellente réputation, alors que tout le monde se nourrissait, en général, de rations américaines, comme le *meat and beans* et autres aliments qui n'étaient pas très appétissants pour des palais européens et impossibles pour des palais musulmans quand ils contenaient du jambon. Un jour, il y eut une histoire épouvantable parce que nos hommes s'étaient aperçus qu'il y avait du jambon dans le fromage. Des incidents regrettables furent évités de justesse, qui auraient rappelé fâcheusement la révolte des Cipayes de l'Inde [1].

Je demande au capitaine Watson : «Mais comment fais-tu pour avoir une popote bien meilleure que celle du commandement en chef?» Il me répond : «C'est grâce à Filippi. – Filippi? – C'est le frère du propriétaire du casino d'Alger et

---

1. Contingents indiens et musulmans (cent quatre-vingt-dix mille hommes) qui se révoltèrent en 1857, en apprenant que les cartouches de leurs fusils étaient tapissées de graisse de vache ou de porc. A l'époque, on mordait les cartouches avant de les introduire dans le canon. Un très grand nombre de Britanniques des Indes furent alors massacrés.

des autres activités annexes. Il connaît tout le monde. Qu'est-ce que je ferais sans lui ? Tu comprends, il est corse. Il parle italien et, comme on est en Italie... »

Dans son mess, il y avait toujours de merveilleux poulets, des dindes, des choses extraordinaires. Dans un camion qu'il avait « réquisitionné », il trimbalait une vache. « Pourquoi balades-tu une vache ? – Pour avoir du lait frais le matin. Ce n'est pas parce qu'on fait la guerre qu'on doit se passer de lait frais. » Le grand problème quand on traversait les barrages de la Military Police américaine, qu'il y avait des maladies bovines dans le coin et que le bétail n'avait pas le droit de voyager, c'était de faire taire la vache... Il y a eu des incidents effrayants. Je lui dis : « Ce Filippi doit être épatant ? – Eh bien, je vais le faire venir. Tu vas voir, il est très amical. » Il hurle : « Filippi ! » On entend : « Mon capitaine. » On voit arriver un type basané, qui a l'air corse, extrêmement sympathique, au sourire étourdissant. Il se met au garde-à-vous et répète : « Mon capitaine. » Présentations, etc. Je serre la main de Filippi et Watson lui dit : « C'est juste parce que je voulais que le lieutenant te connaisse. – A vos ordres, mon capitaine. » Il s'en va. Ma curiosité étant éveillée, je demande à Watson : « Comment fait-il ? – Eh bien, c'est très simple. On réquisitionne ce qu'il nous faut pour la popote. Nous sommes entourés de fermes, alors je donne des bons. – Comment, des bons ? – Oui, Filippi s'occupe de ça. » Watson rappelle Filippi : « Filippi, montre-nous... les bons. »

Il avait acheté dans une librairie italienne un carnet à souches. Je regarde les souches. Il y était marqué : « Un porcelet, deux poules, trois pintades, deux oies », n'importe quoi... Je réclame les bons eux-mêmes. « Je vais vous les montrer. » Il prend un tampon sec en caoutchouc, ouvre la boîte encreuse, fait « pan » sur le tampon, « pan » sur le bon et me remet celui-ci. A ma grande stupéfaction, j'y vois une superbe signature, qui faisait authentique puisqu'elle était noire ou bleue. On lisait : « Daladier. – Qu'est-ce que Daladier vient foutre là-dedans ? » Watson répète : « Filippi est corse, il parle italien. Quand il va dans les fermes pour chercher le poulet – que tu es en train de becqueter, d'ailleurs... avec appétit – ou le fromage, il faut bien qu'il leur remette quelque chose en

49

échange. – J'ai bien compris. Mais pourquoi Daladier ? »
Watson m'explique : « Écoute, le paysan de base italien, au sud
de Rome, qui connaît-il comme Français ? Il ne connaît pas le
chevalier Bayard, mort ici il y a quelques siècles et qui s'est
battu au Garigliano, ni François Ier. A la rigueur, Napoléon,
mais il n'est plus de ce monde. Il ne connaît pas tous ces
gens-là. Il connaît Daladier, et je vais t'expliquer pourquoi. Il
connaît Munich, ce paysan, parce que Munich s'est passé
avant-hier. Et qui était à Munich ? Mussolini, c'est le patron.
Hitler, le copain du patron. Chamberlain, l'Anglais, et Daladier, le Français. C.Q.F.D. Alors, il a mis " Daladier ". Le
génie, c'est ça ! »

Le Filippi, je l'ai revu après la guerre, descendant les
Champs-Élysées au volant d'une superbe Cadillac décapotable
avec trois ou quatre filles un peu voyantes mais très belles, à la
plastique irréprochable. On s'arrête et l'on va prendre un verre
avenue de Wagram – je m'en souviendrai toujours – dans un
bar, avec les jolies filles de Filippi. Au moment où je vais régler
l'addition – après tout j'étais officier et lui sous-officier, galons
obligent –, il me dit : « Je regrette beaucoup, vous ne pouvez
pas. Ici, vous êtes chez moi. » Ce bar lui appartenait, ainsi que
plusieurs autres. Évidemment, je me suis incliné. C'était un
type merveilleux, comme ces gens du milieu à l'ancienne qui
respectaient des règles et des habitudes.

Quand nous nous sommes séparés, il m'a dit : « Si un jour
vous avez un problème, n'oubliez pas Filippi. Moi, je vous
arrange ça tout de suite, le jour comme la nuit. Parole
d'homme ! »

O. – Et vous avez fait appel à lui ?

M. – Je n'en ai jamais eu l'occasion.

O. – Pourtant, les relations entre le Renseignement et le milieu
ont parfois été étroites...

M. – Oui, surtout dans les romans...

O. – Retournons en Italie. Comment êtes-vous devenu l'aide de
camp du général Juin ?

50

M. – Par hasard. Roosevelt avait choisi pour le représenter en Italie un des diplomates de premier plan de la Seconde Guerre mondiale, un homme en qui il avait toute confiance et qui avait longtemps servi en poste à Paris : l'ambassadeur Robert Murphy. Nous dépendions à l'époque, et en totalité, de l'aide américaine pour la nourriture, les équipements, les armes et les munitions, bref, pour tout. L'Angleterre était alors presque exsangue. Il s'agissait donc pour les forces françaises parties à la reconquête de la France d'impressionner favorablement nos grands alliés dont tout dépendait et il fallait surtout effacer la honte de la défaite de 40.

Murphy vint rendre visite au général Juin. A cette occasion, eut lieu une séance assez drôle qui illustre bien la différence de mentalités entre Français et Américains.

L'ambassadeur Murphy dit au général Juin : « Vous avez au corps expéditionnaire l'un de mes grands amis. » Réaction typiquement française du général : « Comment! Il y a ici un important personnage, l'ami du représentant de Roosevelt? Qui est-ce? – Alexandre de Marenches. »

Personne ne sait de qui il s'agit. L'aide de camp du général Juin se frappe le front : « Eh oui, c'est Marenches! Vous le connaissez, mon général. – Qu'on le fasse venir immédiatement! »

On me trouve, je ne sais trop où, on m'épouille et l'on me donne une tenue propre avant de me précipiter dans une jeep. On me conduit dans un vieux château italien au bord de la mer, où se situait le quartier général. Je me souviendrai toujours de mon arrivée là-bas, dans le grand salon où flambait un feu de bois. Je me mets au garde-à-vous, impeccable. Je salue. Bien entendu, personne ne bouge. Il y avait le général Juin, son aide de camp, le commandant de Bernède et un ou deux autres officiers.

Bob Murphy m'aperçoit, bondit de son fauteuil, me prend dans ses bras et me fait des *abrasos* à la mexicaine en me disant : « Comment vas-tu? » Je le tutoyais aussi. C'était un ami de ma famille. Stupéfaction générale. J'ai participé au dîner bien qu'étant de très loin le moins gradé.

Juin était interloqué. Plus tard, il m'a reproché de ne pas lui avoir fait savoir que je connaissais l'intime de Roosevelt. Je lui

51

ai répondu avec déférence : « Mais, mon général, vous ne me l'avez pas demandé! »

Cet épisode a été décisif dans le déroulement de ma vie. C'est à ce moment-là que le général m'a vraiment repéré et nous ne nous sommes plus beaucoup quittés.

C'est moi qui lui ai croisé les mains dans son cercueil, bien des années plus tard. C'était un seigneur. Il a un peu remplacé mon père. C'était un homme de courage et d'honneur. Il était gai et drôle, il ne se prenait pas au sérieux. C'était un homme, quoi...

Il possédait un registre d'anecdotes intarissable. Un jour, en décembre 44, vers la fin de la guerre, nous revenions de Belfort en voiture, dans la grande Delage de l'époque. Le voyage durait des heures sur les routes effondrées. Le général Juin imitait très bien l'accent corse ou italien, parce qu'il était de mère corse. A un moment, il entreprend de me parler des gens qui font carrière « grâce aux charmes de leurs femmes ». Il me donne un coup dans les côtes : « Marenches, à ce propos, connaissez-vous le vieux proverbe italien? – Non, mon général. » Alors il prend un accent italien de comédie et dit : « Les cornes, c'est comme les dents : ça fait mal quand ça pousse mais après on mange avec. »

Quelques heures auparavant, il expliquait au général américain dirigeant le groupe d'armées Sud, le général Devers, comment il y avait lieu de reprendre les opérations au cours des circonstances dramatiques de la contre-offensive allemande. Ils avaient envisagé l'évacuation possible de l'Alsace, ce qui a retardé de six semaines l'avance alliée en Allemagne. Le maréchal von Rundstedt avait attaqué le front allié le 16 décembre 1944 avec vingt-quatre divisions. Il avait rassemblé ses forces secrètement en raison du brouillard.

Un jour, j'ai demandé au général Juin si je pouvais consigner le récit de ses discussions avec les Alliés : notamment les conseils qu'il avait prodigués à Eisenhower pour le passage du Rhin le 20 janvier 45 et la bataille d'Allemagne. Il m'a répondu : « Non, ce n'est pas la peine. Il n'y a que le résultat qui compte. La gloire personnelle, on s'en fout. »

Un tel homme, quel exemple!

O. – A cette époque, vos attaches privilégiées avec le monde anglo-saxon, les liens familiaux qui vous valent d'être repéré par le général Juin ne vous posaient-ils pas de problèmes ? Ne vous soupçonnait-on pas d'avoir déjà une vision des choses trop proches des intérêts américains ?

M. – J'ai été arrêté une fois par les nazis en 1941, parce qu'on avait raconté que je finançais les communistes locaux de l'arrondissement des Andelys. C'est du même ordre.

Un jour, le général Juin me fait venir dans son bureau : « Marenches, savez-vous ce qu'on m'a dit de vous, hier ? – Non, mon général. » A l'époque, j'avais la clef du coffre du général. Je savais, je voyais tout. Je lisais les rapports qui arrivaient sur sa table. Je connaissais les chefs du haut commandement allié.

« On m'a dit que j'avais eu une drôle d'idée de choisir comme aide de camp et comme intime un agent de l'O.S.S. américain. » (La C.I.A. de l'époque.)

La terre s'est effondrée sous mes pieds. Je suis devenu tout rouge. Il a continué : « Je vais vous dire ce que j'ai répondu à cet informateur : que cela vaudrait certainement mieux pour vous puisque vous seriez, si c'était le cas, infiniment mieux payé qu'en tant qu'officier de l'armée française ! »

Il s'est mis à rire, s'est levé et m'a tapé sur l'épaule.

Personnellement, je n'ai jamais, à aucun moment, ressenti ce problème. Le monde anglo-saxon et nous, Français, étions alors, nous sommes encore, Dieu merci, dans le camp de la liberté. Mon but a toujours été de faire triompher le point de vue français d'abord, et allié ensuite.

5

Entre chefs de guerre

OCKRENT. – A vingt-deux ans, vous étiez l'aide de camp du général Juin. Il ne vous a pas abandonné en changeant d'affectation?

MARENCHES. – Premier dignitaire des forces armées de la France, il a choisi trois officiers – dont moi, qui marchais difficilement à cause de ma blessure – pour l'accompagner en France à la Libération. Imagine-t-on ce que représentait l'arrivée à Paris, en août 44, à la suite du général de Gaulle et du général Juin? La descente des Champs-Élysées, les acclamations, les vibrations de la foule qui criait d'une immense clameur jusqu'à l'obélisque : « Vive de Gaulle! »? Pourtant, la guerre était loin d'être finie. Il s'agissait de travailler. Je suis actuellement le seul survivant qui ait assisté aux grandes négociations et aux réunions à l'échelon suprême du quartier général interallié où allait se décider le sort de la guerre, en tout cas en Europe.

O. – Quelles étaient les relations entre le général de Gaulle et le général Juin?

M. – Excellentes. Durant la Seconde Guerre mondiale, Juin a été pour le général de Gaulle le meilleur général français, puisqu'il l'a nommé au poste le plus élevé de chef d'état-major général de la Défense nationale. Il ne s'était jamais mêlé de politique. Il était le seul homme à tutoyer de Gaulle. Ils avaient

55

été camarades à Saint-Cyr où Juin, fils de gendarme, était le major de la promotion. Et l'on sait le prestige du premier de la « promo ».

O. – Où et comment avez-vous vu pour la première fois le général de Gaulle ?

M. – Pendant la guerre d'Italie, alors qu'il était venu pour une inspection. Je l'ai rencontré très souvent par la suite, pour lui rendre compte des conversations qui avaient lieu dans *The War Room*, la « Salle des Opérations », au Trianon Palace à Versailles, où se réunissaient Eisenhower, Winston Churchill, Patton, Bradley et tous les grands chefs alliés. Juin allait trouver ensuite le général de Gaulle pour lui expliquer la teneur de leurs conversations. Je l'accompagnais. Il me donnait quelquefois la parole : « Eh bien, Marenches va te raconter... »
     Il n'y avait pas de sténographie ni d'enregistrement au magnétophone. J'étais chargé, à la sortie de ces réunions, de faire un rapport pour le général de Gaulle. Quand le général Juin n'y allait pas, je m'y rendais seul pour voir le général Bedell Smith, le chef d'état-major. J'apprenais par cœur ce qu'il fallait transmettre d'intéressant.
     Le général de Gaulle a toujours été très gentil pour moi. J'étais d'abord le fils de son vieil ami qui avait été l'élève de son père. Il m'a manifesté non seulement de la sympathie mais aussi une totale confiance.

O. – Comment vous êtes-vous retrouvé ainsi parmi les chefs de guerre alliés ?

M. – Le général George Marshall était, après le président Roosevelt, l'Américain le plus important de son époque puisqu'il était probablement l'un des deux ou trois hommes qui ont permis la victoire, le Lazare Carnot [1] des États-Unis, l' « organisateur de la victoire », au prestige immense.

---

1. En 1793, le grand Carnot s'entoura de compétences, créa des services, dressa des plans d'opérations, réalisa une guerre d'offensive et de destruction.

Au moment de la Libération de Paris, on a eu immédiatement besoin, en dehors de la mission de liaison, d'un interprète capable d'assurer le secrétariat et la liaison directement avec le commandant suprême interallié, c'est-à-dire le général Eisenhower. Selon la tradition, on a pensé à un général.

Nous étions encore dans les caisses. Nous venions d'arriver à l'hôtel Continental, l'ancien siège de la Gestapo, aujourd'hui l'hôtel Intercontinental. C'était la pagaille. Tout à coup, on nous annonce qu'il faut aller accueillir le général Marshall. Au dernier moment, un officier demande s'il parle français. Quelqu'un dit : « Pas très bien. Nous avons besoin d'un interprète. » Il n'y en avait pas sous la main. Comme j'étais l'aide de camp du général Juin, je propose : « Eh bien, mon général, si vous le permettez, moi je peux essayer... Je ne suis pas un interprète professionnel, mais je connais le général Marshall. »

Le général Juin s'écrie : « Vous ne pouviez pas le dire plus tôt ! »

Je lui réponds :

« Mon général, on ne me l'a pas demandé. »

Bruits de motards. Les voitures arrivent. Le général Marshall descend. Il se rend dans le bureau du général Juin et je traduis leur conversation.

L'un des sujets abordés au cours de cette réunion, capitale pour la conduite de la guerre en Europe, concernait les décisions sur la poursuite des opérations de guerre et tous les problèmes d'organisation, entre autres le retour de la France métropolitaine dans l'effort de guerre interallié.

Juin demande : « Il existe une mission de liaison française auprès du S.H.A.E.F. [1], l'état-major suprême interallié, qui comprend quelques dizaines d'officiers, arrivés de Londres ou d'Afrique. Ne croyez-vous pas qu'il soit bon que j'aie un officier de liaison personnel auprès du général Eisenhower pour traiter directement certaines questions ? »

A sa grande stupéfaction, et encore plus à la mienne, le général Marshall dit : « Eh bien, pourquoi pas Alexandre ? »

1. *Supreme Headquarters Allied Expeditionary Forces.*

57

Marshall était le meilleur ami de mon père. Juin n'a pas eu le temps de réfléchir : Marshall avait pris sa décision. « En sortant de chez vous, je me rends chez Eisenhower à Versailles. J'emmène Alexandre avec moi et je le présente à Ike. »

C'était la première fois que j'entendais le surnom d'Eisenhower. Il m'a entraîné par le bras et son chauffeur nous a conduits au siège du commandement suprême interallié, à Versailles, avec escorte et motards. En route, George Marshall m'a raconté beaucoup de souvenirs sur mon père.

Il était un peu en retard sur le programme. Eisenhower attendait à l'extérieur, au garde-à-vous, entouré de son état-major. On avait voulu confier à Marshall le commandement en chef des opérations de débarquement et de la guerre en Europe, mais le président des États-Unis n'avait pas voulu le laisser partir tant il avait besoin de son éminente présence à ses côtés. Marshall avait minutieusement surpervisé l'ensemble de l'effort de guerre en Europe ainsi que dans le Pacifique.

Je me demandais ce qui m'arrivait. A un moment donné, Marshall se retourne, me voit et me dit : « *Come with me!* » Nous nous retrouvons dans le bureau du général Eisenhower. Le général Marshall m'a présenté en ces termes à Eisenhower : « Je ne sais si vous connaissez Marenches : c'est le fils de mon meilleur ami, Charles de Marenches, qui fut au cours de la Première Guerre mondiale le Français le plus proche du général Pershing. Je vous demande de lui accorder la même confiance que le général Pershing à son père. »

O. – A quoi ressemblait la *War Room,* la « Salle des Opérations » ?

M. – C'était une immense pièce, non loin du bureau du commandant suprême, dont les issues avaient été soigneusement bouchées et qui était l'endroit le plus secret du monde de l'époque. Une ouverture, la porte d'entrée.

J'étais le seul Français à disposer d'un laissez-passer permanent, que je possède toujours. La discipline était stricte. Sur l'un des pans de mur, se trouvait l'ordre de bataille allié et ennemi. Sur un autre étaient affichés les objectifs de bombardement des prochains jours avec le nombre des avions qui seraient engagés, ainsi que la date et l'heure des raids. Sur un autre mur, les plans de la marine ainsi que la position des grands convois avec les dates. On savait ce qu'ils transportaient, leur date de départ et le nom des navires accompagnateurs. Le dernier mur présentait le front du Pacifique et ses évolutions terrestres, maritimes et aériennes.

Celui qui pénétrait dans cette pièce obtenait d'un seul regard l'état global de la guerre sur n'importe quel front. Aussi les deux officiers américains qui y travaillaient étaient-ils mis au secret pendant quarante-huit heures après leur séjour dans la *War Room*. A vingt-trois ans, j'étais le seul Français admis à y pénétrer à n'importe quel moment du jour ou de la nuit.

Le général de Gaulle dirigeait à Paris le gouvernement provisoire qui avait été composé et remanié le 9 septembre 1944. A cette époque, les troupes allemandes occupaient encore une partie du territoire français. On discutait dans la *War Room* de la manière la plus efficace de les repousser.

Il y avait un jour une réunion dans le bureau du chef d'état-major, le lieutenant-général Bedell Smith, où se trouvaient mon patron et le lieutenant-général, c'est-à-dire général de corps d'armée britannique, Redman, représentant des forces armées britanniques auprès du général de Gaulle.

A un moment, Bedell Smith s'est levé en disant : « *Gentlemen,* nous allons aller dans la " Salle des Opérations " pour discuter devant les cartes. » Nous voilà partis dans les couloirs. Smith s'est effacé pour laisser passer le général Juin qu'il a suivi. Tandis que je m'effaçais moi-même devant le lieutenant-général Redman, Smith s'est retourné : « *Not you, Redman !* »

Moi, pauvre petit lieutenant, je suis entré dans la *War Room* avec les deux grands chefs pendant que Redman faisait les cent pas une demi-heure dans le corridor. Il n'avait pas, lui, général de corps d'armée, accès au saint des saints.

O. – Cela faisait-il partie des vexations que les Américains infligeaient aux Britanniques ?

59

M. – Non, cela faisait partie de la discipline. Redman n'avait pas l'agrément pour entrer dans la « Salle des Opérations ». C'est aussi simple que cela. Qu'il y ait eu des histoires entre les Alliés, bien sûr! J'en ai été souvent le témoin. Par exemple, les Britanniques ont refusé à un moment d'obéir au commandant suprême parce qu'ils voulaient se replier sur Anvers pour protéger la Grande-Bretagne, au moment de la dernière grande offensive de von Rundstedt en décembre 1944. C'était tragique. On a vécu des jours et des nuits sans sommeil. Le maréchal Foch disait à propos des alliances : « J'ai un peu moins d'admiration pour Napoléon depuis que je sais ce qu'est une coalition! »

Le général de Gaulle n'était pas très détendu durant ces réunions. Il était quelque peu raide, peut-être altier à l'égard des autres, mais c'était normal. Il avait souvent fait remarquer que, quand on était petit et faible, il fallait être d'autant plus dur. Il était le seul qui ne parlait pas l'anglais. Pour lui, les autres étaient des « Anglo-Saxons ». Et eux, entre amis, s'appelaient par leurs prénoms.

O. – Et Churchill?

M. – Winston Churchill, peu de gens lui disaient Winnie ou Winston, mais *sir*. Il n'y a pas trente-six titres dans ce merveilleux système anglais. Churchill était plus vrai que nature. Je l'ai vu pour la première fois dans le bureau d'Eisenhower. On avait posé les cartes par terre et, afin de mieux voir, il a émergé de son fauteuil pour se mettre à quatre pattes sur la moquette. La fumée de son cigare lui remontait au visage. Il dut me confier son célèbre cigare que j'ai tenu avec le respect que méritait celui-ci. Il a pu exprimer son point de vue sans être comme un renard dans un terrier enfumé. Ce jour-là, Eisenhower voulait évacuer l'Alsace, ce qui revenait à la livrer aux représailles nazies. Son chef d'état-major, le vrai patron des opérations, le lieutenant-général Bedell Smith, l'approuvait. De Gaulle avait prévenu Juin qu'il ne consentirait en aucun cas à la perte de Strasbourg et de l'Alsace. De Gaulle, d'accord avec Juin, avait télégraphié à Churchill et à Roosevelt qu'il ne céderait pas.

Le 3 janvier 45, Churchill en personne est entré dans le bureau d'Eisenhower pour soutenir de Gaulle. Eisenhower estimait que l'Alsace était une province comme une autre. Le général Juin lui avait dit : « Vous savez, l'Alsace n'est pas le Nebraska. C'est un mythe. »

Eisenhower ne percevait pas très bien que les Alsaciens avaient déjà subi l'occupation prussienne en 1870, l'occupation allemande en 14-18. Du point de vue de Hitler, l'Alsace faisait partie intégrante de la patrie allemande. Son évacuation, préconisée par Eisenhower, exposait ses habitants à d'effroyables représailles. De Gaulle pensait qu'en abandonnant, pour des raisons tactiques, l'Alsace au Troisième Reich, des milliers de gens allaient être exécutés et massacrés par les nazis et qu'on ferait cadeau à Hitler d'une victoire dont il avait besoin à cette époque.

De Gaulle était glacial : « J'ai donné à la première armée française l'ordre de défendre la ville. Elle va le faire, de toute façon ! »

De Gaulle insistait auprès d'Eisenhower. Livrer l'Alsace aux nazis causerait un désastre national. L'autre se défendait. Son plan militaire était, pensait-il, impeccable. Il n'avait pas à tenir compte de raisons politiques.

Churchill a essayé de tordre gentiment le bras au général Eisenhower dans cette histoire : « Toute ma vie, j'ai constaté la place que tenait l'Alsace dans le cœur des Français. Je crois, comme le général de Gaulle, que ce fait doit entrer en ligne de compte. » Finalement, de Gaulle a gagné. Eisenhower a téléphoné au général Devers de suspendre les ordres qui lui seraient portés le lendemain par le général Bedell Smith.

De Gaulle, qui se méfiait, demanda au général Juin de l'accompagner. A la sortie, Churchill m'a pris par le bras et m'a dit : « *Thank you very much, young man. You've done a very good job.* »

Churchill était en uniforme de colonel de la Royal Air Force, en bleu. Ses chaussures n'étaient pas réglementaires. Cela l'ennuyait d'avoir des lacets. Il s'était fait poser des fermetures Éclair, du haut de la chaussure à la cheville. Il avait son cigare à la main. Il ne le fumait jamais jusqu'au bout. Il l'allumait et en tirait quelques bouffées. Il savait que cela faisait partie de son image.

Il avait un grand sens de la communication. Comment ne pas se souvenir qu'avec la famille royale, il avait tenu l'Angleterre seul en face de cet ogre dévorant : Hitler ?

Au moment de la bataille d'Angleterre, lorsqu'en 40-41, des centaines d'avions nazis semaient la terreur dans Londres en rasant des quartiers entiers, au cours des minutes qui suivaient la fin d'un bombardement les survivants voyaient arriver une grande voiture noire. Il s'agissait soit du Roi George VI, le père de la Reine Elizabeth II, qui avait refusé de se rendre avec sa famille au Canada et qui était déjà malade, soit d'un petit homme qu'on apercevait difficilement parmi les montagnes de gravats. Churchill prenait alors, selon le temps, son parapluie ou sa canne. Il plaçait son chapeau melon sur la crosse de son parapluie ou de sa canne et il le levait. Même si les Londoniens ne voyaient pas le crâne de Churchill, lorsque apparaissait au-dessus des décombres fumants une canne ou un parapluie surmontés d'un melon, on savait que Churchill arrivait.

O. – Votre rôle devait être bien difficile entre Eisenhower, Bedell Smith, Churchill, le général de Gaulle et le général Juin ?

M. – Il y avait aussi le maréchal Francis Alanbrooke, C.I.G.S. : c'est-à-dire *Chief of the Imperial General Staff,* chef de l'état-major impérial et bras droit de Churchill. Il a participé à l'élaboration de toutes les décisions stratégiques prises durant la Seconde Guerre mondiale. Il parlait l'anglais avec un léger accent béarnais parce qu'il était né à Bagnères-de-Bigorre. J'étais chargé de traduire la pensée du général de Gaulle qui s'exprimait en français et celle d'Eisenhower, courtois mais à la limite de l'exaspération. Churchill, lui, était amical et tout en rondeur. Ces messieurs parlaient plus ou moins en même temps. Impossible de pratiquer le mot à mot. Il fallait que je résume ce que l'on venait de dire, sauf s'il y avait deux ou trois termes particulièrement importants. Ils ne parlaient pas directement à l'interlocuteur mais, par exemple, le général de Gaulle me disait : « Marenches, expliquez ma position au général. Voilà ce que je désire... »

C'était un travail très difficile. J'en avais des sueurs froides parce que je me rendais compte de l'importance de l'affaire et de l'extraordinaire responsabilité qui pesait sur moi. Il s'agissait de déterminer, ne l'oublions pas, la conduite de la guerre et du sort de millions de combattants. Plusieurs fois, j'ai demandé que l'on répète une phrase. Je ne voulais pas me tromper. C'était très dangereux.

O. – Votre travail consistait donc non seulement à traduire leurs propos mais encore à être aux petits soins pour ces grands hommes ?

M. – J'étais le garçon à tout faire de la maison. Je portais ce superbe titre napoléonien d'aide de camp. J'avais la clef du coffre du général Juin. J'allais au grand quartier général ou dans la « Salle des Opérations » seul quand il n'y allait pas lui-même. Bedell Smith m'expliquait ce qui se passait. J'en sortais, je montais dans la voiture, rentrais à Paris et rendais compte au général Juin de ce que j'avais appris par cœur. Cela m'a développé la mémoire, l'intelligence des imbéciles, comme disait l'autre. Après quoi, Juin allait voir de Gaulle. Je l'accompagnais toujours.

Eisenhower et Montgomery, qui, après avoir participé aux campagnes de Sicile et d'Italie, avait pris, en 1944, le commandement des forces terrestres du débarquement de Normandie, se disputaient souvent sur la conduite à tenir. Eisenhower, par tempérament, était pour les choses *ne varietur*. Difficile de modifier les plans. Il nous prenait pour des gens bizarres et se méfiait un peu des Latins. Les Américains sont les rois de la logistique. En contrepartie de ce phénomène, ils manquent de souplesse. On a prévu l'opération Overlord, puis un débarquement sur les côtes de Provence, et l'on s'y tient *perinde ac cadaver,* « comme un cadavre ».

O. – Vous pensez au renoncement du général Juin qui voulait foncer avec son corps expéditionnaire jusque dans les Balkans, sans tenir compte des accords de Téhéran avec Staline ?

M. – Churchill et Juin avaient suggéré que pour empêcher les Soviétiques d'avancer trop loin en Europe il valait peut-être mieux remonter par le col du Brenner ou la Yougoslavie où subsistait encore l'héroïque maquis du général Mihaïlovitch, l'un des chefs de la résistance serbe à l'occupation allemande de 1941, assassiné par ses adversaires politiques, partisans de Tito. S'agissait-il de l'influence de quelque conseiller occulte à la solde des Soviétiques? Roosevelt avait répondu : « Non, surtout pas! C'est prévu. On reste sur ce qui a été décidé. »

A ce jour, je n'ai pas compris pourquoi les Britanniques ont choisi de mettre en selle Tito, ce vieil agent communiste, plutôt que de soutenir le général Mihaïlovitch et ses partisans, les « Tchetniks », souvent issus de l'armée régulière, fidèles au jeune roi Pierre II de Yougoslavie.

Un effrayant exemple de la rigidité américaine est l'opération qui a consisté à restituer aux Soviétiques des dizaines de milliers de réfugiés russes qui se trouvaient après la défaite nazie dans les zones d'occupation américaines et anglaises. Les Français ne l'ont pas fait. Ces gens ont été fusillés jusqu'au dernier lorsque les Américains et les Anglais les ont retournés par trains entiers aux Soviétiques. Certains de ces ressortissants russes se sont suicidés en se jetant sur des barbelés électrifiés plutôt que d'être rapatriés en U.R.S.S.[1]. Le général Juin m'envoya un jour voir le général Eisenhower pour l'avertir de ces événements abominables. Eisenhower m'a répondu : « Oui, je suis au courant. Mais c'est prévu. On ne peut rien y changer. » Nous avons donc laissé froidement massacrer des milliers de gens qui étaient anticommunistes.

Une autre fois, sur les conseils de Juin, qu'Eisenhower respectait beaucoup, on a modifié un peu les attaques américaines. Eisenhower n'avait pas une grande vision politique de la guerre. Lui et son état-major avaient décidé qu'ils passeraient le Rhin à tel endroit. Juin avait une autre idée. Nous avons examiné ensemble la manière dont on pouvait lui glisser dans l'esprit que cette initiative était la sienne. L'astuce ne consiste pas à contredire quelqu'un mais à lui inculquer votre

1. Voir le livre de Nicholas Bethell : *The Last Secret*, traduit aux Éditions du Seuil sous le titre : *Le Dernier Secret, 1945. Comment la Grande-Bretagne et les États-Unis livrèrent à Staline plus de deux millions de Russes*, 1975.

pensée afin qu'il s'imagine en être l'auteur et à lui apporter les éléments d'une décision qui va dans le sens de ce que vous préconisez. Huit jours plus tard, Eisenhower a convoqué le général Juin pour lui expliquer sa nouvelle idée. C'était exactement celle que lui avait soufflée Juin la semaine précédente. Il s'agissait du passage du Rhin et de la bataille d'Allemagne. Excusez du peu!

L'atmosphère du grand état-major était parfois mouvementée : j'ai assisté à des coups de téléphone entre Bedell Smith et le futur maréchal Montgomery. Bedell Smith posait l'appareil et s'écriait : « Alors, voilà cette... de Montgomery! »

Une autre fois, Smith a dit au général Juin : « Si vous n'appliquez pas telle mesure, mon général, je suis au regret de vous annoncer que vous n'aurez plus une goutte d'essence et plus une munition pour la 1re armée française. »

Après un instant de réflexion, le patron s'est tourné vers moi : « Marenches, dites au général Smith que c'est curieux : je sens qu'il va y avoir une grève générale des ports français de la côte atlantique et des chemins de fer. »

Smith a éclaté de rire. Il a donné une bourrade sur l'épaule de Juin : « O.K., vous avez gagné! » Les conseils du général Juin étaient sollicités, toujours écoutés avec respect et attention. Ils servirent souvent la gloire de ceux qui les utilisèrent.

O. – Était-ce toujours aussi animé?

M. – Les tempéraments se heurtaient. De Gaulle n'avait jamais pardonné à Churchill et à Roosevelt ce qu'il considérait comme une trahison : le débarquement allié au Maroc et en Algérie, le 8 novembre 1942. Les luttes franco-françaises, comme toujours, compliquaient les choses. Le général de Gaulle était arrivé le 22 janvier 1943 à Anfa, dans la banlieue de Casablanca, au Maroc, pour une conférence très tendue avec les Alliés qui voulaient nommer le général Giraud commandant en chef de toutes les forces armées d'Afrique du Nord. Bob Murphy m'a plusieurs fois raconté combien, à l'entrevue d'Anfa, il eut du mal à ce que de Gaulle et Giraud se serrent la main devant les photographes. De Gaulle avait refusé d'être sous la tutelle des Américains. Il se méfiait tout autant du général Eisenhower.

65

Finalement, après bien des discussions, Eisenhower avait accepté de faire donner au général de Lattre les moyens nécessaires pour gagner la bataille de Colmar menée du 20 janvier au 7 février 1945 par la 1re armée française, tant pour dégager Strasbourg que pour libérer la haute Alsace. Vers la fin janvier 45, Eisenhower avait demandé au général Juin de le rejoindre à son quartier général de Versailles. J'accompagnais le patron parce qu'on lui avait dit que des parachutistes allemands tenteraient une opération suicide.

Eisenhower avait un colt posé sur son bureau. Il était de mauvaise humeur. A la suite d'un rapport, il s'imaginait que la 1re armée française « n'avait pas d'âme ». Réaction indignée de Juin. Visite au général de Gaulle plein de préventions envers Eisenhower. Le lendemain matin, tout en remettant en main propre une lettre du général Juin au général Eisenhower, j'ai essayé d'arranger les choses. Le commandant suprême interallié en voulait un peu à l'armée française qui, sur ordre du général de Gaulle, prenait de l'indépendance, comme cela s'était passé au moment de l'escapade de la 2e D.B. vers Paris.

Eisenhower m'a dit qu'il aimerait rendre visite à de Gaulle pour s'en expliquer et m'a remis une lettre pour le général Juin, dans laquelle il s'excusait des propos qu'il avait tenus. Après le passage du Rhin au sujet duquel Juin s'était bagarré gentiment avec les Américains, il a félicité Bedell Smith : « Eh bien, je crois que c'est fini. Maintenant, on a gagné ! » Et l'autre lui a répondu : « *No, general. The worst is still to come...* » Le pire reste à venir.

Dans la voiture, en revenant vers Paris, nous avons parlé de cette prophétie. Il ne pouvait s'agir que des armes secrètes ou d'un engin atomique que nous savions que Hitler concoctait.

O. – Aviez-vous conscience que l'histoire était en train de se faire à ce moment-là ?

M. – Tout à fait. Mais, pour éviter de me prendre trop au sérieux, quand il faisait beau, en sortant dans la rue Weber où j'habitais, je regardais le ciel et je me disais qu'à côté des étoiles, ce que je vivais ne représentait pas grand-chose. Lorsque le ciel était bouché, je me concentrais sur une pierre, un peu à la façon des Japonais, pour garder le sens des valeurs véritables.

J'étais intimement mêlé aux préoccupations du général Juin, le patron de la Défense française. Il y avait de perpétuelles mises au point dans la *War Room,* entre la conception du général de Gaulle, soutenue par Juin et exécutée par de Lattre et Leclerc, et les vues d'Eisenhower et de Bedell Smith. Les Britanniques jouaient souvent leur propre jeu entre les Américains et nous.

Par exemple, lorsque la 2e division blindée a fait son entrée à Paris, le 25 août 44, avec, en avant-garde, mon ami l'héroïque capitaine Dronne à l'Hôtel-de-Ville, nous étions à quarante-huit heures de la prise du pouvoir par un soviet parisien. Bon nombre de communistes ne sont entrés dans la Résistance qu'après que Staline eut subi, à son tour, l'invasion des nazis, le 22 juin 1941. Il avait pourtant avec eux dépecé la Pologne. Le général de Gaulle estimait essentiel de ne pas se laisser déborder par les communistes. Il n'était pas certain de contrôler la situation, bien qu'il ait compté quelques agents communistes dans son entourage, à Londres comme à Alger. C'est pour cette raison que le général de Gaulle a donné l'ordre au général Leclerc de désobéir au commandement américain et d'entrer le premier à Paris. Les communistes, si bien organisés et structurés, ont pris le pouvoir là où il y avait Résistance et maquis, notamment à Limoges.

De vastes régions au sud de la Loire et à l'ouest du Rhône échappaient au contrôle de l'État renaissant. Des bandes tenaient des maquis. De Gaulle craignait que les F.T.P. ne parviennent à créer un mouvement insurrectionnel qui serait devenu un gouvernement populaire indépendant de l'autorité nationale qu'il incarnait.

Nous en étions à deux doigts.

Le gouvernement a envoyé une demi-douzaine de préfets à Limoges qui furent arrêtés les uns après les autres et jetés en prison par le « soviet » local au fur et à mesure qu'ils débarquaient. Le général de Gaulle, préoccupé par cette question, l'avait soulevée lors d'une rencontre avec le général Eisenhower. De Gaulle lui a demandé de pouvoir retirer une ou deux divisions françaises de la 1re armée ou de la 2e D.B.

pour maintenir, ou éventuellement rétablir, l'ordre en France. Il jugeait que certaines régions (Limoges ou Toulouse, par exemple) pouvaient basculer et créer des troubles, en étant dirigés par des soviets locaux.

Eisenhower choisit d'ignorer ces problèmes de politique intérieure :

« Pas question! Ces troupes sont sous mes ordres et je les garde! J'ai un seul adversaire, la Wehrmacht. »

On s'attendait au pire. C'est la raison pour laquelle le général de Gaulle a choisi de nommer ministres dans son gouvernement quelques communistes parmi les plus connus de l'époque, comme Charles Tillon ou François Billoux. Le général de Gaulle s'est dit qu'il allait compenser son manque d'effectifs par l'habileté politique. Il a amadoué Thorez parce qu'il n'était pas sûr de disposer des forces nécessaires pour rétablir l'ordre. Maurice Thorez, déserteur de l'armée française et réfugié à Moscou, a été amnistié par un décret du général de Gaulle (7 novembre 1944) par lequel il était autorisé à se faire accorder un visa pour revenir en France. Le général de Gaulle pensait ainsi éviter une guerre civile franco-française.

O. – A l'époque, l'Union soviétique n'était pas perçue comme une menace ?

M. – Les Américains la jugeaient un allié lointain mais extrêmement efficace, dont les masses humaines et le courage permettaient d'économiser beaucoup de vies alliées. Il fallait aussi ravitailler les Russes. L'Empire britannique avait été saigné parce qu'il avait supporté seul le poids de la guerre contre Hitler ainsi que l'effroyable guerre de Birmanie. Les États-Unis, puissance dominante, fournissaient l'argent, le matériel. Ils ont livré une grande quantité de matériel à l'Armée rouge. Je parle des célèbres convois de Mourmansk. Ce terminus de la route du Nord a été ravitaillé par des convois alliés, malgré les efforts des sous-marins allemands. Au sud, les Américains ont construit un fameux chemin de fer à travers l'Iran, vers le Caucase.

O. – Cette attitude américaine se retrouvait-elle dans la *War Room* ?

M. – Souvent. De Gaulle ne voulait pas que la France tombe entre les mains de ses alliés anglo-saxons. Son idée était de rétablir une sorte d'équilibre.

En décembre 44, hélas souffrant, je n'ai pu accompagner mon patron au Kremlin avec le général de Gaulle, mais le général Juin m'a tout raconté à son retour. Trois mois environ après la Libération de Paris, de Gaulle, arrivé le 2 décembre 44 à Moscou, avait discuté à plusieurs reprises avec Staline. Il avait été sensible à son « charme ténébreux ».

Lors de ces discussions au Kremlin, le Général avait estimé que la Pologne devait rester un État indépendant. Deux mois avant Yalta, Staline lui a répondu : « Certainement, il n'y a pas de doute là-dessus. » Il pensait le contraire, bien entendu. Il a ajouté : « Nous avons intérêt à avoir une Pologne forte. Si la Pologne est forte, elle ne sera plus attaquée. »

Ceux qui appartiennent à la famille Atlantique s'imaginent qu'ils ont affaire à des gens de leur bord qui observent les règles du jeu. Staline était un ancien terroriste, patron du Kominform, du Komintern. Ce monsieur paysan, ancien séminariste, a fait tuer des millions de gens. Pour lui, qui pratiquait l'art de la guerre à la manière de Sun Tzu [1], rouler l'adversaire, exploiter sa crédulité comme à Téhéran en 43, lui mentir faisait partie de la routine. La duperie est une arme de guerre au même titre que la marine ou l'aviation, etc.

O. – Que pensait de Staline le général Juin ?

M. – Qu'il ressemblait à Pierre Laval, avec un air de gitan. Il mesurait un mètre soixante-cinq et, en tenue militaire, crayonnait sur un bloc de papier, sans lever les yeux, des barres, des ronds, des loups... Staline, ravi que de Gaulle ait permis à Thorez de revenir à Paris, s'était tourné vers son interprète à l'air terrorisé, pour lui dire en s'adressant à de Gaulle :

1. *L'Art de la guerre,* Flammarion, 1971.

« Demande-lui donc quand il va le faire fusiller. » Le général a répondu qu'il faisait la France avec tous les Français.

Pendant que le général de Gaulle préparait un pacte de vingt ans avec Staline, qui ne nous engageait pas à grand-chose (il était plutôt destiné à impressionner Roosevelt et Churchill), deux membres de la délégation française qui parlaient russe sans que personne le sût (cela arrive...) ont été stupéfaits de voir Staline se tourner vers son interprète : « Ah bien! Maintenant tu en sais trop. Je vais t'envoyer en Sibérie! »

Il ne s'agissait pas d'une plaisanterie gratuite. Le malheureux était devenu vert. Staline prit sa coupe de champagne du Caucase et la lui tendit : « Bois! »

La tyrannie n'a pas que des désavantages. Un de mes amis britanniques, Julius Edwards, capitaine de réserve de l'armée des Indes, en fit l'expérience quand il quitta le 6e régiment de tirailleurs rajpoutes.

D'origine russe, cousin de Peter Ustinov, il avait fait une grande partie de sa carrière dans les pétroles au Moyen-Orient. Grand, superbe officier, il parlait, outre l'anglais bien entendu, le russe à la perfection, ainsi que le turc, l'arabe et quelques autres langues. Il fut donc, intelligemment, affecté comme officier de liaison au point d'aboutissement du chemin de fer iranien *(Transiranian railroad)* en territoire soviétique. Il y rencontra une jeune étudiante réfugiée de Moscou, Tatiana. Les deux jeunes gens tombèrent amoureux.

Peu avant la conférence de Potsdam et avant que l'ineffable M. Attlee ne succédât, en pleine conférence, au grand Churchill, le capitaine Edwards fut affecté comme spécialiste... à l'état-major du Premier ministre.

Au cours d'un déjeuner, Churchill demanda à Staline : « Monsieur le maréchal, êtes-vous ennemi de l'amour? »

Devant le rire et le signe de tête négatif du tyran de toutes les Russies, Churchill lui fit remarquer que le jeune capitaine, assis à une table au fond de la pièce, ne pouvait se marier car sa fiancée russe ne parvenait pas à obtenir un visa de sortie.

Sur un geste de Staline, un membre de sa suite se précipita. Un ordre fut donné et quelques jours plus tard, la jeune Tatiana put rejoindre Julius.

70

Nous leurs rendîmes parfois visite à Londres. Cupidon avait pour une fois triomphé de la tyrannie.

Pour en revenir au séjour à Moscou des officiels français, Juin m'a raconté que les festivités étaient extraordinaires. Il y avait de pantagruéliques repas à la russe, d'innombrables toasts. Dans la salle Saint-Georges du Kremlin, on croulait sous les victuailles parmi les ors étincelants.

Staline levait sa coupe à la Pologne : « Vive la Pologne, forte, indépendante, démocratique! Vive l'amitié de la France, de la Pologne et de la Russie! » A côté du général Juin, se trouvait le maréchal Boudienny qui avait commandé la 1re armée de cavalerie, ancien sous-officier de cavalerie du tsar et grand ami de Staline. C'était l'homme aux immenses moustaches. Il était très populaire dans l'Armée rouge. Staline l'aimait beaucoup. Juin lui dit : « Eh bien, monsieur le maréchal, vous êtes un grand cavalier, n'est-ce pas? On le sait dans le monde entier. Vous avez commandé brillamment... Vous avez été, je crois, le grand maître de la cavalerie soviétique? » L'autre était ravi. « Oui, oui! Je suis le plus grand cavalier depuis Murat! » Un moment plus tard, le général Juin lui dit : « Puis-je vous demander combien vous aviez de cavaliers sous vos ordres? » Boudienny lui répondit modestement, mais avec la phraséologie ancienne qu'on employait dans les armées autrefois et que j'ai encore connue : « Un million de sabres! »

Juin avait été aussi frappé de rencontrer là un officier général de grande allure, dans un uniforme impeccable, portant ostensiblement la cravate de la Légion d'honneur. Celui-ci se présente à lui. « Je suis le général comte Ignatiev. »

Juin, stupéfait et après un instant d'hésitation, dit : « *Tovaritch!* – Oui », répond l'autre.

Entre les deux guerres, une des pièces de théâtre les plus populaires de Jacques Deval s'appelait *Tovaritch*. Je me souviens de l'avoir vue interpréter par deux merveilleux acteurs : Elvire Popesco et André Lefaur. L'argument s'inspire d'une histoire véridique. Nicolas II, le tsar de toutes les Russies, à la veille du premier conflit mondial, avait confié, venant de sa cassette personnelle, une somme très importante en francs-or qu'il avait fait déposer dans les caves de la Banque de France. Pour veiller sur le magot impérial, il avait nommé,

71

de 1912 à 1918, en tant qu'attaché militaire à Paris, le général comte Ignatiev qui appartenait à une grande famille de l'ancienne Russie et qui avait tous pouvoirs sur le dépôt en question. Il vivait avec la Pavlova, la première danseuse de l'Opéra.

La pièce met en scène le général comte Ouratief, avec la princesse son épouse, elle-même nièce du tsar. Ils vivent dans le plus grand dénuement dans le cadre restreint d'une chambre de bonne. Il y reçoit le sous-gouverneur de la Banque de France venu lui demander ce qu'il compte faire de tout cet argent dont il a la totale disposition après le massacre de la famille impériale à Iekaterinbourg. Il accueille son visiteur en restant dans son lit car il ne possède qu'un pantalon qui est ce jour-là en réparation.

Tout cela est aussi comique que tragique. A la fin Ouratief reçoit la visite d'un envoyé des Soviets, qui entreprend de négocier avec lui le rapatriement de cette somme fabuleuse dans l'escarcelle des bolcheviks.

Juin et Ignatiev se dirigent vers l'embrasure d'une fenêtre et Ignatiev, peut-être pour se justifier, explique que lui et son épouse sont rentrés en Russie, qu'il y vit convenablement, datcha, ordonnances et chevaux. A la question de Juin sur son activité réelle, il a ce mot merveilleux : « Je leur apprends les belles manières », répond-il en montrant d'un regard discret les militaires constellés qui se pavanent dans la grande salle du Kremlin.

Pour ne pas celer un détail technique, j'ajouterai que l'allure rebondie du poitrail des officiers généraux soviétiques est due à un secret : le poids de leurs innombrables décorations ne fronce pas la belle tenue de leurs uniformes car ils portent en dessous une feuille d'aluminium.

Dès le retour en France du général de Gaulle et du général Juin, il leur a fallu affronter les réalités. J'étais de nouveau sur pied.

Les Alliés devaient maîtriser les derniers soubresauts de l'armée allemande, découvrir l'horreur des camps de concentration et négocier à Berlin où les Russes s'étaient précipités pour arriver les premiers.

O. – En France, se déroulent aussi d'autres règlements de comptes?

M. – Il y avait très peu de vrais résistants. La plupart étaient soit morts soit déportés. Le frère d'un de mes camarades, M. de B., possédait dans les Landes une petite usine d'imprimerie sur tissu. Six mois après la Libération du Sud-Ouest, il a reçu une commande de soixante mille brassards F.F.I. Sans commentaire!

Un jour, je suis passé porte Maillot en jeep. Nous avons été arrêtés place des Ternes, mon chauffeur et moi, par un barrage. Des gens hirsutes et quelque peu avinés, qui portaient un brassard, prétendaient être F.F.I. ou F.T.P.

J'ai refusé de leur montrer mes papiers. Mon chauffeur a alors démarré en première. Heureusement pour nous, ces valeureux guerriers tiraient très mal. Il s'amusaient à jouer à la guéguerre. Il y avait aussi de faux résistants et des truands de bas étage déguisés en résistants. Quelle période d'ombre que celle des arrestations arbitraires! La jalousie est un vice national. Il y a eu, bien sûr, d'affreux collaborateurs mais aussi ceux qui avaient reluqué la femme du voisin ou obtenu des pneus de bicyclette quand l'autre ne pouvait pas en avoir. On essaie, à ce moment-là, de se venger. Il y a eu des scènes extrêmement pénibles à Paris comme en province.

La propre sœur de mon père, la comtesse de Ganay, qui avait organisé un réseau d'évasion des camps d'Allemagne vers l'Espagne et la liberté au 14 de la rue Raffet à Paris, fut dénoncée par des Français, arrêtée par des Français, torturée par la sinistre Gestapo française de la rue Lauriston, avant d'être déportée à Ravensbrück dont elle fut l'une des grandes figures et où elle trouva la mort.

Les faits d'armes, l'héroïsme, les actions d'éclat, la Résistance ne sont pas faits pour tout le monde. Comment reprocher à un peuple de ne pas avoir participé à tous ces combats? Il faut être d'une trempe spéciale pour se mêler d'actions aussi particulières. Mais jamais on ne rendra assez d'hommages aux vrais résistants, dont l'héroïsme et l'abnégation sont au-delà des mots. Je crois quand même que le régime de Vichy comprenait, à côté de « collabos », de braves gens.

Je dois dire qu'au début de l'Occupation, j'ai fait partie de ces gens qui espéraient qu'il y eût une entente secrète ou une connivence entre le maréchal Pétain et l'un de ses anciens officiers qui s'appelait Charles de Gaulle.

O. – Vous faisiez donc partie de ceux qui estimaient, en 44, qu'il était plus important d'accomplir une forme de réconciliation nationale, quitte à tricher avec l'Histoire?

M. – Oui, parce que le grand vice permanent des Français, c'est cette désunion entre les tribus gauloises. Le président Mobutu, un jour, avec ce rire extraordinaire et un humour certain qu'ont les Africains, m'a dit en parlant des Européens : « Vous savez, vous autres Européens, vous ne seriez pas mal si vous pouviez sortir de votre état tribal! »

Pour en revenir à cette douloureuse période de la fin de la guerre, j'avais proposé que le maréchal Pétain fût victime d'un accident qui aurait pu être organisé et qui lui aurait épargné à l'époque, à lui et à la France, les humiliations et les divisions qui ont suivi et qui, aujourd'hui encore, ne sont pas encore cicatrisés. On en avait monté d'autres, après tout.

O. – Par exemple?

M. – Ma mémoire, là, se brouille, instantanément. Ce scénario n'a pas eu lieu. J'avais demandé à mon patron si je pouvais éventuellement sonder l'entourage du général de Gaulle dans ce sens et il m'avait autorisé à le faire. Je m'en ouvris à Gaston Palewski, directeur du cabinet du général de Gaulle, au 14, rue Saint-Dominique. Gaston Palewski ne retint pas l'idée car, m'a-t-il dit, c'était dépassé. Nous étions au moment de l'écroulement de la Wehrmacht, de la bataille du Rhin, de la bataille d'Allemagne. Le vieux soldat se trouvait encore en Allemagne. Revenu le 26 avril 45, il a donc été traduit devant la Haute Cour siégeant dans la grande salle du palais de justice de Paris. Le général Juin voulait témoigner au procès. Le général de Gaulle ne l'a pas souhaité. Il a donc témoigné par écrit et m'a demandé

74

d'assister au procès pour lui rendre compte de l'ambiance qui rappelait les tribunaux révolutionnaires avec ce vieillard qui avait l'air absent.

Je pensais au mot de l'avocat de Louis XVI : « Je croyais trouver ici des juges, je ne vois que des accusateurs. »

217 kilomètres séparent la France du bloc de l'Est.

6

D'une forme de victoire
à une forme de guerre

OCKRENT. – Qui a gagné la Seconde Guerre mondiale ?

MARENCHES. – Je serais tenté de dire d'abord que nous n'avons pas basculé dans un monde nazi, ce qui aurait été abominable. On l'a appris depuis, grâce aux récits des camps de la mort. L'admirable peuple allemand était tombé aux mains d'une bande de gens épouvantables, des déséquilibrés mentaux et souvent des ratés physiques, tel Goebbels. Je ne suis pas sûr pour autant que les Alliés aient gagné la guerre car il existe maintenant un autre système totalitaire : le fascisme rouge. Dans tous les systèmes de force, la couleur du brassard du monsieur qui vous matraque ou qui vous jette en prison n'a guère d'importance. Quand on voit la pointe du saillant de Thuringe braquée vers nous en Allemagne de l'Est, qui se trouve à deux ou trois heures de voiture de Strasbourg, de ce point de vue géographique, nous avons vraiment perdu la guerre. En outre, le cancer marxiste se répand dans le monde.

O. – En 45-46, les Alliés s'efforcent donc de gérer un nouvel équilibre en méconnaissant l'émergence d'un Empire soviétique ?

M. – Ils croient le gérer. Je ne suis pas sûr qu'ils aient, à cette époque, une vision très précise de ce que va être l'après-guerre.

Les démocraties, quand elles s'amollissent, ne sont pas douées pour la géostratégie. Les Français avaient besoin de gloire et du témoignage personnel du général de Gaulle pour effacer leur honte collective. Si la France fait aujourd'hui partie des quatre Grands, c'est grâce à ces Français qui sont morts dans les rangs de la France libre et de l'armée venue de l'Empire. Le général de Gaulle a su faire oublier à ce grand pays de tradition militaire, dont l'histoire héroïque s'étend sur plusieurs siècles, la honteuse défaite de 40. Les Britanniques en 1945 étaient épuisés. Il n'y avait guère de tradition militaire américaine : air, terre, mer, telle que nous la concevions dans les vieux pays européens. Les Américains n'avaient qu'une idée : démobiliser à toute allure. Au sortir d'événements si tragiques, un immense désir de bien-être occupait les esprits.

La guerre avait été gagnée. Pourtant, nous avons perdu la paix. La Maison-Blanche encourageait l'opinion publique américaine à considérer d'un œil favorable le point de vue soviétique. Personne ne parlait de dictature rouge. Le président Truman, qui avait succédé en avril 1945 à Roosevelt, n'avait rien du marchand de cravates qu'on a décrit. Il avait malheureusement choisi parmi ses conseillers, l'un de ceux de Roosevelt qu'il croyait être un expert, Joseph E. Davies, l'ancien ambassadeur des États-Unis à Moscou, l'ami de Staline, qui en parlait comme d'un bon « Uncle Joe ».

Bien qu'il ait été informé le 17 juillet 1945, à la conférence de Potsdam, que la première bombe atomique avait été testée avec succès, Truman laissa Staline annexer Königsberg et une partie de la Prusse-Orientale. Churchill, lui, céda pour la troisième fois à Staline, après Téhéran et Yalta.

O. – Que faisiez-vous à l'époque ?

M.– J'ai accompagné le général Juin au Pentagone où nous avions rendez-vous avec le général Marshall et nous avons travaillé à la future charte des Nations unies durant la conférence de San Francisco (25 avril-26 juin 45). J'ai rencontré le président Truman, l'amiral Leahy ainsi que ma mère que je n'avais pas vue depuis l'été 40.

J'ai fait, aussi en 46, la connaissance d'un homme extraor-

78

dinaire, le roi de l'aluminium, Henry J. Kaiser, l'un des artisans de la bataille de l'Atlantique. Fils de cordonnier, Henry J. Kaiser gagnait à dix-huit ans sa vie comme photographe ambulant. A soixante-trois ans, il possédait six mines de charbon, acier, gypse et dolomite, une usine d'aviation, une usine de ciment, six sociétés d'extraction de sable et de gravier, une usine de fer et d'acier, trois entreprises de travaux publics, une compagnie de navigation.

En 1941, Averell Harriman avait été chargé par Roosevelt de la coordination de l'aide américaine fournie à l'Angleterre dans le cadre de la loi prêt-bail. Il y avait un problème : les navires anglais qui repartaient de New York, bourrés de matériel militaire, étaient coulés aux deux tiers par les célèbres sous-marins allemands, les *U-Boote*. Que faire ? Des millions de tonnes de navires alliés avaient été coulés de janvier à juillet 1942.

Roosevelt, officier de marine raté, n'avait pu faire carrière dans la marine de guerre pour des raisons physiques. Grand amoureux de la mer, il s'était fait équiper un yacht sur lequel il portait blazer et casquette de marin.

Quand Roosevelt a constaté le désastre de la bataille de l'Atlantique, il a convoqué Henry J. Kaiser :

« Monsieur Kaiser, vous y connaissez-vous en constructions navales ?

— Absolument pas.

— Eh bien, a répondu le Président, c'est exactement ce que je veux! Allez faire un tour dans la construction navale et racontez-moi ce que vous en pensez. »

Kaiser va voir des chantiers américains. Il revient quelque temps plus tard chez le Président :

« Monsieur le président, je commence à comprendre pourquoi vous m'avez choisi. On construit ces bateaux comme au temps des Phéniciens, il y a deux mille ans. On pose un premier morceau de bois ou de fer en bas, c'est la quille. Ensuite, sur les côtés, on remonte des morceaux de fer ou des morceaux de bois et, en deux ou trois ans, le bateau se termine. »

Roosevelt lui a demandé s'il pouvait inventer autre chose. Kaiser a réfléchi :

« Il faut emboutir. Pas de rivets mais des soudures... »

Avec son équipe, il a créé les *Liberty Ships*. On a construit, plus vite que Hitler ne les coulait, des bateaux de transport destinés aux Anglais. C'est l'une des raisons essentielles de sa défaite.

Roosevelt, naïf et déjà malade, comptait sur son charme pour amener Joseph Staline à coopérer à une paix durable. La cinquième fois qu'il demanda une entrevue personnelle à Staline, celui-ci accepta, à condition que le chef du plus puissant État du monde – qui lui avait fourni une aide de onze milliards de dollars de l'époque et sans le matériel duquel le seul courage des Russes n'aurait peut-être pas suffi à battre les Allemands – se dérangeât pour lui rendre visite à Téhéran en novembre 43.

La conférence de Téhéran avait fixé une ligne secrète qu'ignorait le général Juin : il voulait, après la victoire du Garigliano et la prise de Rome, marcher sur Vienne. Parce que les territoires d'Europe centrale étaient destinés à Staline, les chars de Patton durent s'arrêter, sur ordre, à quatre-vingt-dix kilomètres de Prague. Roosevelt avait veillé à ce que les clauses de son « accord » avec Uncle Joe fussent exécutées. Alger Hiss, l'un de ses conseillers, s'en était occupé. Il recevait ses ordres d'ailleurs, comme Philby, le Britannique, l'un des conseillers de Churchill...

Je suis lié avec l'archiduc Otto de Habsbourg-Lorraine qui, s'il n'y avait eu le funeste traité de Versailles (1919), actuellement porterait le titre d'Empereur d'Autriche et Roi de Hongrie. Je le considère comme un géostratège de premier rang. Celui-ci m'a raconté qu'il se trouvait, il y a un quart de siècle, à un dîner à New York. Il y avait à la table un jeune avocat dont on savait qu'il avait contribué à préparer le dossier qui servit à l'inculpation d'Alger Hiss, responsable du plus grand réseau d'espionnage soviétique aux États-Unis et qui est sorti, il y a quelques années seulement, du pénitentier où il purgeait sa peine. Comme l'archiduc félicitait le jeune avocat en lui indiquant qu'il connaissait bien les manigances des agents du Komintern et du Kominform, celui-ci lui demanda s'il pouvait lui dire un mot en particulier à la fin du dîner. Ils se retrouvèrent dans l'embrasure d'une fenêtre du salon et le jeune avocat américain déclara avec solennité :

« Merci pour vos compliments. Mais je veux, à mon tour, vous dire quelque chose en vous demandant de ne jamais l'oublier. Voici : *Un jour, ils m'auront.* »

Nom du jeune avocat : Richard Nixon.

Un joli mot en passant : Alors que l'on demandait à l'archiduc Otto de Habsbourg s'il allait assister au match de football Autriche-Hongrie, il répondit : « Contre qui ? »

Pour en revenir à Staline, il a exploité au maximum l'aide que Roosevelt et Churchill étaient prêts à lui accorder. Il exigeait un nouveau débarquement en Europe pour soulager ses troupes.

L'opération Overlord – le débarquement en Normandie – fut décidée pour le 6 juin 1944. Il fut convenu qu'un second débarquement aurait lieu, soixante-dix jours plus tard, sur la côte française de Provence, afin d'empêcher l'Armée rouge d'aller trop loin en Europe occidentale.

Churchill suivait toujours son idée d'une action dans les Balkans, comme le recommandait également Juin. Staline qui avait l'intention de mettre la main sur les cent millions environ d'habitants de l'Europe de l'Est pour bâtir son « glacis », s'y opposa. Churchill dut céder. Roosevelt disait : « Staline n'essaiera pas d'annexer quoi que ce soit et œuvrera avec moi pour un monde de démocratie et de paix. » Étrange fascination qu'exerçait Staline sur certains des plus grands chefs alliés ! Le poids de l'industrie américaine, la ténacité britannique, se sont mis ainsi au service de Staline qui a offert, de son côté, des sacrifices humains. Il est curieux qu'il soit apparu comme le grand vainqueur d'une guerre qu'il avait commencée en 39 avec son allié et son ami de rencontre Hitler...

O. – Truman a-t-il suivi la politique de Roosevelt ?

M. – En 45, les Américains qui, seuls, possédaient la bombe auraient pu imposer une *Pax americana* pour un siècle. Ils ne l'ont pas fait par manque de vision historique et en raison de ce que m'ont confié l'année suivante le président Truman et le général Marshall : « Pour modifier l'opinion publique et lui faire comprendre que les Soviétiques ne sont pas des alliés mais des adversaires potentiels, il faudrait deux ou trois ans. » Il aurait pu prendre Berlin puisque les troupes américaines, britanniques et françaises, sous le commandement d'Eisenhower, avançaient en Allemagne vers l'est, plus vite que l'Armée rouge vers l'ouest. Staline ne respectait pas les accords passés sur la Pologne et la Roumanie. Les Alliés auraient pu occuper Berlin, Dresde et Prague, et rendre la liberté à la Tchécoslovaquie.

Truman, comme Roosevelt, fasciné par le charmeur géorgien, demeurait encore sous l'emprise d'agents d'influence que sa naïveté n'avait pas détectés. Il fit ce que Staline attendait de lui. La conférence de Potsdam a ratifié celle de Yalta et de Téhéran. Le rideau de fer est tombé sur cent vingt-cinq millions de Bulgares, Polonais, Roumains, Tchèques, Estoniens, Lettoniens et Lituaniens. Les pays baltes faisaient désormais partie intégrante de l'U.R.S.S. Le « glacis » soviétique était constitué. Après Potsdam, on a permis le démantèlement des usines allemandes qui furent expédiées en U.R.S.S.

En 45-46, coopérer avec les communistes semblait présenter peu de dangers au président Truman. Il reconnut d'ailleurs le futur gouvernement de la Pologne choisi par Staline. L'U.R.S.S. disposait de trois voix aux Nations unies : l'Ukraine soviétique, l'U.R.S.S. et la Biélorussie soviétique y étaient considérés comme États indépendants, alors que les États-Unis n'en avaient qu'une. Fiction admirable !

O. – Pourtant, dès la fin de la guerre, les Services secrets américains et britanniques se mettent à récupérer des nazis qui avaient fait partie de la Gestapo ou de l'armée, comme Barbie, Mengele et quelques autres, pour utiliser leurs compétences, notamment à l'encontre de l'Union soviétique ?

M. – Oui, mais beaucoup moins que l'Allemagne de l'Est communiste. Dans le fond, le monde occidental connaissait très peu le système soviétique. Des gens à l'esprit pratique se sont dit qu'en Allemagne, il y avait des experts... Parmi eux, il y avait de tout, naturellement, du pire et du moins mauvais. Le général Gehlen n'était pas plus nazi que ne l'avait été l'amiral Canaris. On se souvient que, chef de la section de l'Abwehr au grand état-major en 1935, monarchiste, l'amiral Canaris a dirigé le Service militaire de Renseignement allemand pendant la Seconde Guerre mondiale. Dès 1940, il s'opposa à Hitler. Arrêté à Berlin après le complot du 20 juillet 1944, il fut exécuté. Gehlen, que j'ai rencontré par la suite, était le patron des Services militaires sur le front Est. Son équipe avait caché beaucoup de documents intéressants dans les montagnes bavaroises. Il s'est mis à la disposition des Américains. Ses hommes ont formé ensuite les Services de Renseignement allemand : la B.N.D.

J'ai eu comme collègue plus tard, alors que j'étais en charge du S.D.E.C.E., le lieutenant-général Gehrardt Wessel, qui avait été son adjoint sur le front de l'Est et qui devint par la suite l'un de mes amis. Mais, parmi les Allemands récupérés, il y avait aussi la lie.

Quand on analyse des affaires de ce genre et qu'on les condamne ou non, il faut toujours essayer de comprendre le contexte. Les Américains ont sauvé une Europe occidentale où l'immense majorité d'entre eux n'avaient jamais mis les pieds. Ils sont tombés dans un ensemble géographique incroyable où, après une demi-heure d'avion, on a déjà franchi une frontière.

Les histoires de camps de concentration commençaient à filtrer. Il était difficile, lorsqu'on trouvait un spécialiste intéressant, d'être sûr qu'il n'avait jamais participé à des exactions. S'il était techniquement valable, on avait tendance à le récupérer. Disons aussi que, dans ces moments cruels, la cohorte d'enfants de chœur et autres enfants de Marie est plutôt restreinte. On ne connaissait pas, à l'époque, le sinistre palmarès des Mengele et autres tortionnaires. Ballottés à travers une Europe dont les ruines fumaient encore, on ne savait ni d'où ils venaient ni qui ils étaient et où ils allaient. Souvent, ils ne le savaient pas eux-mêmes. C'était le grand désarroi.

Du côté soviétique, des milliers de nazis notoires ont été immédiatement embauchés par les Services et les polices des pays de l'Est, et certains le sont encore. On se reconvertit facilement d'un système totalitaire à un autre. Les Soviétiques ont davantage que nous une vision à long terme de l'action politique globale.

Pourquoi les Russes se sont-ils précipités le long de la Baltique et pourquoi ont-ils tenu à arriver les premiers à Berlin? Sur les rivages de la Baltique se trouvait le centre de Peenemünde où travaillaient les savants allemands. C'était le grand centre de recherche de la guerre, des engins autopropulsés, les V1 et les V2. Les Britanniques ont foncé et sont arrivés à peu près en même temps que l'Armée rouge. C'est la raison pour laquelle Wernher von Braun, le directeur de ces ateliers de fabrication, l'inventeur des V1, qui était alors en train de mettre au point les V2, a fini par émigrer aux États-Unis. Bien des années plus tard, le baron von Braun, son frère, fut ambassadeur de la R.F.A. à Paris. Il était lui-même le fils de l'aide de camp du dernier Roi de Saxe. Par contre, bon nombre des estimables collègues du savant ont été transférés en U.R.S.S.

A Berlin, étaient centralisées les archives de la Gestapo et de l'Abwehr, celles-là mêmes dont je n'ai eu qu'une partie, dix tonnes à peu près, quand j'ai été nommé directeur général du S.D.E.C.E., en 1970. Nous y avons découvert des choses épouvantables... Hélas, quelques Français illustres par leur passé, des résistants exemplaires, étaient en réalité des agents de la Gestapo ou des Services italiens. Ils étaient rémunérés par les Allemands et les Italiens dès avant guerre. D'une façon générale, les Italiens payaient mieux. On tremble à l'idée de ce qui se passerait si notre pays subissait une autre occupation.

O. – Les Russes ont-ils eu les mêmes documents?

M. – Les nazis étaient très organisés sur le plan de la paperasse. Il y avait une demi-douzaine d'exemplaires chaque fois que l'Abwehr ou la Gestapo établissait un virement à l'un de leurs agents, qui passe aujourd'hui pour un grand résistant. Il y avait un exemplaire local, un exemplaire départemental, un exemplaire qui allait probablement chez les militaires, un exemplaire destiné à la centrale, à Berlin et un autre à Paris.

Seuls, les Soviétiques ont disposé de la totalité de toutes les archives sur l'ensemble des pays occupés par l'Allemagne en

Europe. Ils ne se sont pas privés pour faire chanter jusqu'à ce jour un certain nombre de gens qui, par la suite, devinrent des personnalités à réputation honorable. Ceux-ci, jeunes à l'époque, furent désormais des « compagnons de route », obligés, s'ils possèdent par exemple des affaires de presse, de publier de temps en temps des articles précis sur tel ou tel point, destinés à soutenir ou à étayer un objectif à long terme, généralement de politique étrangère, dans la ligne qui convient.

O. – Vingt-cinq ans plus tard, quand vous étiez directeur général du S.D.E.C.E., vous est-il arrivé de croiser, ou même d'utiliser, des gens qui avaient fait métier du Renseignement et qui étaient d'anciens nazis?

M. – Pas à ma connaissance. Nous avons eu des gens qui avaient servi dans l'armée allemande, dans la Wehrmacht, parce qu'ils étaient alsaciens. Nous avions un besoin constant de germanisants. Mais l'armée allemande et le parti nazi sont deux choses différentes. Si, en 1945, j'avais été le chef des Services français et que nous disposions des ex-adversaires, détenteurs d'informations ou d'une expérience valable, j'aurais essayé de les trier, pour une raison morale d'abord, et pour une raison pratique ensuite : un personnage qui a été mêlé à des affaires ignobles ne peut pas avoir un bon jugement. C'est un pervers, un malade mental. Dans le Renseignement, on n'a pas besoin de monstres mais d'experts capables d'établir, sur un sujet dont ils ont la maîtrise, une analyse lucide, froide et neutre. Alors que les pervers n'ont qu'une idée : raconter des « coups » pour essayer de s'en sortir, si jamais on découvre leur passé ou si on est sur le point de le découvrir. Ils racontent alors ce que leurs interlocuteurs ont envie d'entendre.

O. – Comment expliquez-vous que ce tri n'ait pas été fait par les Alliés? Barbie, par exemple...

M. – Je ne l'explique pas. Je le regrette.

O. – A-t-on employé beaucoup de collaborateurs dans les Services français?

M. – Chez nous, je n'en ai jamais vu. Je ne pense pas que les fondateurs des Services après la guerre, à commencer par le B.C.R.A., très marqué par l'arrivée des gens de Londres et par la vraie Résistance, aient songé à embaucher des gens peu nets.

7

Du Service aux missions

MARENCHES. – J'ai quitté l'armée en 46. Le patron m'a demandé si je voulais rester avec lui une année en tant que civil pour faire la liaison avec le Gouvernement provisoire et l'Assemblée Constituante. J'ai accepté.

J'ai vu là, de près, comment se passait la politique politicienne. A cette époque, le général de Gaulle me demanda : « Mon vieux Marenches, que comptez-vous faire maintenant ? Voulez-vous faire de la politique ? »

J'avais vingt-cinq ans et je m'étais engagé à dix-huit ans. Ma jeunesse avait été plutôt mouvementée mais j'avais eu la chance d'assister et de participer en direct à un certain nombre de choses. J'ai répondu au Général : « Non, mon général. Je suis venu pour faire la guerre. C'est fini. D'ailleurs, je ne suis pas sûr que nous l'ayons gagnée, mais c'est un autre sujet. Maintenant, je rentre chez moi. »

Chez moi, c'était ma propriété de Normandie qui se trouvait dans le plus grand désarroi.

Le général de Gaulle m'a très gentiment offert d'être député de Paris. Il suffisait à l'époque de mettre son nom sur une liste gaulliste et l'on était élu.

J'ai indiqué à nouveau au Général que je n'étais pas doué pour la politique. Il m'a proposé devant le capitaine Claude Guy, son aide de camp, de devenir le secrétaire du comité de financement pour l'action du général de Gaulle. J'étais très réticent. Dès la Libération de Paris, j'avais assisté à des histoires incroyables. Aide de camp du chef d'état-major de la Défense nationale, je me trouvais à un poste où j'avais de nombreuses occasions d'observer le comportement des hommes de l'époque. Le procès des exactions de la Libération a été fait par d'autres plus qualifiés que moi.

Quelqu'un alerta un jour le général Juin, en lui expliquant que le commandant de Rohan, ancien aide de camp du maréchal Lyautey, avait été arrêté au cours de la nuit par une bande de personnages dépenaillés et porteurs de brassards. Il semblait que ce digne vieillard, dénoncé par des voisins ou je ne sais quoi, aurait été emmené dans un fort des environs de Paris.

Le général m'ordonna de le rechercher. Je pris une jeep et deux Marocains armés de mitraillettes et réussis à le découvrir au fond d'un cul-de-basse-fosse. L'ambiance était celle des arrestations sous la Terreur. Il n'y avait aucune légalité dans ces « arrestations », pas la moindre décision de justice. On voyait siéger des simulacres de tribunaux populaires composés de voyous vociférants et dont le courage allait crescendo au fur et à mesure du départ des troupes d'occupation allemandes. Je pris le vieil officier dont le nom avait été simplement gribouillé sur un registre crasseux et le reconduisis, protégé par mes deux Marocains, vers la lumière et la liberté.

Les semaines qui suivirent la Libération de Paris furent hautes en couleur.

Un soir que, rentrant tard dans l'hôtel de la rue Weber où j'habitais à l'époque, car le service du général Juin me gardait souvent une partie de la soirée au bureau, à l'état-major général de la Défense nationale, j'avais demandé par téléphone qu'on me laissât sur la table de la salle à manger du rez-de-chaussée quelques victuailles.

Alors que je terminais ma collation, quelqu'un sonna à la porte d'entrée. Ce n'était pas étonnant car souvent un motard m'apportait un pli. J'ouvris sans méfiance et me trouvai nez à nez avec ce qui semblait être un soldat américain armée d'une carabine automatique.

Il s'adressa à moi en prononçant quelques mots d'anglais de cuisine, mais avec un accent faubourien. Avec moi, il tombait mal, car, dans sa chemise échancrée, je n'apercevais pas la chaîne métallique à laquelle étaient attachées les deux plaques d'identité que portait tout G.I. [1].

C'était un homme grand et vigoureux, curieusement mal rasé, dépenaillé, et dont l'uniforme était loin d'être réglementaire. C'était un gangster. J'appris plus tard qu'il s'agissait d'un des tueurs de la compagnie F.T.P. [2] basée au lycée Janson-de-Sailly.

Il était entré par hasard, apercevant de la lumière sur le perron du jardin. Peut-être pensa-t-il que quelque douairière lui ouvrirait la porte ? Il fut déçu car la douairière était un officier athlétique d'un mètre quatre-vingt-dix.

Se voyant découvert, il recula brusquement d'un pas, me visa à la tête.

Dans ces cas-là, tout se passe en une fraction de seconde. De la main gauche, je tentai de dévier l'arme braquée sur moi.

Un premier coup de feu claqua. En un instant, j'entendis une détonation et, du trou noir de l'âme du canon, jaillit une flamme.

Le projectile siffla auprès de mon oreille gauche et alla se loger dans le stuc du hall d'entrée.

Le second projectile ne vint jamais car, miracle!, l'arme s'enraya, ce qui me permet d'être là aujourd'hui.

Il s'ensuivit une lutte qui endommagea grandement le mobilier du vestibule et mon aimable visiteur. Comme il gisait sur un tapis d'Orient, j'en profitai pour lui faire gentiment ce que les anciens forçats du bagne de Toulon appelaient le « cachet de la marine ». Il s'agit de donner sur la figure de l'individu un délicat coup de talon.

Je pensai un instant prendre mon colt 45 d'ordonnance pendu dans le vestiaire, mais décidai, à tort, du contraire.

Je traînai l'homme évanoui jusque dans la salle à manger afin de pouvoir finir tranquillement mon repas puis téléphonai au commissariat du quartier afin qu'ils viennent prendre livraison du colis.

Vers onze heures du soir, les gardiens de la paix de service crurent à une plaisanterie. Il me fallut téléphoner à plusieurs reprises pour les convaincre.

1. Soldat américain.
2. F.F.I. d'obédience communiste.

Je me nommai, et finis, en dernier ressort, par décliner mes fonctions.

Ils vinrent. Les F.F.I. et F.T.P. étaient alors considérés comme des militaires et soumis aux règles de l'armée.

Lorsque mon agresseur fut traduit devant le tribunal militaire du Cherche-Midi, il aurait dû être accusé de tentative d'assassinat sur la personne d'un officier en tenue. Mais à la suite d'une démarche d'un camarade de l'état-major du général Koenig – gouverneur militaire de Paris –, j'acceptai à tort de retirer ma plainte qui fut transformée en genre « coups et insultes à un supérieur ».

Devant le tribunal, mon agresseur déclara que, grand patriote, il avait tué un certain nombre de gens et se tournant vers moi, il déclara bruyamment qu'il me « retrouverait à la sortie ».

Il fut condamné à la peine maximale : un an de prison, car il s'agissait d'un malfaiteur, d'un bandit professionnel, membre d'une bande célèbre à l'époque, au casier chargé.

Dans les jours qui suivirent son année de prison, et au cours d'une rafle, il abattit en novembre 45 un brave père de famille à la veille de la retraite, le gardien de la paix Joseph Geoffre dont le nom est inscrit sur le monument aux morts de la préfecture de police.

Plus tard, au cours d'une tentative d'évasion, ce gangster fut abattu par un gardien. Justice était enfin rendue.

La foire d'empoigne se généralisait et nous vîmes un jour arriver dans mon bureau, qui précédait celui du général Juin, un personnage qui nous parut théâtral. C'était un général à quatre étoiles, vêtu d'un uniforme de 1939 et dont la tête s'ornait d'une moumoute dont l'instabilité semblait lui poser des problèmes. Il avait l'air d'un acteur qui aurait interprété le rôle d'un officier général modèle d'avant-guerre un peu ridicule et qui aurait oublié de se démaquiller. A ce moment, le général Juin sortit de son bureau. Le personnage à la moumoute se mit au garde-à-vous et salua.

Juin : « Ah! Par exemple! B.! Qu'est-ce que vous devenez? »

L'autre : « Je suis gouverneur militaire de Paris. »

Juin : « Ah? Marenches, je croyais que c'était le général Koenig? »

Puis se tournant vers le visiteur :

« Dites-moi, B., qui vous a nommé ? »

B. : « Mais c'est moi ! » (En se posant la main droite sur la poitrine.)

Devant cet incident quasi surréaliste, le patron, pour une fois, battit en retraite dans son bureau. Je restai seul avec l'homme à l'uniforme de 1939 et le fis reconduire.

En compensation du poste où il s'était nommé lui-même et qu'il n'occupa évidemment jamais, il se vit attribuer une fonction spectaculaire dans l'appareil de l'État.

OCKRENT. – En 46, vous avez donc refusé la proposition du général de Gaulle ?

M. – J'ai regardé un peu cette affaire. J'ai assisté à deux ou trois réunions. J'ai fini par y renoncer. Ce n'était pas mon genre.

L'observation de l'agitation m'a grandement instruit sur la petitesse des hommes.

Après avoir remis de l'ordre dans ma propriété de Normandie, je suis entré dans le privé. Nous nous sommes associés avec quelques amis pour fonder une entreprise de mécanique moyenne. J'ai passé une quinzaine d'années dans l'industrie, ce qui m'a permis d'être indépendant et de renforcer cette indépendance. Mes associés ont eu la patience de me laisser faire ce que je voulais, c'est-à-dire de me donner le temps nécessaire pour parcourir le monde tout en continuant à mener les missions dont j'étais souvent chargé.

Différents gouvernements m'ont utilisé, sous la IVe République, parfois comme civil et parfois comme officier de réserve, pour accomplir un certain nombre de tâches plus ou moins confidentielles.

Quand le général Eisenhower, que je connaissais bien, a été envoyé par le président Truman pour organiser l'O.T.A.N., il est venu faire une tournée en Europe. Il a passé une semaine en France pour voir si la France et l'Europe étaient défendables au niveau Atlantique.

Quelques mois plus tôt, j'avais assisté à une conversation entre le général Juin et le général Marshall, au cours de laquelle ils avaient esquissé ce que pourrait être la défense atlantique, face à l'empire soviétique. Staline, à cette époque, était moins en odeur de sainteté et ses monstrueuses exactions commençaient à être connues. A l'arrivée du général Eisenhower, le président du Conseil, René Pleven, m'a fait venir. Il a écrit au général Eisenhower pour lui dire : « J'ai le plaisir de mettre à votre disposition M. de Marenches. »

J'ai effectué une période de réserve comme aide de camp de l'envoyé présidentiel, tout simplement, mais c'était mieux que d'aller gratter du papier dans un état-major.

O. – C'est une mission qui n'a rien d'extrêmement confidentiel. Il y a eu, j'imagine, des missions plus secrètes ?

M. – Il y a eu des missions mi-ouvertes, mi-fermées, comme cette autre mission que j'ai accomplie, absolument incroyable, dans son énoncé. Il s'agissait d'essayer d'apprendre, de savoir ou de deviner, quelle allait être la politique américaine dans le Pacifique au cours des dix ans à venir.

J'en ai parlé au général Marshall. Il m'a dit : « Le mieux pour que vous étudiiez correctement la situation, c'est que vous alliez, en tant qu'officier américain, en Extrême-Orient sous un faux nom. »

J'ai encore un document qui est, je crois, quasi unique : l'ordre de mission qui m'a permis de voyager sur tous les avions américains à travers le Pacifique.

O. – Un ordre de mission américain ?

M. – Oui, un ordre de mission américain, première priorité et rang de colonel. Je me suis rendu, notamment, à Tokyo, à l'état-major du général MacArthur. Cela me permit d'avoir une vue précise et nette de la situation dans cette partie du monde. Pour cette mission, le chef du gouvernement français avait mis à ma disposition ce qu'on appelle des fonds secrets. En plus, j'avais une lettre destinée à toutes les ambassades, qui précisait que, si j'avais besoin de fonds, nos postes diplomatiques devaient m'en allouer. Les transports en avion coûtaient fort cher à l'époque. Comme j'avais emprunté des transports militaires américains, je n'ai pas eu à acheter pour plusieurs millions de centimes de billets. En revenant, il me restait deux millions de centimes.

J'ai rendu compte à mon retour au chef du gouvernement français de ce que j'avais vu. Je voulus reverser la somme en question, ce qui mit le président du Conseil dans l'embarras. Son directeur de cabinet me dit : « Vous êtes sûr ? Vous n'avez pas d'autres dépenses que vous avez oubliées ? » Je fus obligé de lui forcer quelque peu la main. Finalement, je laissai la grosse enveloppe sur un coin de son bureau avant de prendre congé.

Le problème d'obtenir des fonds secrets est peut-être difficile. Il ne l'était pas pour moi à l'occasion de ces missions de premier plan. Mais le problème insolite d'avoir à reverser des sommes non dépensées créait quelques difficultés administratives...

O. – Le général de Gaulle vous a-t-il également chargé de mission ?

M. – J'ai continué en raison du passé à voir le général de Gaulle, toujours en tête à tête, ou avec des membres de sa famille, sans être inscrit à aucun parti, même pas au sien. J'ai accompli pour lui un certain nombre de missions, jamais au titre de la politique intérieure mais au titre de ce qu'il estimait être de mes capacités, c'est-à-dire de la Politique avec un grand P, géopolitique et stratégie. Le général de Gaulle m'a, par exemple, envoyé voir Eisenhower, devenu président des États-Unis.

O. – Dans quel but ?

M. – Il s'agissait de la bombe atomique française. Il m'avait demandé de rencontrer le président des États-Unis afin d'obtenir une aide américaine importante qui aurait facilité et avancé de plusieurs années la fabrication de la bombe française. Il s'agissait d'une aide technologique, mais, à l'époque, l'homme de la Maison-Blanche n'a pas été d'accord. Les Américains et leur président avaient très peur de l'infiltration

93

communiste dans l'appareil français de recherche atomique. Eux, dont les secrets atomiques avaient été volés par les époux Rosenberg pour le compte de Staline! J'en ai rendu compte au général de Gaulle.

O. – Les Américains avaient-ils quelques raisons de nourrir ces craintes?

M. – Nous sommes dans un pays où le parti communiste, soit le Parti lui-même, soit son appareil clandestin, soit la C.G.T. – son bras séculier –, a toujours eu, jusqu'à ces dernières années, une grande importance.

O. – Quelle a été la réaction du général de Gaulle?

M. – Pas bonne. Il eut devant moi un accès de colère impressionnant. Durant les hostilités, il n'y eut jamais entre les Alliés et lui de désaccords fondamentaux, mais des différences sur les moyens à employer, différences qui furent chaque fois aplanies sous la pression des événements. Au moment de la guerre de Corée, le général de Gaulle a dit, le 10 juillet 1950, au représentant de l'agence United Press : « Nous pouvons nous affronter au plan du détail mais, pour les choses importantes, nous sommes tous ensemble. »
Il voulait parler de la famille atlantique et il l'a prouvé au moment où Khrouchtchev a fait installer à Cuba des rampes de lancement de fusées. Il a tout de suite choisi le camp du monde libre.

O. – En 1958, quand le général de Gaulle a été nommé président de la République, il n'a pas songé à vous proposer une fonction officielle?

M. – La politique avec un petit « p » ne m'a jamais tenté. Ce n'est pas mon affaire. Je ne m'y sens pas à l'aise. J'avais organisé ma vie comme je l'entendais. Je continuais à servir mon pays pour qu'il demeure dans la camp de la liberté. Mais je ne voulais pas occuper un poste officiel.
En avril 1958, en plein drame algérien, j'ai fait la liaison

entre le général de Gaulle et le maréchal Juin. La tragédie se nouait entre ces hommes qui étaient de vieux amis. J'ai participé à un certain nombre de conversations entre eux deux à Colombey. Devant moi, ces amis qui se tutoyaient suivaient des voies divergentes.

Ayant entraîné son armée d'Afrique à la poursuite de l'armée allemande, le maréchal Juin était très préoccupé comme tous les Français d'Algérie du sort de cette province lointaine et qui faisait alors partie intégrante du territoire national. Il ne partageait pas certaines opinions du général de Gaulle qui n'avait pas les mêmes attachements charnels que Juin.

Avec le recul du temps, il faut bien comprendre que le drame algérien a été pour les Pieds-Noirs, les Français et les musulmans, une tragédie sentimentale.

Étrillée en Indochine, l'armée française se lança à corps et à cœur perdu derrière l'idée de l'Algérie française. On lui mentit trop souvent et beaucoup de ses meilleurs éléments, non avertis d'une stratégie qu'on leur avait dissimulée, se retrouvèrent dans les rangs des désespérés de l'O.A.S.

Juin était à l'époque extrêmement sollicité. Beaucoup pensaient que, s'il y avait un jour une Algérie française indépendante, il pourrait en devenir le premier chef de l'État. Les plans du général de Gaulle étaient autres. Je crois fermement qu'à cette époque déjà lointaine d'autres arrangements étaient possibles mais, pour cela, il aurait fallu allier la fermeté à une grande générosité vis-à-vis des populations qui nous avaient donné leur vie sans compter au cours des deux grandes guerres mondiales.

O. – Cela suppose donc que le Général développe déjà ce que sera sa politique vis-à-vis de l'Algérie?

M. – Il est, sur ce point, relativement ambigu.

O. – Mais Juin devine déjà?

M. – Juin sait que le général de Gaulle ne porte pas l'Afrique du Nord dans son cœur. L'Afrique du Nord n'a pas été très gaulliste, il faut bien le dire, pendant la guerre. Un autre point concernant le général de Gaulle n'a pas été souligné. Contrairement à beaucoup de militaires, il n'était pas un militaire de l'armée d'Afrique ou de l'armée coloniale mais, comme disaient autrefois les militaires, un « fantassin métro », un fantassin métropolitain. Sa vision des choses n'était pas celle d'un légionnaire, d'un spahi, d'un tirailleur, d'un soldat de l'infanterie coloniale ou de l'artillerie coloniale. Ses voyages dans l'Empire se sont résumés à un très bref séjour au Levant. Il a assisté à la conférence de Casablanca avec Churchill et Roosevelt en 43. En janvier 1944, il a présidé la conférence de Brazzaville. Sa vision mondiale partait de la France, et souvent de la France du Grand Siècle. C'est un élément qui compte.

O. – Le maréchal Juin est, lui, soumis aux demandes pressantes d'une partie de l'armée, qui voit en lui un contrepoids au général de Gaulle ?

M. – Juin l'a dit, il l'a écrit. Il a été dressé à l'obéissance, même s'il est de plus en plus inquiet. Quant au général de Gaulle et à l'Algérie, une autre dimension me semble importante. On voit aujourd'hui la démographie galopante du tiers monde, et en l'occurrence du Maghreb. Je me demande si l'une des raisons, très secrètes, qui a motivé l'action du général de Gaulle à l'égard de l'Algérie, n'est pas qu'il a compris, lui, l'homme de l'Hexagone, l'homme qui regarde souvent en arrière, vers le Grand Siècle, avec toujours en filigrane « l'Action française », je me demande s'il ne s'est pas dit : « Mais si l'Algérie, avec sa démographie galopante, nous amène cent ou deux cents députés à l'Assemblée, est-ce que finalement, nous, nous n'allons pas être conquis ? » Autrement dit, je me demande si, à l'époque, au lieu d'une Algérie française, il n'entrevoyait pas, pour la fin de ce siècle, une France algérienne.

Un jour, 5, rue de Solférino, je suggérai au général de Gaulle l'idée suivante : pourquoi ne pas faire du Sahara français une société anonyme dont tous les riverains de l'Empire français posséderaient des actions et à laquelle l'Hexagone apporterait les capitaux et les techniques d'extraction du pétrole et du gaz ? Ainsi pourrions-nous, avec les autres membres de notre famille, Blancs d'Afrique du Nord et Noirs des rivages sud du désert, garder notre indépendance énergétique. Après un instant de réflexion, le Général me déclara que c'était dépassé.

Pendant ce temps, la IVᵉ République, vidée de sa substance, rongée par ses querelles internes, se désagrégeait lentement. Elle ne pouvait se ressaisir car elle était ébranlée jusque dans ses fondements par les feux croisés des hommes politiques et les jeux byzantins des factions.

Je m'en étais souvent ouvert à Jeanne Sicard, la remarquable conseillère du président Pleven, et à celui-ci, mais il était tard et les temps étaient venus.

Un jour, passant dans le quartier de l'hôtel Matignon, je décidai brusquement d'y entrer et, remettant ma carte de visite à un huissier, je demandai à voir le directeur du cabinet de M. Pflimlin, président du Conseil. Cette démarche saugrenue porta ses fruits car je fus reçu aimablement dans le bureau situé au milieu de l'hôtel et dont l'élégant balcon, orné d'un beau fer forgé, surplombe le centre de la cour d'honneur.

Je lui exposai que la situation interne de la France me paraissait grave et, qu'à moins d'un miracle, nous allions assister à la fin du régime. Je développai cette idée et conclus que je ne voyais à ce moment qu'un homme qui puisse nous éviter l'anarchie ou la guerre civile : le général de Gaulle.

Le directeur trouva que j'avais l'air bien au courant des affaires et me demanda si j'avais une idée des intentions de celui-ci. Et, comme il s'inquiétait un instant plus tard de savoir pourquoi je semblais quelque peu informé, je lui dis le plus simplement du monde : « J'étais hier dans le bureau du Général, à Colombey-les-Deux-Églises. »

Silence dans les rangs! comme on disait dans la vieille armée.

Je pris congé après lui avoir fait remarquer qu'un arrangement valait mieux que de se retrouver éventuellement barbotant dans la Seine. Je me souviens que, descendant le vaste escalier en pierre, je m'attendais à chaque instant à entendre derrière moi des pas précipités, des gardes qui devaient, me semble-t-il, être dépêchés pour m'arrêter. Il ne se passa rien. C'est ainsi que je fis la connaissance de M. Jean Lecanuet.

8

Des missions aux Services

OCKRENT. – Ces missions qui en marge de votre affaire de fonderie vous occupent jusqu'en 1970, ce sont en fait des missions de Renseignement, et c'est là votre vrai métier...

MARENCHES. – Je pourrais vous faire sur ce thème tout un cinéma, comme on dit maintenant. Je ne le ferai pas. Le Renseignement, pour moi, à l'époque, ce sont, sous l'Occupation, les missions de la zone occupée à la zone libre après l'armistice de 40. Ce sont ensuite, au cabinet du général Juin, les rapports du deuxième bureau et des services qui rendent compte à l'état-major général de la Défense nationale. De ce qui se passe entre ces deux extrêmes, j'ignorais tout. C'est ce que j'ai répondu, bien plus tard, au président Pompidou, quand il m'a demandé si je connaissais quelque chose au Renseignement.

O. – Pourquoi avez-vous accepté de Georges Pompidou ce que vous aviez pratiquement refusé au général de Gaulle ?

M. – Le général de Gaulle ne m'a pas offert de m'occuper des Services spéciaux. J'ai toute ma vie essayé d'avoir un profil bas. Quand on mesure un mètre quatre-vingt-dix et qu'on pèse plus de cent kilos, ce n'est pas très commode. Je suis un disciple de Socrate. Je sais que je ne sais pas. La politique intérieure, ce n'est pas moi. Je voulais rester moi-même. J'avais pour amis des gens remarquables. Entrés dans la politique, ils sont devenus différents. La politique politicienne réclame un certain nombre de compromissions. Il ne faut pas avoir peur de faire de la peine aux amis. C'est le royaume de la peau de banane.

O. – Qui vous a mis en relation avec Pompidou ?

M. – J'avais un camarade de guerre qui avait bien fait les choses dans les époques difficiles, François Castex. C'était le fils d'un médecin général connu en Afrique du Nord et le neveu du célèbre colonel Castex, un des pionniers de l'aviation, qui avait accompli entre les deux guerres des missions dans les terres australes, en Antarctique. Nous nous étions connus d'abord à Alger, puis durant la campagne d'Italie. Nous avions beaucoup sympathisé. François Castex avait épousé la sœur de Mme Pompidou.

Un jour, Casteix me dit : « Avez-vous vu mon beau-frère récemment ? – Non, pas spécialement... »

O. – Son beau-frère était Georges Pompidou, alors Premier ministre ?

M. – Oui. Castex a poursuivi : « Eh bien, on a parlé de vous l'autre jour et il serait content de vous voir. »

J'avais connu M. Pompidou lorsqu'il était chargé de mission au cabinet du général de Gaulle en 45. René Brouillet avait conduit Georges Pompidou chez le Général, quand celui-ci avait réclamé « un agrégé qui sache écrire le français ». Georges Pompidou, à mon avis, est l'un des rares hommes d'État de la France contemporaine. Sa mort a été un très grand malheur pour la France et pour l'ensemble de la communauté. Il possédait les vertus cardinales que devrait avoir tout homme politique qui se veut homme d'État : bon sens, intelligence, sensibilité, humour et modestie.

Je l'avais perdu de vue quand il est devenu Premier ministre. Nous avons dîné ensemble un soir, au domicile de François Castex, et j'ai retrouvé alors en effet, là, Pompidou tel que je l'avais connu chez de Gaulle autrefois. Le contact a été renoué. Il avait sans doute entendu parler de moi par la famille Castex et par quelqu'un à qui je veux rendre hommage, parce que, pour ma femme et moi, elle est un peu comme une sœur, l'actuel conseiller d'État et maire de Cannes, Anne-Marie Dupuy. J'avais fait sa connaissance en Italie, à l'époque où le corps expéditionnaire français faisait la guerre aux Allemands dans les Abruzzes. Nous sommes des survivants de ce que l'on appelle dans les livres d'histoire la bataille de Cassino. Anne-Marie était ambulancière. C'est une solide et merveilleuse Ardennaise. Avec le courage de ces gens-là, elle était, à vingt ans, passée en Espagne, en vivant toutes les aventures que l'on peut imaginer. Elle avait rejoint l'Afrique du Nord pour continuer, elle aussi, la lutte à sa façon. Elle est devenue l'une des plus célèbres ambulancières du corps expéditionnaire français d'Italie. Elle a eu l'honneur de servir sous Juin comme ma femme et moi-même.

Anne-Marie joua plus tard un grand rôle auprès du président Pompidou, puisqu'elle fut son directeur de cabinet quand il était président de la République. Directeur du cabinet du chef de l'État : c'est, je crois, la seule femme qui ait jamais occupé ce poste. Nous l'aimons énormément. Nous la connaissons depuis plus de quarante ans. Elle est la droiture, l'intelligence, le travail personnifiés. C'est elle qui, la première, suggéra au président Pompidou de m'utiliser. Elle lui a formulé sur mon compte des jugements que je ne méritais sûrement pas.

Quelque temps après, il m'a fait dire qu'il souhaitait me rencontrer. J'y suis allé. Il m'a demandé : « Pourquoi n'êtes-vous pas venu me voir au cours de ces dernières années ? » Je lui ai répondu la vérité : « Je n'avais rien à vous demander. » Après un silence, d'un air triste, il a dit : « Vous êtes bien le seul... » Il a ajouté : « Un homme comme vous, devenu un homme d'affaires, devrait de nouveau servir l'État. »

J'ai revu M. Pompidou plusieurs fois. Il m'avait dit : « Il faudrait qu'on déjeune ensemble tranquillement. » A quelque temps de là, nous avons déjeuné ensemble dans un cabinet particulier de la Maison de l'Amérique latine, boulevard Saint-Germain. Nous avons commencé à parler de la situation du monde. M. Pompidou m'a tâté pour l'ambassade de France à Washington. Il avait eu une phrase : « Eh bien, après le

101

général de Gaulle, il faudra recoudre avec les Américains! »

Je n'étais pas bien placé pour faire ce genre de travail de couture. Je l'en ai remercié. Je connaissais l'ambassade de France à Washington pour y avoir séjourné durant de nombreux voyages ou missions. Sa cuisine était la meilleure cuisine de Washington. Le chef français était l'une des vedettes de la capitale des États-Unis. Ayant le sens de la gastronomie et une certaine tendance à l'embonpoint, si Georges Pompidou voulait me tuer en un an ou deux, il n'avait qu'à me nommer là-bas. Plus sérieusement, je pensais que de nos jours le travail d'un ambassadeur n'est plus celui d'un diplomate à l'époque de la marine à voile, où il n'y avait pas de téléphone et peu de contacts personnels entre les souverains. J'ai quelques amis parmi les ambassadeurs, mais je n'avais ni le goût ni les compétences nécessaires pour ce genre d'activité.

Une autre fois, il m'a dit : « Ah! Il y a bien quelque chose, mais c'est " Mission impossible ". C'est très difficile, et je ne veux pas vous la proposer parce que vous êtes un ami. »

Cela m'a excité. Aux mots « mission impossible », mes oreilles se sont dressées. Je lui ai répondu : « Ça m'intéresse. Mission impossible ? Je trouve ça dans mes cordes. »

Il a pris un air extrêmement sérieux. Il s'est calé dans son fauteuil et m'a dit : « Eh bien, il s'agit des Services spéciaux. »

Comme je n'étais ni fonctionnaire ni officier de carrière, contrairement à ce que l'on croit en général, le président Pompidou a ajouté : « Si vous survivez à cette mission impossible, je ne vous abandonnerai pas à la sortie et je vous nommerai conseiller d'État. »

J'avais rapporté cette conversation au président qui lui a succédé. Il m'a dit : « Bien entendu, je tiendrai sa parole. » C'est ainsi qu'au dernier Conseil des ministres, avant les élections de 1981, j'ai été nommé conseiller d'État, fonction que j'ai assumée quelques mois et dont j'ai démissionné [1] afin de recouvrer une indépendance totale qui est, avec le silence, le dernier grand luxe de notre époque.

1. Par décret du président de la République en date du 31 décembre 1981, on trouve au *Journal officiel* le texte suivant : « Le Conseil des ministres entendu M. de Marenches (Alexandre), conseiller d'État, est SUR SA DEMANDE, admis à faire valoir ses droits à la retraite à compter du 4 janvier 1982. »

J'ai réfléchi une année à la proposition de M. Pompidou. Il a été élu président de la République le 16 juin 1969. Il m'a confié un peu plus tard : « On n'en sort pas. Le Service ne marche pas. Mon chef d'état-major particulier me dit qu'il n'y a rien à faire, qu'il faut même mettre le Service en " extinction " et repartir de zéro. »

On sortait, notamment, de l'affaire Ben Barka. Je lui ai répondu : « Monsieur le président, je n'ai pas d'opinion là-dessus. Mais, si vous me laissez un délai, disons quelques semaines, j'essaierai d'en avoir une. »

J'avais quelques amis, des camarades de guerre dans le Service. J'ai fait avec eux un tour d'horizon. Je suis retourné voir M. Pompidou et je lui ai dit : « Monsieur le président, mettre le Service en " extinction " me paraît impossible parce que vous n'aurez plus rien. Votre tableau de bord va être incomplet. Je ne pense pas qu'on puisse se le permettre. Ce qu'il faut faire, c'est le réformer profondément. Il faudrait " refondre " (c'est un terme qu'on a beaucoup utilisé depuis) le Service pour le purger des mauvais éléments issus de ces dernières années.

O. – Issus de quoi, en l'occurrence ?

M. – Il y avait de tout dans le Service, dix à quinze mille personnes... Les uns fonctionnarisés, les autres pas tout à fait, etc. Différentes chapelles, des partis politiques, des organisations de tout poil y avaient placé leurs gens.

Avant mon arrivée à la tête du S.D.E.C.E., vers la fin de 70, le Service était chargé de la recherche du Renseignement dans le monde entier (France exceptée) sur les plans politique, militaire, financier, informatique, psychologique, technique, matières premières, etc. C'est le Renseignement brut. Ce Renseignement brut était remis au secrétariat général de la Défense nationale qui le digérait et le régurgitait sous forme de bulletins, analyses et synthèses.

Étant donné la façon dont j'avais été recruté et mes relations personnelles avec le chef de l'État, j'avais obtenu de faire ce travail qui, dans le fond, revenait à fabriquer sans cesse les morceaux d'un puzzle toujours renouvelé sous la pression des événements. D'autre part, on continuait d'envoyer ces renseignements au secrétariat général de la Défense nationale qui poursuivait son travail. Il dépendait, lui, du Premier ministre. Le Service remettait sa production à qui de droit et, dans les affaires importantes ou délicates, j'allais moi-même en parler au président de la République. Il était convenu que je pouvais le joindre à toute heure du jour et de la nuit, trois cent soixante-cinq jours par an. Je n'en ai jamais abusé.

Ma nomination avait été gardée secrète jusqu'à la dernière minute. Elle fut rendue publique après le Conseil des ministres. Même le ministre de la Défense de l'époque ne fut prévenu que quelques heures à l'avance. C'est ainsi que tout le monde fut surpris et quelques-uns choqués, aussi bien à l'intérieur qu'à l'extérieur du Service. Je suis arrivé à neuf heures du matin, à la caserne des Tourelles, dans le vingtième arrondissement.

J'avais en poche une liste, courte mais importante, sur les fonctions qu'occupaient un certain nombre de gens. J'étais accompagné par un homme auquel il faut que je rende un grand hommage. Il a été mon compagnon, collaborateur, médecin, ami, confident. Il est mort il y a près de deux ans : le médecin général Maurice Beccuau. Il avait fait auprès de moi, selon ses propres termes, acte d'allégeance. C'était l'honnête homme, au sens XVIIIᵉ siècle du mot : intelligent, fin, imaginatif, d'une culture incroyable. Il avait réfléchi sur tout, il avait tout saisi. Il a été un merveilleux conseiller durant toutes ces années. Il fut mon toubib pendant vingt-cinq ans. Il était médecin militaire. J'étais officier de réserve et, en raison de mes blessures de guerre, j'ai toujours été soigné par des médecins militaires ou dans des hôpitaux militaires.

Je pensais que, neurologue et psychologue, le Dr Beccuau aurait une vue, un éclairage qui ne sont pas ceux de tout le monde. Je lui avais dit un an plus tôt : « Écoutez, cher docteur, je vais peut-être être appelé à reprendre le collier pour servir à l'un des grands postes de l'État. Viendriez-vous éventuellement avec moi ? Malheureusement, je ne peux pas vous dire de quoi il s'agit parce que, dans ces négociations, je suis tenu au secret. »

Le « bon docteur », comme on l'a toujours appelé, m'a immédiatement répondu : « Mais c'est très simple : vous n'avez qu'à me dire le jour, l'heure et l'adresse où il faut que je me rende!» Il ne me posa aucune autre question.

Il avait la notion du service et le goût de servir. C'était un homme complètement désintéressé, un homme admirable. J'ai pour lui la plus grande affection et le plus profond respect. Pour moi, il est irremplaçable. Sa mort a creusé un grand trou dans ma vie. Le peu que j'ai réussi à faire durant près de onze années n'aurait pas été accompli s'il n'avait pas été auprès de moi. Il avait une grande expérience des hommes.

Le matin de mon arrivée, donc, j'ai convoqué un certain nombre de gens qui étaient sur ma liste et je les ai remerciés...

O. – Comment aviez-vous établi cette liste ?

M. – Par un certain nombre de contacts et par un certain nombre d'enquêtes que j'avais faites depuis un an. Je savais où il fallait taper et quels étaient les gens qu'il fallait mettre à la porte. Il y avait de petites chapelles à l'intérieur qui ont volé en éclats dans la matinée, pratiquement en deux heures. Elles ont été décapitées, au sens ancien du mot.

Au cours des heures et des jours qui ont suivi, j'ai reçu des menaces de mort : « Tu ne tiendras pas la semaine... », « On t'aura... », etc. Parmi les gens qui occupaient des postes importants dans le Service, il se trouvait un certain nombre d'éléments redoutables. C'étaient eux ou moi. Ce fut moi, comme vous pouvez le constater.

O. – Redoutables, c'est-à-dire ?

M. – Certaines branches du Service fonctionnaient extrêmement mal.

J'avais, avec mes intimes, surnommé le Service le " mille-feuille ". Tellement de couches, de strates s'y étaient accumulés comme en géologie, au cours des années, qu'il n'y avait aucune espèce d'unité. Le Service passait son temps à lutter contre le ministère de l'Intérieur et plus particulièrement contre la D.S.T. qui en faisait autant. Au cours de ces guerres tribales que nous adorons, nous perdons une énergie et un temps

105

précieux alors que nous aurions dû nous concentrer sur la mission du Service qui était le renseignement sur l'étranger. On avait reproché à la D.S.T. et au S.D.E.C.E. durant des années de se faire la guerre. On avait raison.

Une des premières mesures que j'ai adoptées, avec, bien entendu, l'accord du président de la République, a été de purger le Service de ce que l'on appelle vulgairement les « barbouzes ». Un Service, c'est d'abord le service de l'État. Qu'il y ait des gens à côté qui fassent leurs petites affaires, sous prétexte de Renseignement ou d'affaires plus ou moins louches, je ne veux pas le savoir. Ces gens-là doivent être éliminés tout de suite.

O. – Y êtes-vous parvenu ?

M. – Il n'y a pas trente-six politiques. Il y a la politique de l'État, de la France, que le directeur général, dans ma vision, est chargé d'appliquer. S'il n'est pas d'accord avec cette politique, qu'il le dise et, si l'on veut lui forcer la main, il a toujours à sa disposition l'arme ultime de sa démission.

Après différentes conversations avec M. Pompidou pour lequel j'éprouvais une amitié déférente et une grande admiration, je lui ai demandé les pleins pouvoirs. Sun Tzu m'a confirmé dans cette idée très ancienne et très nouvelle que la guerre n'est pas une affaire classique mais globale. N'a-t-il pas dit : « D'une façon générale, commander de nombreuses personnes est la même chose que d'en commander quelques-unes. C'est une question d'organisation » ?

J'ai fait remarquer au président Pompidou, un jour : « Vous savez, monsieur le président, quatre-vingt-dix pour cent de confiance, ce n'est pas suffisant. J'ai besoin de cent pour cent. » Ou, alors, il ne faut pas commencer, parce que c'est un métier difficile. Au cours d'une autre conversation, je lui ai encore dit : « Monsieur le président, je veux pouvoir prendre qui je veux et remercier qui je veux. » Il m'a dit « oui » sur tous ces points. Il n'était pas possible d'entreprendre cette tâche autrement. Je me trouvais face à une termitière de plusieurs mètres de haut au-dessus du sol (il s'agissait d'une termitière et d'une fourmilière en même temps : partie émergée et partie souterraine).

Lorsqu'on n'appartient pas à la Maison et que l'on arrive pour y mettre de l'ordre, ce n'est pas commode.

J'ai résolu, sachant que j'avais le chef de l'État derrière moi pour me soutenir, de prendre tout le monde de vitesse. Au moment de ma nomination, je suis allé saluer le Premier ministre, Jacques Chaban-Delmas. J'ai croisé, en arrivant au premier étage, au sommet de ce bel escalier de pierre de l'hôtel Matignon, le général B. qui sortait du bureau du Premier ministre. Il a bien voulu me dire qu'il trouvait scandaleuse ma nomination à ce poste qui, disait-il, lui revenait de droit. Je l'ai remercié de son amabilité. Là-dessus, l'huissier m'a fait entrer chez M. Chaban-Delmas. Le Premier ministre m'a accueilli avec beaucoup de gentillesse. Il m'a dit : « Ah! J'aurais dû penser à vous pour ce poste. Comme c'est bien que le Président l'ait fait! Vous avez toute mon amitié, ma confiance. Venez me voir quand vous voulez. Ma porte, mon téléphone vous sont ouverts jour et nuit. » Il m'a beaucoup encouragé.

O. – Vous vous étiez connus à la Libération?

M. – Nous nous sommes vus à cette époque quand j'étais l'aide de camp du général Juin. Nous nous retrouvions avec le Premier ministre, comme il l'a dit une fois, « entre vieux de la vieille ».

A la fin de la conversation, Jacques Chaban-Delmas m'a dit : « Ce n'est pas à vous que je vais apprendre les affaires internationales. Vous avez été tellement mêlé à tout ça! Voyons, qu'est-ce que je pourrais vous conseiller? Eh bien, il y a un homme qui... un homme que vous pourriez peut-être rencontrer... que je vois de temps à autre. Il a un goût très prononcé pour ces affaires-là. C'est le général B. »

Après un silence, je lui ai répondu : « Monsieur le Premier ministre, je vous remercie beaucoup, mais je viens de le croiser quand il sortait de votre bureau, il y a quelques minutes. »

Sourire mutuel. Et puis on a parlé d'autre chose.

Georges Pompidou était non seulement un homme politique, mais aussi un homme d'État. L'une des rares chose que j'ai apprises dans la vie, c'est que la différence entre un homme politique et un homme d'État réside en ceci : seul l'homme d'État encaisse les mauvaises nouvelles. L'homme politique les craint et c'est dire s'il y a peu d'hommes d'État. Un homme politique est avant tout un marchand de bonnes nouvelles. Je ne sais s'il voit la vie en rose, mais par ses promesses démagogiques et autres, il essaie de faire croire à l'électeur que la vie est rose. L'homme d'État, à la première occasion, comme Churchill, quand sa conscience le lui dicte, promet de la sueur, du sang et des larmes.

La consigne que Georges Pompidou m'avait donnée, c'était que les bonnes nouvelles ne l'intéressaient pas tellement. Il appréciait surtout les mauvaises. Je n'avais jamais entendu ce langage.

O. – Les Services secrets ne fonctionnent pas en vase clos. Les Français n'ont pas toujours bonne réputation quand il s'agit de collaborer avec des Services étrangers... Mais vous y aviez déjà des amis ?

M. – Quand j'ai été nommé directeur général du S.D.E.C.E., le Service ne m'a pas apporté de *relations,* c'est moi – pardon de le dire, mais c'est la vérité – c'est moi qui ai apporté les miennes au service de la France... et mon expérience.

Quand j'ai pris mes fonctions en 1970, j'ai fait la tournée de mes collègues européens et je leur ai tenu à chacun un petit discours qui se résumait à peu près à ceci : « Vous savez qui je suis, grâce à la Seconde Guerre mondiale. Le grand public ne me connaît pas plus que les media, mais les Services spéciaux eux, ne m'ignorent pas. »

O. – Grâce aussi à la période de l'après-guerre ?

M. – Oui, je suppose. J'ai dit aux patrons des Service secrets européens : « Avec moi, on travaille en équipe. Tout le monde pousse le ballon. Je ferai de mon mieux. Quand des problèmes se présenteront, on les posera sur la table et on en discutera. J'ai horreur des coups fourrés entre alliés. Je ne vous fais qu'une promesse : je ne vous mentirai jamais. »

J'ai utilisé une citation que j'aime beaucoup et qui est, je crois, de Sacha Guitry : « Ne mentez jamais, il faut trop de mémoire ! »

J'avais mis au point, avec mes collègues allemands et britanniques, des réunions semestrielles, ce qui ne s'était jamais fait auparavant. Elles avaient lieu à tour de rôle à Paris, Munich et Londres. Nous y discutions des problèmes communs. J'ai tenu le même langage aux Américains.

Il est tellement plus commode de se dire la vérité lorsque les problèmes sont débattus ensemble dans le camp de la liberté! Si le chef de l'État m'avait confié un jour : « Nous allons devenir de proches alliés de l'Empire soviétique et faire la guerre aux États-Unis au cours d'un spectaculaire renversement des alliances », je lui aurais répondu : « Monsieur le président, je vous remets ma démission, car je n'agis jamais contre ma conscience. »

O. – Y a-t-il eu des cas plus ambigus, où le point de vue américain vous paraissait mauvais?

M. – Oui, et dans ce cas, nous nous réunissions amicalement et chacun essayait de faire triompher son point de vue, c'est-à-dire celui du gouvernement qu'il servait.

O. – Autrement dit, la qualité des relations personnelles que vous avez toujours entretenues avec les Américains ne vous a jamais paru être un handicap?

M. – Non, parce que, contrairement à ce que pense un certain public, les Services spéciaux au plus haut niveau ne reposent pas sur des entourloupettes, mais sur une question de confiance.

O. – Dans un système démocratique, le patron des Services a le choix des moyens, mais pas le choix de la fin?

M. – Ce n'est pas au directeur général de choisir la fin. C'est à lui de présenter les options et les renseignements qui vont servir au choix de la décision. Autrement, il y aurait confusion des genres. Par contre, j'ai eu l'expérience d'un président de la République française qui a voulu se mêler, en tant que chef des armées, de l'exécution. Il entendait m'expliquer comment exécuter une opération. Je lui ai répondu, nettement mais avec déférence, que la façon de monter cette opération m'incombait, puisque j'en étais le responsable. Je lui ai dit, entre autres choses : « Monsieur le président, la décision de faire partir le coup, c'est vous. Une fois le coup parti, c'est moi seul qui en suis responsable. Je suis comptable, par exemple, de la vie des gens du Service Action. »

Je disais souvent à mes subordonnés civils ou militaires : « Messieurs, veuillez jouer avec les cartes que vous avez et non avec celles que vous souhaiteriez avoir. » J'avais une autre formule : « Expliquez-moi comment on va faire et pas pourquoi on ne peut pas le faire. »

A ce poste de directeur général des Services secrets, on est souvent seul. Tout seul dans son bureau. On n'a pas de collègues. J'organisais des séances de brain-storming où chacun tombait moralement la veste et desserrait la cravate afin de pouvoir exprimer en toute liberté les idées et les suggestions qu'il pouvait avoir.

La décision finale m'appartenait. On est aussi seul dans ces cas-là que le coureur de fond. Quand le résultat est bon, le « politique » en récolte la gloire, et vous, jamais rien. Si cela tourne mal, vous en récoltez les éventuelles retombées fâcheuses.

Si vous êtes chef des Services spéciaux, avec comme moi beaucoup de pouvoirs et de moyens considérables, vous n'avez plus de frontières. Vous avez des troupes de choc à votre disposition, faux papiers, fonds spéciaux, etc. Si vous n'avez pas une discipline personnelle absolue, pourquoi ne commenceriez-vous pas par supprimer un homme politique parce que vous n'êtes pas d'accord avec ce qu'il raconte ou, éventuellement, le chef de l'État ? Cela peut aller très loin! Vous devenez le chef de la Gestapo, Himmler, Béria... Et bien, Béria, ce n'est pas moi. Pour ce Service dont nous parlons, l'honneur du Service (avec un grand « S ») compte. Le Président a pris une décision. Vous êtes une des personnes chargées de l'appliquer. Vous n'êtes pas d'accord ? Eh bien, vous l'appliquez loyalement. L'une des grandes faiblesses des Services, dans les démocraties, et surtout aux États-Unis, c'est qu'ils changent trop souvent de patron. Durant mon commandement au S.D.E.C.E., j'ai

110

rencontré six directeurs différents de la C.I.A. Si j'étais resté trois mois de plus, le septième se présentait. Il faut six mois à un chef pour s'adapter avec son état-major à une nouvelle responsabilité. On imagine le désordre qui résulte de ces permutations perpétuelles... Les gens d'en face, qui en sont très conscients, ne nous font pas de cadeau.

9

Les Services
et leurs instruments

MARENCHES. – Le patron des Services secrets se doit d'abord d'être secret et non de jouer les vedettes. Il n'a pas à se montrer en public. Il ne doit avoir aucune espèce d'ambition politique.

Je ne rencontrais pas la presse. J'avais demandé aux deux présidents que j'ai servis de me dispenser de festivités officielles, genre repas à l'Élysée, chasses présidentielles, loge à l'Opéra et autres attributs qui sont les menus plaisirs tant prisés par la haute fonction publique. On y perd son temps et il arrive qu'on y fasse de mauvaises rencontres. J'ai consenti quelques exceptions pour de rares dîners à l'Élysée ou à Versailles, parce qu'un chef d'État étranger que je connaissais très bien personnellement aurait pris notre absence pour une offense.

OCKRENT. – Comment sont organisés les Services ?

M. – Il y a les Services de gestion administrative et financière et les Services de recherche. En plus, le Service de sécurité, les communications, le Service de contre-espionnage et le Service Action. Des fonctionnaires civils et militaires forment le cadre régulier normal. Ce sont des fonctionnaires comme les autres. Les grades du Service sont ceux de la fonction publique. Il existe dans le Service des fonctionnaires civils exactement comme dans d'autres ministères, à l'Agriculture, aux Postes ou aux Affaires étrangères. Il y a des militaires qui le resteront une grande partie de leur carrière car ils sont, par exemple, des spécialistes du domaine arabo-musulman, du pétrole ou des grands nomades du Sahara. Il y avait également les officiers et les sous-officiers de réserve du Service qui « dans le civil » se trouvent un peu partout. Il y a aussi ceux qui effectuent un certain nombre d'années dans le Service et qui réintègrent ensuite l'armée. On trouve également les honorables correspondants, les fameux H.C. On les appelle dans la police : les indicateurs; aux douanes : les aviseurs. Pour les Services spéciaux, on les baptise les honorables correspondants.

O. – La gamme est-elle très variée ?

M. – L'un peut être un chauffeur de taxi ou encore un personnage ecclésiastique ou même un ministre d'État.

O. – Sont-ils rémunérés pour leurs services ?

M. – Certains, oui, le font pour de l'argent. Un, deux ou trois d'entre eux ont touché des sommes importantes, c'est vrai. Mais la plupart des honorables correspondants travaillent par patriotisme et pour l'honneur. Certains Français se rendent dans des zones sensibles où ils peuvent observer, voir et entendre des choses utiles pour leur pays.

Toutes les nations pratiquent ce système. Des gens aussi sérieux que les Britanniques font preuve d'un civisme remarquable. Nos amis suisses, qui respectent beaucoup leur neutralité, ont un système d'officiers de milice qui informe le gouvernement de Berne parce qu'ils vont un peu partout. On les retrouve à des postes importants ou dans des affaires internationales. Les services de Renseignement sont un immense tamis dans lequel on jette des milliers d'informations, des centaines par jour, pour en tirer la substantifique moelle ou les quelques gouttes qui comptent et qui vont nourrir, par exemple, un bulletin qu'on enverra à l'Élysée et ailleurs. Le contrôle de ces informations représente l'une des tâches essentielles du Service.

Il y a beaucoup moins de James Bond que l'on croit et encore moins de Mata-Hari, d'agents qui sautent en parachute

114

et dînent avec une ravissante espionne le soir même. Il s'agit plutôt de bénédictins très spécialisés sur tel coin de la planète, et qui déchiffrent des masses d'informations, quelquefois ouvertes, livres, presse, etc. Des informations secrètes sont fournies soit par le Service au cours d'échanges, soit avec les Services alliés.

Il y a aussi chez les faisans internationaux une subdivision, celle des escrocs aux renseignements. Les uns arrivent difficilement à leurs fins, ce sont les besogneux. Il y a aussi les stars et les vedettes.

Ces gens possèdent un renseignement qu'ils viennent monnayer ou bien ils en inventent. On peut le vérifier par la suite, mais, si vous avez rémunéré l'auteur du renseignement plus ou moins fabriqué avant de le contrôler, il a enregistré un bénéfice net. Une autre catégorie rencontre beaucoup de monde, dîne en ville, lit la presse étrangère et fabrique une synthèse bien faite à laquelle elle ajoute son Ketchup personnel, avant de passer à la caisse. Il faut évidemment disposer de collaborateurs compétents pour pouvoir dire à cet escroc : « Votre production ne vaut rien », ou : « Nous sommes déjà au courant, merci beaucoup ! »

O. – Connaissez-vous quelques personnages qui correspondent à cette définition ?

M. – Il y eut, avant mon arrivée, un personnage pittoresque (je ne dis pas « sympathique » parce que je ne l'ai jamais rencontré moi-même) qui fut l'un de ces fournisseurs de renseignements plus ou moins imaginaires du Service pendant de nombreuses années. Il s'est illustré, par la suite, dans l'affaire des avions dont les qualités olfactives défrayèrent un moment la chronique. Je l'ai fait remercier au cours des semaines qui ont suivi ma prise de fonctions. D'après les rapports que l'on m'avait montrés, je me suis aperçu qu'il coûtait fort cher. Le rendement de l'argent qu'on lui avait octroyé dans le passé n'était pas celui qu'on était en droit d'attendre d'un bon H.C. Pour une revue de presse telle que n'importe qui pouvait en faire, il avait touché les émoluments les plus élevés du Service. Il pratiquait, disait-on, un système de ristourne au sein même du S.D.E.C.E.

115

J'ai mis fin à ses exploits et l'ai fait congédier en une demi-heure par mon directeur de cabinet de l'époque, D.F.-B., héros civil et militaire de la France libre.

J'ordonnai à celui-ci de déclencher l'opération « Furet ». Interloqué, il me demanda de préciser ma pensée. Je lui expliquai que, lorsqu'on introduisait un furet dans un terrier de lapins de garenne, les lapins, affolés et perdant tout sang-froid, se précipitaient à l'air libre sortant des gueules du terrier. Il suffisait d'avoir posté un tireur à chacune des gueules... Au cours des heures qui suivirent, passant par-dessus l'ordre hiérarchique et n'écoutant que leurs intérêts, un certain nombre de ces « lapins » ébouriffés s'approchèrent de mon bureau. Je les y attendais, et leurs cadavres jonchèrent bientôt le bureau de mon aide de camp.

Quelques-uns furent rapidement engagés dans un réseau privé parallèle qui n'avait rien à voir avec les services officiels de l'État. L'affaire des avions renifleurs est une habile escroquerie dont on ne connaît pas le dénouement. Des sommes considérables des deniers de l'État, c'est-à-dire l'argent des contribuables français, n'ont pas été retrouvées à ce jour. Ma grande expérience des turpitudes humaines m'a appris que l'argent ne se perd jamais. Il se trompe de poche, c'est tout.

O. – Cette affaire a été montée quand vous étiez à la tête du S.D.E.C.E. ?

M. – Oui.

O. – En connaissiez-vous l'existence ou la teneur ?

M. – Non. Je l'ai signalée à qui de droit...

O. – C'est-à-dire au chef de l'État ?

M. – C'est-à-dire en haut lieu. J'ai signalé aussi à la compagnie pétrolière en question que je ne préjugeais pas, moi, de l'invention, parce que je ne la connaissais pas en détail, mais que je voulais indiquer qu'un certain nombre de personnes, à la base de cette affaire, étaient peu convenables.

O. – Ces personnes étaient-elles connues de vos Services?

M. – Elles étaient connues de tout le monde. J'ai fait cette remarque plusieurs fois, mais je n'avais pas à suivre l'affaire et je n'avais pas à savoir si les avions en question possédaient les qualités qu'on leur prêtait. Ce n'était plus mon problème.

O. – Et vous n'aviez pas à voir si l'argent revenait ou ne revenait pas?

M. – Ah non! Je ne suis ni un policier ni un comptable du Trésor. Il y avait, dans le millefeuille que j'ai découvert en 70, un certain nombre de bestioles qui n'étaient pas au service de l'État et de la France, mais qui participaient à des lobbies, des organisations dont les ramifications parfois étrangères posaient des problèmes troublants.

O. – Parmi ces gens peu recommandables, y en avait-il qui avaient été employés par les précédents Services?

M. – Oui, ou en tout cas, ils s'en vantaient. Il faut se méfier d'une autre catégorie d'individus plus proches de la politique, celle des agents d'influence. Les grands agents d'influence font partie du *jet set* et traitent généralement des affaires fructueuses entre autres avec l'Empire soviétique et ses satellites. Ils répètent aussi : « Il faut aider les Russes à évoluer. Gorbatchev va dans le sens de Den Xiaoping, etc. » Alors qu'il y a toujours cent vingt mille soldats soviétiques en Afghanistan et que le mur de Berlin n'a pas changé. L'une des caractéristiques des politiciens, c'est qu'ils sont souvent intelligents, malins et *fourbissimi* (ce qui en italien n'a pas tout à fait le même sens qu'en français quand il s'agit de magouilles politiques), mais qu'ils sont aussi naïfs que le fruit des amours interdites d'un enfant de chœur et d'une enfant de Marie. Les jobards de ce genre avalent n'importe quoi. Il ne s'agit pas forcément d'une enveloppe comprenant de l'argent hors fisc mais ils peuvent recevoir une prébende quelconque : un service rendu pour un ami, un contrat ou je ne sais quoi.
Toute une faune batracienne s'agite à l'orée du monde

117

politique, auprès de gens qui, ayant déjà le pouvoir, aimeraient avoir aussi l'argent. Les vrais milieux du Renseignement ont le profil le plus bas possible, ne disent jamais qu'ils appartiennent à celui-ci et fréquentent peu les agapes officielles ou mondaines.

O. – Ce « nettoyage » des Services que vous aviez entrepris n'a pas été sans accrocs...

M. – Il y a eu une manipulation dont on peut dire un mot : l'affaire Delouette. Montée en réalité contre moi, pour essayer de me détruire – le mot « destruction » pouvant être entendu au sens moral, physique ou intellectuel.

Je rencontre mon confrère britannique, sir John R. Il me dit avec l'air de ne pas y toucher, comme le font les Britanniques bien élevés : « Vous êtes en train d'amorcer la réussite de votre opération de remise sur pied des Services spéciaux français. Méfiez-vous, on va essayer de vous détruire. – Sir John, merci de me l'annoncer, mais comment... quand ?... – Faites attention à partir de l'automne. »

Cet automne-là, a éclaté l'affaire Delouette, qui était un montage sur une affaire de drogue. Un ancien journaliste de l'O.R.T.F. avait été pris aux États-Unis en train de transporter de la drogue dans une voiture.

Ce n'était pas un agent du S.D.E.C.E., mais il déclara à la police américaine qu'il était un agent des Services français. Il a été arrêté, incarcéré. Un ou deux Américains ont voulu faire une carrière politique à partir de ce fait divers, dont un petit juge de district de l'État de New York. Ensuite, on a décidé que le grand chef de ce trafic, genre super-mafioso, était M. X., fonctionnaire de rang moyen du Service, qui n'était pas plus apte à être un grand chef de la drogue que moi à être évêque. Cette histoire a été fabriquée de A à Z.

Nous avons passé plusieurs mois très désagréables pour les rapports franco-américains car, s'il est toujours relativement facile de prouver ce qu'on a fait, il est généralement impossible de prouver ce que l'on n'a pas fait. Heureusement, on a pu « démonter » complètement l'affaire et tout est tombé à plat comme un soufflé, puisque cela ne reposait que sur du vent et des mensonges.

O. – Le but étant de faire croire que le S.D.E.C.E., sous votre houlette, se livrait au trafic de la drogue pour financer ses opérations...

M. – Ou que les Services spéciaux français se livraient au trafic de la drogue pour fabriquer de l'argent. Je voyais souvent M. Pompidou, le président de la République. Au plus fort de l'affaire, chaque fois que je le rencontrais, il eut l'extrême délicatesse de ne jamais m'en parler. Il savait que je ne pouvais pas lui répondre quelque chose de précis.

Mais le 1er janvier de cet hiver difficile de 1971, il me fit parvenir sa photographie officielle sur laquelle il avait inscrit : « Pour Alexandre de Marenches, serviteur de la France, en toute confiance », signé « Georges Pompidou ». Vous ne pouvez savoir l'effet que ça m'a fait. J'ai préféré cela à toutes les décorations, citations, tout ce que vous voudrez. Il a eu ce geste, qui est un geste de seigneur. J'ai pensé à mon vieux maître Juin. Des seigneurs, il y en a partout.

O. – Avez-vous compris qui avait monté le coup ?

M. – Pas vraiment. Dans ces milieux-là où les eaux sont très glauques, on voit passer quelquefois les ombres de gros poissons sans en discerner les détails. Ironie tragique et cruelle du sort, mais est-ce du sort ? L'année suivante, le propre fils de sir John R., l'impeccable gentleman qui était mon collègue, fut pris dans une affaire de drogue et son père, se croyant déshonoré, démissionna.

O. – Quelle a été votre priorité en prenant la direction du S.D.E.C.E. ?

M. – Ma première préoccupation a été de créer un état d'esprit où le service de l'État passe avant tout, un service de l'État apolitique. Cela ne signifie pas que chacun ne peut pas avoir son opinion, mais les Services spéciaux ne sont pas faits pour avoir des opinions personnelles, des états d'âme ou des troubles quelconques. L'unique raison d'être, c'est le service de l'État. L'exemple donné par le commandement, la motivation et la qualité des personnels sont essentiels. Les gens avec qui l'on monte des opérations ne le font pas pour de l'argent ou des décorations. Ils ont une motivation intime de servir et la conviction qu'ils sont en guerre, alors que le reste du pays vit confortablement en paix.

O. – C'est sous votre houlette qu'avait été créé le centre d'entraînement d'instruction d'Aspretto ?

M. – Quand je suis arrivé, en 1970, le service Action, puisqu'on l'appelle ainsi, était réduit à l'état de squelette. Il m'a fallu assez longtemps pour le remettre sur pied parce que les militaires classiques n'aiment pas beaucoup voir des camarades disparaître vers des zones ombreuses. Plusieurs années ont été nécessaires pour obtenir des tableaux d'avancement d'une qualité égale à celle qu'auraient eue mes personnels militaires s'ils étaient restés dans l' « armée normale », alors qu'on devrait au contraire donner des points supplémentaires d'avancement aux gens qui sont prêts à ce genre de sacrifices.

O. – Les Services spéciaux emploient-ils beaucoup de femmes ?

M. – Il y avait dans le Service un grand nombre de femmes. Quelques femmes de premier plan étaient des analystes aux responsabilités importantes. Dans ces métiers-là, elles s'accrochent terriblement. Avec l'intelligence, l'ardeur et l'amour du travail bien fait, elles ont souvent une espèce de sensibilité que n'ont pas certains hommes. Il y avait aussi quelques femmes remarquables, pas beaucoup, parmi les officiers de Renseignement.

O. – On imagine aussi que, dans de nombreux cas, des dames d'un autre genre sont utilisées par les Services...

M. – Il est arrivé que des femmes jolies et motivées, soit, pour la raison d'État, soit pour de l'argent, aient servi en seconde ligne et fait plaisir à un certain nombre de visiteurs de passage.

120

C'est arrivé. Très peu souvent. Elles ont plutôt été utilisées comme des leurres. Il y a eu des exemples où, pour retenir un homme loin de chez lui, ou de son hôtel, une jolie fille arrivée par hasard lui a permis de prolonger la soirée jusqu'à une heure avancée.

Dans le Renseignement, il s'agit surtout de technique. Il faudrait trouver une fille docteur en chimie, en électronique, en physique nucléaire, ou spécialiste de la stratégie ou de la tactique. Ce n'est pas forcément celle qui va séduire le monsieur en question. Il faudrait un ensemble de circonstances tout à fait remarquables, donc rares.

O. – De votre temps, le S.D.E.C.E. représentait combien de gens ?

M. – Quelques milliers de personnes officielles ou officieuses. Certains, dont c'est le métier, y travaillent en permanence. Ils sont en France ou naviguent de par le monde. Il faut aussi compter les réservistes, militaires, officiers généraux, officiers supérieurs, officiers subalternes, sous-officiers ou hommes de rang. Des garçons qui faisaient leur service militaire ont trouvé l'ambiance de la maison sympathique et ils y sont restés. La hiérarchie militaire prête des gens. Le directeur général, qui est en somme le chef de corps de la maison, administre, par l'intermédiaire d'un officier général, les militaires. De même qu'un directeur civil administre les personnels civils. Certains militaires y font leur carrière, ils y passent leur vie, tandis que d'autres y demeurent un certain nombre d'années avant de rejoindre ensuite les différentes armées.

Autrefois, une triste tradition voulait que cela nuise à la carrière des officiers. D'une pompe refoulante, on a essayé de faire une pompe aspirante. De mon temps, grâce à la compréhension des ministres, des chefs d'états-majors, de tous ceux qui, en haut lieu, étaient intéressés par les activités du S.D.E.C.E. et des directeurs de personnels, ce fut plutôt le contraire et nous avons fait en sorte que les gens qui donnaient un certain nombre d'années au Service aient une carrière non seulement normale mais quelquefois meilleure que celle des autres. Car eux faisaient la guerre. Le plus illustre exemple en

121

a été mon collaborateur, le général Lacaze, que j'ai eu comme officier supérieur, nommé général chez moi, qui a terminé sa carrière en tant que chef d'état-major des armées. La direction des personnels militaires, différents directeurs des armées ont trouvé des gens qui avaient d'abord le goût de servir dans le Renseignement et qui en possédaient les aptitudes.

Supposez qu'un officier de l'armée de terre, de la marine ou de l'aviation, parle, disons, le khmer. Il est certain que, même dans une carrière normale au énième d'infanterie, le fait qu'il parle le khmer ne va pas être utile tandis que dans un Service comme celui-là, il sera un oiseau rare.

O. – Donc, il y a des militaires et aussi des civils?

M. – Les civils sont des fonctionnaires comme les autres. Ils dépendent de l'administration centrale. Nous avions aussi un certain nombre de hauts cadres : trois directeurs, une demi-douzaine de chefs de service, de sous-directeurs, etc., qui correspondaient à la dotation d'un petit ministère. Ils font des carrières plus intéressantes qu'ailleurs et quelquefois plus risquées. En gros, il y avait bien un tiers de militaires.

Quand je suis arrivé, naturellement, les rumeurs les plus folles ont couru. Les civils avaient peur. D'autres ont dit : « Mais pas du tout, c'est un " pékin ". Il va faire valser les militaires et mettre des civils partout. »

J'ai un grand respect des fonctionnaires civils et je n'ai pas eu à m'en plaindre. Les militaires sont des gens taillables et corvéables à merci : ils sont disponibles vingt-quatre heures par jour, comme les gendarmes par rapport à la police, dimanches et fêtes, d'un dévouement absolu.

Dans le cas où l'on aurait à se défaire de quelqu'un, un militaire ne pose aucun problème. D'un trait de plume, on le remet à la disposition de son arme. Remercier un fonctionnaire civil est plus compliqué en raison du statut des fonctionnaires. Les gens de mon cabinet négociaient avec des ministères ou des services pour qu'ils veuillent bien prendre l'indésirable M. Truc ou Mme Chose.

Il faut des gens bien équilibrés et solides physiquement, qui ne soient pas gênés s'ils vont, pour une fois, dans un endroit où ils n'ont pas l'habitude d'aller. Dans le milieu des relations internationales, de la haute diplomatie, des palaces, il vaut mieux des gens dégourdis plutôt qu'un paysan du Danube qui sera remarqué immédiatement.

Si un jeune homme ou une jeune fille de talent venait me voir en disant : « Je veux avoir une vie intéressante. Je n'ai pas peur du risque. On ne me dira jamais merci, qui que je sois, quoi que je fasse. S'il y a un coup dur, ce sera toujours sur moi qu'on tapera, mais je ne m'ennuierai pas, je défendrai la liberté et j'aurai une vie passionnante. » Je lui dirais : « Oui, venez dans le Renseignement servir le camp de la liberté. »

O. – Comment expliquez-vous que vos Services n'aient jamais attiré cette élite intellectuelle et même sociologique qui, en Grande-Bretagne, a toujours estimé très honorable de servir dans l'ombre ?

M. – Notre tempérament national nous porte à ne pas aimer beaucoup les gens qui font ce genre de travail. En Grande-Bretagne, le nombre des services de Renseignement est peu connu. Jusqu'à ces dernières années, on ignorait le nom du chef de l'Intelligence Service. Officiellement, le fameux MI 6 n'existe pas. Si une affaire comme Greenpeace venait à éclater, le speaker (le président du Parlement britannique), le Premier ministre ou quelqu'un d'autre dirait : « Eh bien, je ne vois pas de quel Service vous voulez parler... »

Ils ont su recruter, souvent au meilleur niveau de leurs grandes universités, une élite intellectuelle que peut-être, en effet, nous n'avons pas su attirer. En France, il n'était pas « in » de faire partie du Renseignement.

Il faut être très attentif au recrutement. J'avais donné au cher Dr Beccuau la tâche de superviser les gens qu'il recrutait et je lui avais dit : « Voilà le profil des gens que l'on recherche : des hommes et des femmes bien dans leur peau, heureux de vivre, ayant le désir de servir la liberté. »

Dans la guerre que livrent les Services spéciaux et qui ne connaît pas de temps de paix, il faut être motivé. Quelle motivation avez-vous lorsque vous souhaitez travailler dans un service spécial de l'Occident ? C'est de défendre la paix, la paix

123

démocratique, l'anti-goulag. La motivation est très simple. Il ne faut pas que le rideau de fer arrive jusqu'à Brest. Il est nécessaire d'avoir des gens équilibrés, intelligents, sensibles et fins, mais surtout des gens qui aient l'idée et l'envie de servir, au sens le plus noble du mot.

O. – Comment étiez-vous sûr d'eux?

M. – J'avais étoffé le service intérieur de sécurité qui comprenait un certain nombre de fonctionnaires civils et militaires et dont la tâche était de surveiller les gens qui travaillaient dans le Service – à commencer par moi-même. Je leur avais ordonné : « Vous me surveillerez comme tout le monde. » Cette surveillance s'effectuait de façon humaine et de façon technique.

O. – C'est-à-dire?

M. – On veillait aux mauvais contacts. Si nos fonctionnaires désiraient, par exemple, se rendre à l'étranger, il fallait demander une permission spéciale.

O. – Cela veut-il dire qu'on écoutait vos conversations téléphoniques? Qu'on vous suivait?

M. – C'est possible. En tout cas, on avait la permission, on avait même l'ordre de le faire. La super, belle, merveilleuse, ravissante espionne de rêve, la femme fatale, habillée de noir avec des décolletés vertigineux, la bouche pulpeuse et un porte-cigarette d'un mètre de long, le Service de sécurité et le contre-espionnage ont si bien travaillé que je ne l'ai jamais vue! J'allais dire – hélas! Il existe un mythe très puissant des Services spéciaux qui s'exprime dans la quantité de romans, publications, livres et films en tous genres qui paraissent sur ce sujet. C'est, avec l'amour, l'un des thèmes les plus exploités, mais j'ajoute que, si l'on concocte un cocktail où se mêlent l'amour et l'espionnage, on tient une valeur sûre. Le grand public trouve là ce qu'il aime – frissons garantis, personnages hors du commun, actions plus ou moins secrètes, danger,

124

romantisme, sang et larmes. C'est pourquoi mon pire ennemi n'était pas celui ou ceux auxquels on pense. Mon pire ennemi, c'était ce sympathique James Bond. Je dois, à ce propos, faire un aveu. J'espère qu'on me pardonnera. De temps en temps, je prenais le train ou l'avion pour aller à Genève ou à Bruxelles, en général habillé d'un manteau au col plutôt large que je relevais, et j'allais voir des films de James Bond. Mais je m'en suis toujours caché.

O. – Pourquoi ? Vous n'osiez pas aller les voir à Paris ?

M. – Non, parce que de méchantes gens auraient dit : « Voyez, le pauvre, il est obligé de se documenter sur les gadgets des films de James Bond pour se procurer des idées. »

O. – Vous êtes-vous demandé souvent si votre Service était infiltré ?

M. – J'ai toujours répondu aux rares personnes qui pouvaient me poser cette question : « Mais bien sûr qu'il est pénétré ! » Si un grand Service de Renseignement n'est pas pénétré, cela signifierait qu'il ne présente aucun intérêt pour ceux dont c'est le métier de pénétrer les Services de Renseignement adverses. J'espère toutefois que ce n'est pas à un niveau important.

On a découvert au cours des années un certain nombre de gens pour le moins suspects dont on s'est débarrassé. On a souvent trouvé des microphones dans nos installations, à l'étranger, par exemple.

O. – Vos moyens financiers étaient importants ?

M. – La bonne tradition nationale est respectée, c'est-à-dire qu'on essayait de faire beaucoup avec peu. Quant à dire : « Est-ce que les budgets sont suffisants ? », aucun patron d'un Service, français ou occidental ne reconnaîtra que ses budgets sont convenables. Si on les compare avec les budgets des pays de l'Est, illimités en hommes et en matériel – comme me l'ont confié de grands « défecteurs » –, ils sont non seulement insuffisants, mais ridicules. Les nôtres, un peu comparables à

125

ceux de la Grande-Bretagne, sont nettement moins étoffés que ceux de la République fédérale d'Allemagne.

O. – Au niveau national, il existe toutes sortes de rivalités entre les Services et la D.S.T. ?

M. – Moins qu'autrefois, mais il y a encore trop de rivalités entre les Services et la D.S.T. Quand on a affaire à une forme de guerre aussi dangereuse que le terrorisme, la drogue ou le grand banditisme, ainsi qu'à différentes traites dont on n'ose parler, la traite des femmes et celle des enfants, il faut prendre les mesures qui s'imposent. On ne fait à peu près rien contre ces fléaux parce qu'il existe des intérêts tellement puissants qu'on n'a pas envie d'y toucher, à moins que les responsables politiques n'aient le courage de prendre le problème à bras-le-corps, au niveau européen par exemple, ou au niveau atlantique.

O. – Comment se répartissent les rôles entre le S.D.E.C.E. qu'on appelle maintenant la D.G.S.E., c'est-à-dire le Renseignement et le contre-espionnage intérieur, et la D.S.T. ?

M. – La D.S.T. a uniquement pour mission d'opérer sur le territoire français. A mon époque, le S.D.E.C.E. était chargé d'opérer partout, sauf sur le territoire français. Il y a eu quelques exceptions de part et d'autre. J'ai essayé, pour le bien commun, d'établir une liaison qui a été bonne pendant quelques années entre le Service et la D.S.T.

Imaginons qu'un pays de l'Est quelconque forme un agent pour venir opérer en France. Ce monsieur quitte ledit pays en voiture. Il arrive au pont de Kiel à Strasbourg. En admettant que le Service l'ait détecté dans son pays d'origine, il est suivi. Si l'on observe la règle, arrivé au pont de Strasbourg, le Service n'a plus le droit de s'occuper de lui lorsqu'il atteint l'autre extrémité du pont, en territoire français, où la D.S.T. doit le prendre en charge.

Il y a un côté non seulement ridicule, mais criminel si les deux Services ne se sont pas mis d'accord pour traiter la personne en question. Ce cas s'est malheureusement souvent produit autrefois, pour le plus grand bien des ennemis de la France.

Ma première visite, en 1970, a été pour le ministre de l'Intérieur, afin de lui expliquer mon point de vue sur ces affaires. La seconde a été pour M. Jean Rochet, préfet patriote, à l'époque patron de la D.S.T., à qui j'ai tenu ce langage : « Je ne suis ni de droite ni de gauche. Ce qui m'intéresse, c'est le service de la France et de l'État. Alors, si vous voulez bien, nous allons nous mettre d'accord. Plus de bagarres entre services et sus à l'ennemi ! » Ce qui, grâce à lui, fut fait durant quelques années.

O. – D'après un livre paru récemment, la D.S.T. aurait eu pendant des années, au sein du K.G.B. à Moscou, un informateur de très haut vol surnommé « Farewell », et qui aurait abreuvé les Français d'informations. Vous, en tant que patron du S.D.E.C.E., vous étiez, bien sûr, au courant ?

M. – Absolument pas, non. J'ai appris l'histoire en entendant parler de cette affaire romancée...

O. – Vous voulez dire quoi ? Que l'affaire est gonflée, qu'elle est fausse ?

M. – Je ne peux pas vous dire qu'elle est gonflée, qu'elle soit vraie ou fausse, puisque je ne la connais pas !

O. – Est-il concevable que le patron du S.D.E.C.E., à l'époque, ne soit pas au courant quand d'autres Services français disposent, au sein du K.G.B., d'un tel instrument ?

M. – Cela me paraît tout à fait contraire aux usages.

O. – Les usages entre la D.S.T. et le S.D.E.C.E. ?

M. – Entre les Services français qui servent l'État, oui.

10

Opérations en tous genres

MARENCHES. – Le Renseignement est une sorte de puzzle permanent, multiforme et polychrome, qui se fait et se défait sans cesse, un peu comme ces projecteurs colorés qui tournent dans les discothèques des jeunes. Le Renseignement consiste à chercher continuellement et partout un certain nombre de morceaux que d'autres personnes, à l'intérieur du même Service, essaient d'assembler pour former le puzzle. La grande difficulté, c'est qu'au fur et à mesure que l'on réussit à boucher les trous avec de nouvelles pièces, le puzzle change simultanément. Il évolue sans arrêt.

Le Renseignement correspond à plusieurs cadrans d'un avion. Dans le cockpit, le décideur, c'est le pilote, le chef de l'État. Il ne peut se passer de ces précieuses indications. S'il a de mauvais Services, tenus par des amateurs, des imbéciles ou des incompétents, voire pire, cela rejaillira sur lui. Sa position internationale s'affaiblira, c'est évident. Il lui manquera les éléments qui mènent à la décision.

Le monde est ainsi fait qu'ordinairement, le Président vole dans des conditions difficiles. Souvent, il fait du pilotage sans visibilité. S'il n'a pas, à ce moment-là, des instruments genre altimètre, radar, pour savoir ce qui l'attend, on court à la catastrophe. A aucun moment de l'histoire, aucun pays digne de ce nom ne s'est passé de Service du Renseignement. Comme disait Sun Tzu : « Le Renseignement est le prélude à la victoire. »

OCKRENT. – A quels moments, dans votre propre expérience, vous êtes-vous rendu compte que le travail que vous apportiez au chef de l'État servait vraiment à quelque chose... concrètement?

M. – Quand, par exemple, on a eu la certitude à l'avance que les Américains allaient dévaluer le dollar, le 18 décembre 1971. Lorsqu'on en a prévu la date et le montant... Je l'ai signalé au président Pompidou.

O. – Comment l'aviez-vous su?

M. – Par des moyens *ad hoc*. J'ai communiqué personnellement l'information au président de la République à qui j'ai dit : « M'autorisez-vous à l'annoncer à quelqu'un d'autre, par exemple, au ministre de l'Économie et des Finances? » Il m'a dit : « Non, à moi seul! » La Banque de France a pu ainsi exécuter un certain nombre d'opérations qui ont eu un grand succès. Les chiffres étaient tels qu'on aurait pu payer le Service pendant des années avec le seul produit de cette opération.

Il m'est arrivé aussi de déposer sur le bureau du chef de l'État le dossier d'un important personnage étranger qui allait venir en France quelques jours plus tard. Son dossier personnel.

O. – Un dossier constitué dans son propre pays?

M. – Bien sûr, par ses propres Services. On connaît de cette manière les réponses avant qu'il ne pose les questions! C'était utile aussi dans mon propre cas. Imaginez que tel personnage étranger ait eu envie de me voir, de me rencontrer pour une raison quelconque. Il commençait par communiquer avec son ambassade. Je lisais naturellement ses messages. Au fur et à mesure que les semaines ou les mois passaient, l'ambassade faisait de moi un portrait dont je prenais connaissance.

A un moment donné, il disait à son ambassadeur : « Eh bien, voilà ce dont j'ai envie de discuter avec lui. Que croyez-vous que le comte pensera de mes questions? A votre avis, comment cela va-t-il se passer? »

Il m'est arrivé très souvent de savoir exactement qui était le monsieur, ce qu'il voulait et jusqu'où on pouvait aller, ou ne pas aller trop loin.

O. – L'espionnage proprement dit devient de plus en plus économique, industriel, scientifique...

M. – Oui, et c'est très rentable. Les Services de Renseignement « découvrent » ainsi un procédé utilisé dans un autre pays. S'il avait fallu inventer et mettre au point tel procédé, on aurait dépensé des années et peut-être des millions de francs.

Cette forme d'espionnage existe non seulement avec l'ennemi, mais un peu entre amis, il faut bien le dire. Les Soviétiques font un effort spectaculaire dans ce secteur. Devant l'immeuble où se trouve le bureau des brevets à New York, une demi-douzaine de fonctionnaires du consulat général soviétique viennent tous les matins, le plus légalement du monde, recopier simplement tous les brevets qui sortent. D'autres procédés ne sont pas aussi officiels. Dans les Services de Renseignement dignes de ce nom, on trouverait facilement des cas où, sur une seule opération, le budget d'une année de l'ensemble du service a été réglé. Naturellement, on ne rémunère pas le service de Renseignement mais l'industrie du pays en profite.

Les Japonais sont orfèvres en la matière. L'industrie japonaise est très liée à l'État. Ils marchent ensemble. Si les Japonais s'aperçoivent que, dans telle industrie de haute technologie, il leur manque une certaine machine, ils font un examen de la situation mondiale et constatent que, par exemple, les Français et les Suisses sont les meilleurs du monde pour tel genre de produit. Ils envoient une première délégation qui déclare : « Je suis acheteur de certains de vos produits. Je viens au nom de la société X du Japon et je cherche à acheter du matériel de haute précision. »

Les gens se précipitent parce que les Japonais parlent de gros marchés. On leur ouvre les usines pour leur permettre de faire du « technico-commercial ». Ils vont en général par deux ou trois. En moyenne, deux appareils photos se balancent sur leur estomac. Ils demandent à voir ces machines. Si, à l'intérieur de l'une de ces machines, il y a une nouveauté technique particulièrement intéressante, dans la « suite » du patron de la délégation se tiennent des réunions où l'on compare les observations et les photos de visite en visite : « Toi, tu feras parler Machin », « Toi, tu prendras la photo », etc. On se répartit les tâches. Le lendemain, quand on va visiter l'usine, on la découpe en rondelles. Le soir, dans la suite du palace où loge le chef de la délégation, tout le monde se rassemble pour analyser le produit de la cueillette. C'est très bien fait. Et l'industriel français, les yeux éblouis par l'éclat du mirifique contrat, est prêt à aller jusqu'à vendre quelques exemplaires de ces produits qu'il retrouvera plus tard sur son marché occidental *made in Japan*, et à meilleur prix.

Il en va de même avec les pays de l'Est à qui nous livrons, clefs en main, des usines qui produisent bon marché grâce à une main-d'œuvre payée au tarif du tiers monde. Par exemple, des camions qui ont servi et servent à l'occupation militaire de l'Afghanistan sont le résultat de ces transactions criminelles, où l'appât du gain à court terme a été la motivation principale de ce que Lénine appelait les « idiots utiles ».

La fonction diplomatique, contrairement aux pays de l'Occident, sert de couverture à toutes sortes d'agents des Services spéciaux des pays de l'Est, dans des proportions exorbitantes — elles varient entre trente-cinq et soixante pour cent, en gros — parmi les ambassades, les consulats, les organisations d'import et d'export, qui dépendent évidemment de l'État dans les sociétés communistes puisque tout le monde est fonctionnaire. Dans une ambassade de l'Est, la moitié ou le tiers des gens appartiennent aux Services spéciaux.

Je ne vois pas pourquoi les Soviétiques auraient quatre ou cinq fois plus d' « observateurs » chez nous que nous chez eux. Chez eux, nous sommes intégralement contrôlés. Impossible de faire un mètre cinquante sans être surveillé. En revanche, les Soviétiques se promènent en toute liberté dans l'Hexagone.

O. – Quelle serait la solution ? Vous aviez aussi des gens à vous dans les ambassades de France à l'étranger ?

M. – Quelquefois, mais assez rarement et nullement dans la même proportion. D'abord parce que nous ne disposions pas de

132

fonctionnaires ou de militaires assez nombreux ; ensuite parce que les diplomates français sont parfois réticents à donner le gîte et le couvert aux fonctionnaires des Services. Contrairement aux Britanniques, il existe, hélas, trop souvent, une sorte de méfiance entre les diplomates et les gens des Services.

O. – Les Services ont aussi des missions plus musclées...

M. – Le Service de Renseignement et de contre-espionnage doit être à la mesure de la menace. S'il n'y avait aucune menace, on pourrait n'avoir presque rien, s'occuper de guerre psychologique, de renseignement technologique ou industriel. Mais, à l'époque dangereuse où nous vivons, il est très important de savoir ce que fait, par exemple, la 20e armée blindée de la Garde (les Soviétiques ont conservé souvent les appellations tsaristes), celle qui enserre Berlin. Elle serait l'une des unités de choc s'il y avait, un jour, une invasion de ce qui reste de l'Eurasie par les forces du Pacte de Varsovie. Mise en mouvement, elle franchirait sans doute la première le rideau de fer, en direction de Brest.

Il appartient aux militaires de savoir quels sont les moyens des armées du Pacte de Varsovie. Connaître ce que pensent ses officiers, leur moral, leur condition psychologique, leurs motivations, leurs stocks d'essence, de munitions, telle est la mission du Renseignement. Si l'on pouvait en être sûr quelques semaines à l'avance, quelques jours à l'avance ou quelques heures à l'avance, peut-être pourrions-nous prendre les moyens de nous défendre.

Une nuit, on me téléphone à la maison : « Il se passe quelque chose de bizarre ! » Je vais au bureau. C'était à l'époque où se produisait l'une des nombreuses guerres du Moyen-Orient. Mon directeur du Renseignement m'avait dit l'après-midi : « C'est curieux, la énième division de parachutistes soviétiques ne répond plus. On ne l'entend plus. »

Elle était en silence radio. Or c'était une division d'élite de l'Armée rouge, cantonnée quelque part au sud de Moscou, que nous écoutions par intermittence. D'heure en heure, on me renseignait.

J'avais dit : « Tenez-moi au courant de ce qui se passe, on va continuer puis interroger nos alliés. » Plus tard, on me confirme : « Elle ne répond toujours pas. » La énième division avait disparu. Dans la nuit, on me signale que des avions lourds survolent la Turquie, en direction du sud. Naturellement, on fait le rapprochement et l'on pense : « Eh bien, ça y est : ils vont intervenir au Proche-Orient ! » A ce moment-là, je convoque mon spécialiste de l'aviation et il effectue devant moi, penché sur une carte, des calculs qui lui permettent de savoir combien il faut d'heures de vol entre la disparition de la division parachutiste et l'arrivée au-dessus d'objectifs possibles situés au Proche-Orient. Les chiffres concordaient. A ce moment-là, le directeur général se pose la question : « Dois-je téléphoner au président de la République ou non ? » J'avais auprès de moi le général directeur du Renseignement, accompagné de quelques spécialistes. Ils me regardent. Je prends leur avis et je suis seul.

Je décidai que je n'allais pas réveiller le président de la République. Ce choix était étayé sur un jugement personnel que certains nommeraient le « pifomètre ».

L'alerte s'est révélée sans fondement. Quelques heures plus tard, la division soviétique était de nouveau repérée sur les fréquences habituelles.

O. – Vous êtes bien discret sur le Service Action ?

M. – Tant que la France entendra être une puissance qui compte, elle doit avoir d'abord une politique intérieure digne de son destin. Sa population doit être suffisamment motivée pour avoir le désir de demeurer un pays de premier plan qui ne démissionne pas.

Parmi les instruments de sa puissance, elle doit posséder un Service de Renseignement à la hauteur de la menace et à l'intérieur de ce service, une unité « Action », intégrée air-terre-mer, aux ordres directs du directeur général et capable d'être mise en mouvement dans un délai minimal. Le service Action d'un Service de Renseignement se situe à mi-chemin entre l'envoi d'une note diplomatique et celle d'un corps expéditionnaire. A un moment donné, la diplomatie ne peut plus utiliser ses cartes. Sans aller jusqu'à la guerre, on doit avoir la possibilité d'effectuer un certain nombre d'opérations à l'étranger, soit pour secourir les citoyens du pays en danger, par exemple, soit pour exécuter une action chirurgicale. Contrairement aux militaires classiques qui, eux, doivent arriver quelque part, conquérir le terrain et ensuite le garder, dans ma conception – et c'est celle que j'ai essayé d'inculquer –, l'opération chirurgicale, le coup de scalpel, doit avoir lieu de nuit.

Les gens arrivent à la tombée de la nuit et doivent, si possible, être repartis quand le jour se lève. Les militaires qui composent ce corps spécial sont des combattants d'élite, rompus à toutes les techniques, depuis les « chuteurs [1] » opérationnels jusqu'aux experts en démolition, en passant par les spécialistes des arts martiaux, les nageurs de combat capables d'opérer en civil, voire déguisés en étrangers. Il ne peut s'agir que de professionnels. Le mot d'ordre du Service Action est : « Ne pas être vu » et naturellement « Ne pas être reconnu ». Les militaires à titre officiel doivent, bien entendu, se présenter en uniforme.

Très souvent, les Services ont été tentés de monter des opérations que la morale réprouve et que la loi interdit – ce pour quoi ils sont faits. Ils se sont alors adressés à des hommes de main, à des spadassins, à des sicaires, à des gens de sac et de corde. Actuellement encore, on engage des gens du milieu, membres du crime organisé. On emploie ces gangsters, ces bandits, ces proxénètes pour exécuter un certain nombre de missions. C'est la pire des erreurs. J'estime qu'un tueur à gages ou un homme de main est extrêmement redoutable et souvent inefficace, car il ne pense qu'à ses gages! En dehors de sa moralité très spéciale, c'est un individu qui a commis une action illégale pour de l'argent. Ensuite, il vous fait toujours chanter, afin de repasser à la caisse. Pour éviter ce chantage, vous serez éventuellement obligé de le supprimer. Les tueurs dits à gages sont ce qu'il y a de pire. Très souvent, profession-

1. Capables de sauter de plusieurs mètres d'altitude. Ils s'orientent en l'air, en chute libre, en direction de leur objectif et n'ouvrent leur parachute qu'au dernier moment, à deux cents mètres environ du sol ou de la mer.

nellement, ils ne valent pas grand-chose, contrairement à ce qu'on voit au cinéma.

La seule façon de ne pas se couvrir les mains de boue, ou autres matières peu ragoûtantes, c'est d'employer des gens convenables, entraînés, motivés, qui le font par patriotisme et pour la raison d'État, parce que – rappelons-le une fois de plus – les gens des Services sont en guerre.

O. – Avez-vous monté plusieurs opérations de ce genre?

M. – Nous avons exécuté un certain nombre d'opérations, du même niveau qu'Entebbe, parfaitement réussies. La preuve, c'est que vous n'en avez jamais entendu parler.

Le patron des Services israéliens, venu me voir à Paris, m'a, un jour, fait un grand compliment : « Monsieur le directeur général, vous êtes seuls capables avec nous d'accomplir ce genre d'opération et de la réussir. » (Il s'agissait d'Entebbe.) « Malheureusement pour vous, il vous manque deux choses, les avions à long rayon d'action et le courage du pouvoir politique! » Je lui ai répondu : « Pour le premier, c'est plus délicat. Pour le second, ça peut s'arranger. »

O. – Ça ne s'arrange pas toujours?

M. – Non. Connaissez-vous des choses dans le monde qui méritent vingt sur vingt?

O. – C'était au temps du président Pompidou?

M. – Non. Plus tard...

O. – Quand on dirige les Services secrets, considère-t-on les organes de presse occidentaux, qui sont parmi les garants de nos systèmes démocratiques, comme une plaie ou comme un allié?

M. – Vous posez une vaste et importante question. Personnellement, j'avais adopté une attitude qui me convenait assez. Je n'avais pas de rapports avec la presse. J'étais sûr ainsi de ne

136

pas avoir d' « affaires ». Un certain nombre de journalistes (des journalistes responsables ne racontant pas n'importe quoi) essayent de s'informer. Ils font leur métier et le font bien. En revanche, la presse à sensation ne peut s'empêcher de faire un scoop, plus ou moins pointu parce qu'elle a, par des procédés plus ou moins honnêtes, trouvé, je ne sais où, mettons des papiers dits du Pentagone. Elle raconte des choses qui n'aident que l'adversaire et desservent en l'occurrence les États-Unis. Je trouve cela tout à fait irresponsable.

O. – Autrement dit, la presse américaine, dont on a tendance à faire un modèle, serait, de votre point de vue, une presse irresponsable ?

M. – Non. Je suis beaucoup plus nuancé. Mais certains éléments de la presse américaine sont dangereux parce qu'ils vont contre les intérêts des États-Unis. Alors, je vais dire comme Kipling : « *My country right or wrong.* » Lorsque, par exemple, on annonce certaines opérations des Services spéciaux et qu'on les étale dans la presse, elles sont ratées avant d'avoir commencé.

De nombreuses affaires ont été tragiques : des gens sont morts ou ont été très gravement blessés au service de la France. Elles ne sont jamais sorties. C'est cela, le Service secret.

O. – Autrement dit, des affaires qui ont profondément secoué la maison et qui n'ont jamais filtré à l'extérieur ?

M. – Voilà.

O. – Cette règle du silence est-elle propre aux autres Services français ?

M. – C'était spécifiquement vrai du S.D.E.C.E., qui était le seul grand Service ayant le monopole du Renseignement dans le système français, je le rappelle. Il y avait un esprit de corps, une notion du service qui ont été, durant des années, exceptionnels. Ce n'est pas mon propre avis, mais l'avis de tout le monde et, notamment, des Services étrangers. Je ne dirai jamais assez le dévouement, le courage et l'abnégation des personnes que j'ai eu le grand honneur de commander si longtemps.

O. – Durant ces années, vous dites n'avoir eu aucun contact avec les journalistes. Est-il arrivé cependant que la presse vous gêne dans certaines de vos opérations? La presse française?

M. – Très peu.

O. – Donc, d'une certaine manière, c'est un très mauvais point pour la presse?

M. – Non. La presse est faite pour informer. Elle n'est pas faite – je pousse un peu – pour saborder un certain nombre d'actions secrètes que peut entreprendre l'État.

O. – Mais vous avouerez que c'est une frontière qui est très, très difficile à tracer?

M. – Oui. Je crois que, dans un système futur, le directeur général des Services spéciaux devrait avoir certains rapports avec les parlementaires, entre autres, et, pourquoi pas?, avec quelques journalistes, avec des gens choisis.

O. – Vous est-il arrivé, *a contrario*, d'utiliser la presse comme l'un des moyens de monter une opération ou de la réussir?

M. – Non.

O. – Autrement dit, avez-vous, à votre tour, pratiqué la désinformation?

M. – Et si on parlait d'autre chose?

11

Mémoire et politique

MARENCHES. – Quand j'ai commencé à visiter la maison dont j'avais pris la clef en 1970, j'ai fait le tour d'un certain nombre d'annexes. Un jour, dans une casemate, on m'a montré d'énormes ballots qui semblaient être des papiers et qui étaient entassés dans le fond de ce local. Tout cela était ficelé, en vrac, en pagaille. J'ai demandé : « Qu'est-ce que c'est que ça ? » On m'a répondu : « Eh bien, ce sont les archives allemandes. » Il s'agissait des fameuses archives nazies de la Gestapo et de l'Abwehr, saisies à la Libération et que les Allemands n'avaient pas réussi à emporter en se retirant. J'ai demandé : « Combien y en a-t-il ? – Dix tonnes. »

En vingt-cinq ans, personne n'avait eu l'idée ou le courage de les regarder et de les compulser. Je me suis dit que c'était quand même un peu fort. Je me suis renseigné pour savoir combien de temps il faudrait pour exploiter ces archives.

La complication était à la fois financière et technique. Quelques jours plus tard, le collaborateur que j'ai interrogé m'a dit : « Eh bien, monsieur le directeur général, voilà. D'abord, ça coûte cher. Il faudra du temps, à moins de mettre certaine quantité de gens pour les instruire. On trouvera difficilement des techniciens capables d'exploiter ces dossiers. Il faut non seulement des gens qui parlent allemand à la perfection, mais encore des spécialistes qui connaissent l'organisation des Services allemands. »

Cela réduisait le champ des opérations. Il fallait trouver des

139

civils ou des officiers du contre-espionnage parlant parfaitement l'allemand et ayant l'habitude de ce genre de travail. Il y en avait très peu. Ils étaient presque tous alsaciens. J'ai réuni une petite équipe sous les ordres d'un magnifique officier, le colonel U. Je lui ai dit : « Mon cher U., pensez-vous qu'on peut trier cela ? Combien de temps cela va-t-il prendre et qu'est-ce qu'il vous faut comme monde ? »

Il m'a demandé quelques jours pour me répondre.

Il est revenu en précisant qu'il lui fallait deux officiers. Lui, si je le souhaitais, et un adjoint. Puis une équipe de sous-officiers. Enfin quelques secrétaires bilingues et connaissant ce genre d'archivage. Avec une équipe aussi réduite, ce travail qui prendrait environ deux ans, coûterait cher.

J'étais trop occupé par le présent et l'avenir, pour me délecter de certaines horreurs passées. Je ne me serais alors pas consacré à l'essentiel, à la bataille globale à laquelle nous sommes confrontés.

OCKRENT. – Sinon qu'on peut imaginer que, dans ces archives, existent des documents concernant des gens qui sont toujours en activité !

M. – Tout à fait. J'ai donc fait faire, au hasard, quelques sondages. Le résultat fut désagréable, voire pénible. On a trouvé des personnalités ayant pignon sur rue, qui avaient été, ou le prétendaient, des résistants ou de bons patriotes. En réalité... ils émargeaient aux Services allemands. Ils signaient même les reçus des deniers de la trahison.

J'ai pensé à l'époque, et je le pense encore maintenant, que l'un des vices français les plus néfastes étant la division, nous n'avions pas besoin – ces gens-là étant encore en vie – d'aller fouiller les poubelles et de remuer la vase, pour ne pas dire autre chose.

O. – Même si, s'agissant de gens qui, dans certains cas, ont pu revendiquer des responsabilités importantes ou nationales, vous aviez fait œuvre de salubrité ?

M. – C'est possible, mais je ne l'ai pas fait. J'avais été très marqué par les règlements de comptes à la fin de la guerre. Le

140

côté admirable de la Libération, que j'ai connue et que j'ai eu la chance de vivre auprès du général Juin, a donné lieu également à de nombreux abus. Quand on relit ce livre d'actualité qu'est *De bello gallico,* de César, on voit combien les forces d'occupation, que ce soient les Romains ou d'autres, nous ont divisés.

O. – Dix tonnes de papiers dorment donc encore quelque part aux environs de Paris? Dont certains sont tout à fait incriminants pour des gens importants?

M. – Oui. Ils approchent maintenant de la tombe. Ces gens importants aujourd'hui avaient environ trente ans en 1945.

O. – Des hommes politiques?

M. – Oui. Des gens de tout acabit, qui ont, au minimum, flirté avec les forces d'Occupation. Je ne sais pas si l'on aurait avantage à régler ces comptes. Je n'en suis pas persuadé.

O. – En Grande-Bretagne ou aux États-Unis, un tel silence, vingt-cinq ou quarante ans après, serait inimaginable!

M. – C'est juste. Permettez-moi de vous faire remarquer que ni les États-Unis ni la Grande-Bretagne n'ont été occupés. Le problème n'est pas le même.

O. – L'élection à la présidence de l'Autriche de Kurt Waldheim, soupçonné d'être un criminel de guerre nazi, vous paraît-elle scandaleuse?

M. – S'il ne fallait jamais avoir dans les hautes sphères de la politique que des gens au passé absolument impeccable, quelle hécatombe... Le président de la République autrichienne a eu un passé qui, selon certains, est mauvais, selon d'autres abominable... La seule réflexion que je puisse faire à ce sujet, c'est que les Services soviétiques sont les seuls au monde à avoir l'ensemble des dossiers allemands civils et militaires de la Gestapo, et de l'Abwehr. Quand un personnage de ce genre fait la carrière que l'on sait à l'O.N.U. ou ailleurs, si les Services détiennent ce genre d'informations, ils peuvent faire pression sur lui.

Durant des années, on n'a pas reproché à M. Waldheim, lorsqu'il a occupé le poste de secrétaire général de l'O.N.U., d'avoir une politique de conservateur. On lui a reproché le contraire, justement : d'avoir une politique, disons, qui penchait nettement du côté de l'Est...

O. – Comment expliquez-vous que les États-Unis et même la France qui ont eu entre leurs mains au moins une partie de ces archives aient, à ce moment-là, laissé élire secrétaire général des Nations unies quelqu'un qui était donc potentiellement aux mains des Soviétiques ?

M. – Qui a pu être aux mains des Soviétiques, en tout cas... Il faut le demander aux décideurs politiques et entre autres à ceux qui avaient la responsabilité du ministère des Affaires étrangères de l'époque.

O. – Selon certaines informations, le gouvernement militaire français de Berlin aurait eu dans ses propres archives le dossier Waldheim.

M. – C'est possible.

O. – Vous n'avez jamais vu, vous, ce dossier ?

M. – Je ne me souviens pas d'avoir vu le dossier Waldheim à l'époque. Les Services n'ont pas à faire la police internationale. C'est au gouvernement à demander aux Services de sécurité (et il faut mettre à ce moment-là Services au pluriel), c'est-à-dire au service du Renseignement et au Service du contre-espionnage, ce que ceux-ci pensent de tel ou tel personnage.

Mon expérience m'a prouvé que, si on effectue une enquête extrêmement serrée et qui dure six mois pour une femme de ménage qui vient balayer les bureaux..., lorsqu'un ministre est nommé et qu'ensuite il désigne les membres importants de son cabinet, ceux-ci peuvent faire venir de n'importe où, n'importe quels dossiers et parmi ceux-ci les plus secrets que puisse avoir une nation. Aucune enquête n'est entreprise sur le ministre et sur son entourage!

O. – Les Nations unies ont la réputation d'être un véritable gruyère pour les divers Services de Renseignement.

M. – Oui, tout à fait, et avec de gros rats à l'intérieur. Le recrutement des personnels à statut diplomatique dans toutes ces organisations internationales est fait de la façon suivante : chaque pays a, si j'ose dire, une espèce de contingent. Traditionnellement, tel poste de telle organisation internationale revient à un Italien, tel autre à un Portugais, pour tel autre c'est un Français, ou un Américain. Pour les représentants de pays qui, eux, sont en guerre permanente, contrairement aux « démocraties molles », il y a des postes qu'ils envient plus qu'un autre. Ainsi on sait que, durant de très nombreuses années à Genève, le patron des personnels internationaux, c'est-à-dire le monsieur qui suivait les dossiers des fonctionnaires et décidait éventuellement de leurs affectations, était un Soviétique qui, en réalité de son vrai métier, était un colonel du K.G.B.

O. – Donc les Services français peuvent aussi installer leurs hommes dans ces organisations...

M. – Oui, mais les Services occidentaux, et en particulier français, ne sont pas du tout pléthoriques, par rapport aux autres.

O. – Avez-vous eu, vous, des agents qui étaient haut placés dans certaines organisations internationales ?

M. – Sans m'étendre sur les détails, je dirais qu'il y a eu des agents alliés qui ont occupé certains postes diplomatiques. C'est le cas, tout le monde le sait, du général Walters. Lui et moi, nous nous connaissons depuis plus de quarante ans, nous avons été étiquetés les deux monstres sacrés du Renseignement dans je ne sais quel livre, il y a deux ou trois ans. Vernon Walters a été un moment directeur adjoint de la C.I.A., c'est-à-dire le deuxième personnage de la C.I.A. Il occupe actuellement le poste d'ambassadeur des États-Unis à l'O.N.U., à New York.

O. – Vous continuez à le voir régulièrement?

M. – Je le vois à l'occasion à Paris, ou aux États-Unis, sur le plan amical, mais quand nous sommes ensemble, nous parlons un peu de ce qui se passe dans le vaste monde. C'est naturel pour des gens qui ont eu pendant très longtemps la passion de comprendre ce qui se passait...

O. – Et qui l'ont toujours?

M. – Et qui l'ont toujours, oui. Lui comme professionnel et moi maintenant comme amateur.

O. – Vous devez bondir aujourd'hui encore, en entendant tel ou tel nom encensé par les media?

M. – Je ne saute plus en l'air depuis tellement d'années! Ce n'est pas que je sois blasé, mais j'ai une vue un peu particulière de l'engeance humaine. Quand on a, par métier, regardé le dessous des tables et l'envers des cartes pendant si longtemps, il ne reste plus que trois attitudes : ou préparer une liste des gens à « flinguer », ce qui est fastidieux et illégal, ou se « flinguer » soi-même, ce qui est inconfortable, ou faire appel à la vertu cardinale, le sens de l'humour, ce qui permet de sourire pour le restant de vos jours. Comme vous pouvez le constater, j'ai adopté la troisième solution.

Je me félicite de plus en plus de ne pas avoir fait de politique. C'est un milieu composé de gens dont beaucoup n'ont pas la même éthique que moi. Un certain nombre de coups en dessous de la ceinture me déplaisent.

Il y a des gens dévoués en politique qui sont des saints, parce que faire ce métier dans une « démocratie molle » n'est pas commode. Il y a aussi quelques épouvantables faisans...

144

O. – Comment savez-vous qu'ils le sont?

M. – J'en ai vu qui étaient démunis et qui maintenant, comme disait le notaire de mes grands-parents, sont à l'abri du besoin. D'autres qui étaient riches et qui sont devenus très riches ou plus riches encore. Je suis servi par une mémoire qui est un instrument de précision. Lorsqu'on reste dans le Renseignement aussi longtemps que moi, on finit par savoir un certain nombre de choses concernant des personnalités à qui on n'a pas envie de serrer la main. C'est pour cette raison que je ne sors guère. Je connais peu de pays où le pouvoir ne soit pas corrupteur. Comme disait lord Acton, le confident de Gladstone : « Le pouvoir corrompt. Le pouvoir absolu corrompt absolument. »

O. – Parmi les moyens dont dispose un directeur des Services de Renseignement, il y a les écoutes téléphoniques?

M. – Il y a les écoutes téléphoniques légales. Évidemment, je ne peux m'étendre sur les autres, puisqu'elles sont illégales et qu'elles n'existent pas...

O. – Elles n'existent pas... et c'est ainsi que chaque fois on les supprime?

M. – Les écoutes légales se font de façon ouverte à un certain niveau. La police les utilise pour écouter les bandits de tout poil, les Services de contre-espionnage pour écouter les gens qui menacent la défense du territoire.

O. – Et les écoutes non légales?

M. – Ces écoutes non légales, je laisse le soin aux romanciers d'épiloguer là-dessus.

O. – Le budget des écoutes, si je ne m'abuse, dépendait du S.D.E.C.E.?

M. – Le budget des écoutes provient du Premier ministre. Celui-ci en disposait partiellement par le canal du S.D.E.C.E.

O. – Pendant onze ans, pratiquement, vous avez eu tous les jours, sur votre bureau, les rapports des écoutes ?

M. – Des écoutes officielles, oui.

O. – Et des écoutes non officielles ?

M. – La première année de mes nouvelles fonctions, je dînais souvent en ville pour reprendre un grand nombre de contacts que j'avais volontairement perdus. Durant cette année où mon foie fut mis à rude épreuve, mes oreilles s'habituèrent difficillement aux questions souvent imbéciles que l'on me posait. Lorsque mes interlocuteurs me demandaient s'ils étaient écoutés, je leur répondais sur un ton sarcastique : « Vous vous vantez ! »

J'avais également mis au point une plaisanterie d'un goût douteux mais qui faisait ma joie, je le confesse. Quand je voyais un personnage qui se croyait important – et Dieu sait s'il y en a à Paris comme dans d'autres capitales, d'ailleurs –, je m'approchais de lui, le doigt menaçant, ce qui est fort mal élevé, et lui disais : « Ah ! Ah ! » Il devenait vert. Il se disait : « Ça y est, IL SAIT ! » Mais j'ai fait cette « fine » plaisanterie une fois de trop à l'un de mes amis, impeccable sous tous rapports, et qui me regarda froidement en me disant : « Ah ! ah ! Quoi ? » Ce fut la fin de cette farce. Je n'aurais pas fait cette plaisanterie à un grand honnête homme et un superbe soldat comme l'ancien Premier ministre, Pierre Messmer, pour qui j'éprouve une admiration affectueuse. En vérité, dans le haut personnel politique, les gens qui n'ont pas de « casserole » où je pense sont assez rares. Souvent, ceux dont le sillage tintinnabule sont convaincus que le directeur général « sait ».

En fait, il en sait moins que les gens ne le pensent mais leur point faible, c'est qu'ils ne savent pas ce que vous savez. Je ne démens jamais. Toujours, le doute...

J'ai entendu plusieurs fois des hommes politiques de tout

146

premier plan évoquer certaines « affaires » financières plus ou moins nauséabondes dans lesquelles ils m'expliquaient n'avoir pas trempé. Sans le savoir, ils m'apprenaient eux-mêmes leurs turpitudes. Je crois qu'il faut, en ce domaine, une très grande discipline personnelle et ne pas se prendre pour un redresseur de torts.

Je me rappelle une affaire que j'avais soumise à Matignon. En cherchant autre chose, j'étais tombé sur une des grandes entreprises françaises dépendant de l'État, et qui se livrait à un important trafic d'achat de matières premières. Le directeur général de cette grande société ristournait une partie des fonds provenant de ce trafic à un certain parti politique. Ils avaient passé un contrat qui précisait que, en cas de changement de gouvernement, ce personnage serait promu à la présidence de l'entreprise en question. Comme le trafic avait aussi des incidences étrangères, je l'ai signalé au Premier ministre de l'époque. Celui-ci m'a répondu : « Eh bien, monsieur le directeur général, je vais vous demander de convoquer cet important personnage, de lui dire ce que vous pensez de ces pratiques et de lui faire peur. » Je lui ai répondu : « Monsieur le Premier ministre, ce n'est pas de mon ressort. Je ne suis pas une police financière, administrative ou politique. Je suis le chef du Renseignement étranger pour les problèmes de défense, entre autres. Mais pas pour ça. »

Je ne sais plus ce qui s'est passé ensuite, mais je crois bien que le personnage en question a reçu sa récompense.

12

Le directeur général
et son maître

MARENCHES. – La plus grande difficulté du directeur général, c'est qu'il ne doit jamais chercher à plaire. J'ai dit un jour au président Giscard d'Estaing, au moment où, sortant de son bureau, j'allais franchir la porte : « Monsieur le président, il me revient en mémoire une phrase d'une lettre qu'écrivait le maréchal de Villars à Louis XIV : " Sire, il est difficile de servir et de plaire à la fois. " »

OCKRENT. – De ce point de vue-là, vos rapports entre l'Élysée et le S.D.E.C.E. ont-ils été très différents sous Pompidou et sous Giscard ?

M. – Ils ont été parfaitement coordonnés et extrêmement sympathiques sous le président Pompidou. Ils ont été moins coordonnés sous le septennat suivant.

O. – Sous le président Pompidou, vous avez donc pu avoir une marge d'action ou d'initiative plus grande ?

M. – Non, je crois que les deux Présidents avaient en moi une confiance totale sans laquelle, d'ailleurs, je n'aurais pas accepté de servir dans ces fonctions.

O. – Avec des styles d'action très différents ?

M. – Des styles différents selon leur propre personnalité. Je connaissais très bien le président Pompidou. Je connaissais moins le président Giscard d'Estaing.

O. – Le président Pompidou était pourtant entouré de conseillers, tout-puissants à l'époque, je pense à Pierre Juillet, à Marie-France Garaud. Est-ce que ce sont des gens avec qui, à l'époque, vous étiez en contact fréquent ?

M. – J'allais parfois en fin de journée au palais de l'Élysée où se retrouvaient les membres de l'équipe présidentielle. Il y avait là un grand jeune homme sympathique, toujours en mouvement, l'œil vif, Jacques Chirac. J'avais de fréquents contacts avec Pierre Juillet pour la simple raison que j'étais en rapport avec lui depuis un certain temps. Comme je me rendais souvent à l'Élysée, nous avions l'occasion de nous voir, lui et moi, pour discuter de différents problèmes. Les questions qui devaient être portées à l'attention du président de la République étaient traitées en tête à tête quand c'était nécessaire, et éventuellement je pouvais l'appeler sur le téléphone spécial dit interministériel.

O. – Vous êtes arrivé dans les Services après une grosse affaire qui, à l'époque, a énormément agité le monde politique : l'affaire Marcovic. Certains affirment que vous avez été nommé par le président Pompidou pour faire à la fois la lumière et le ménage après l'affaire Marcovic.

M. – Ils ne connaissent pas l'organisation intérieure du système français. Le S.D.E.C.E. avait l'obligation de ne pas se mêler des affaires qui se passaient à l'intérieur du territoire national. Je n'ai jamais été mêlé à l'affaire Marcovic. Jamais !
Le président Pompidou a été profondément blessé, choqué au sens chirurgical du terme, par les attaques ignobles montées de toutes pièces contre lui. Dans cette affaire sordide un quarteron de politiciens, issu du milieu des gaullistes de gauche, essaya, par des affabulations totales, de salir Mme Claude Pompidou. Le Président ne m'en parla qu'une fois, au cours d'une

conversation dans laquelle je m'aperçus, à ses yeux embués de larmes, que ses adversaires avaient touché par là même son point faible, son talon d'Achille. Le couple présidentiel possédait une vertu rare de nos jours... il s'aimait.

Au cours de cette même conversation, je le mis en garde contre ce que l'on a appelé souvent le Tout-Paris. Et, sans le vouloir, je fis un mauvais mot en lui disant : « Quand les provinciaux montent à Paris, ils sont souvent victimes de l'éblouissement provoqué par les lumières de la ville. Ils confondent souvent le monde et le demi-monde. »

O. – Vous avez su très vite la gravité du mal dont souffrait Georges Pompidou ?

M. – Oui. Je n'ignorais pas que le président était malade mais il avait décidé de ne pas en parler. Je l'estimais trop, je l'aimais et je l'admirais suffisamment pour respecter sa pudeur, cette volonté de nier l'inévitable, de se taire et de faire comme s'il n'avait rien.

Certains souhaitaient qu'il donnât sa démission mais il était sûr qu'ils n'oseraient jamais aborder ce sujet devant lui. Il a mené sa dernière semaine normalement, en mars 74 : Conseil des ministres, audiences. Le jeudi, il a reçu Valéry Giscard d'Estaing, son ministre de l'Économie et des Finances. Le vendredi, il a exposé devant le ministre des Affaires étrangères, Michel Jobert, ses vues sur la situation internationale.

Rien ne l'a averti que le dimanche, il serait victime d'une septicémie, à Orvilliers, sa maison de campagne. Il est revenu en ambulance le lundi à son domicile, quai de Béthune.

Il n'avait pas eu les moyens d'acheter cet appartement qui fut acquis par une compagnie d'assurances dont il devint le locataire. Quelle honnêteté en comparaison avec quelques exemples récents de gens qui, à des postes bien moins élevés, ont fait fortune dans des conditions de rapidité dignes des Jeux olympiques !

Le mardi matin, conscient, il a signé quelques documents et approuvé l'ordre du Conseil que devait présider le lendemain son Premier ministre, Pierre Messmer. Il est mort à vingt et une heures, après être entré dans le coma.

La fin du président Pompidou nous a causé peine et inquiétude. On savait l'homme atteint, les médecins qui le soignaient ne lui avaient pas fixé de terme et l'on voyait combien il luttait pour rester encore en selle.

Le soir de son décès, l'Élysée était envahi par une multitude de gens. Il y avait une foule de caméras et de micros dans la grande cour d'honneur. Brusquement, on m'a cherché dans Paris, car on s'est dit : « Et s'il y a un testament politique du président de la République ? »

O. – Qui, « on » ?

M. – L'entourage, le cabinet, la famille. Ils se posaient une bonne question car le testament politique pouvait éventuellement désigner un successeur. Si le président Pompidou avait mentionné : « Untel », ou « C'est le plus digne », ou « C'est celui que je recommande à la France », dans le grand coup de cœur du moment, celui-ci eût probablement été élu. Tout s'est passé au téléphone. Le Service m'a prévenu par le radio-téléphone de ma voiture que l'Élysée cherchait à me joindre.

Rentré à mon bureau, j'appelai le palais présidentiel sur l'interministériel et un intime me fit savoir que l'on ne pouvait ouvrir le coffre-fort privé du chef de l'État défunt car personne ne savait où se trouvait la clef.

Les Services spéciaux ont, entre autres qualités, une façon particulière de savoir ouvrir les coffres aux combinaisons les plus compliquées. A l'époque, au service de la serrurerie, nous avions des fées. Aux quelques visiteurs qui me faisaient l'honneur de venir me voir et qui en manifestaient l'envie, j'administrais une démonstration de nos talents dans ce domaine. Nous exposions dans une salle tous les coffres des grandes marques mondiales. Sans clef, ces experts ouvraient n'importe lequel en quelques minutes. Une ou deux vedettes mettaient moins de deux minutes. Les visiteurs sortaient de là en s'écriant : « Mon Dieu, c'est épouvantable ! » Je leur expliquais alors que l'ouverture du coffre ne constituait pas un obstacle insurmontable pour certains spécialistes heureusement rares. Il fallait simplement empêcher les gens d'approcher du coffre. J'ai donc demandé quelle était la marque de celui du président

Pompidou. Réponse : « Un Fichet trois points. » C'est-à-dire trois petites boules que l'on tripote et qui sont placées l'une au-dessus de l'autre.

Il était à ce moment-là près de vingt-deux heures. Je demandai où se trouvait le fonctionnaire spécialisé plus particulièrement dans l'ouverture des Fichet. Réponse : « Il est en mission à l'étranger. » En avait-on un autre sous la main ? « Oui. » J'envoyai quérir en banlieue un autre serrurier et prévins le palais de l'Élysée par l'interministériel qu'il me fallait à tout prix éviter la foule des journalistes et photographes agglutinée dans la cour. J'annonçai que j'arrivais avec mon serrurier muni de sa trousse.

Comme convenu, les gendarmes m'ont ouvert, après appels de phares de la voiture, la grille de la porte du parc qui se situe au coin de la rue de l'Élysée et de l'avenue Gabriel. Nous sommes passés à travers les bosquets et les pelouses avant de monter dans l'appartement du Président par un escalier dérobé pour atteindre sa salle de bains.

Mon serrurier a sorti sa trousse, desserré sa cravate, relevé ses manches. Assis sur le bord de la baignoire je lui demandai combien de temps il mettrait pour ouvrir le coffre. Il me répondit : « Monsieur le directeur général, deux à trois minutes. »

Il était accroupi devant le coffre posé par terre. Au moment où cet excellent homme commençait à entreprendre son travail délicat, j'imaginai brusquement un scénario sinistre : « Attention ! Il faut que j'aie des témoins. S'il n'y a pas de témoins... Supposons... Il ouvre le coffre, ce qui sera fait dans un instant. Je trouve une enveloppe sur laquelle est inscrit : " Testament politique. " Je l'ouvre. (Je fais là, bien entendu une supposition parce que ce n'est pas plus mon genre que mon style mais poursuivons le scénario.) Le testament désigne une personnalité, M. X., qui ne me plaît pas. Je mets le testament politique dans ma poche et le cours de l'histoire est changé. »

Je donnai aussitôt l'ordre au serrurier de suspendre son travail. Ouvrant la porte, j'appelai le Dr Alain Pompidou et Pierre Juillet, et les priai d'assister à l'ouverture du coffre. Nous étions tous les quatre un peu serrés dans cette petite salle de bains. Le serrurier a ouvert le coffre et il n'y avait pas de testament politique. Point.

O. – Comment avez-vous connu Valéry Giscard d'Estaing?

M. – Il est venu déjeuner un jour au Service, en juillet 1973. Il n'était pas très au fait des affaires internationales, puisqu'à l'époque il était ministre de l'Économie et des Finances. Le ministre des Affaires étrangères de ce temps-là, Michel Jobert, n'était guère de ses intimes. M. Pompidou avait moins d'un an à vivre. A mon avis, il pouvait avoir trois successeurs possibles : Jacques Chaban-Delmas, Valéry Giscard d'Estaing ou François Mitterrand. Il eût été mauvais pour la France que le futur chef de l'État ne fût pas initié au fonctionnement d'un outil complexe, directement branché sur l'actualité la plus dangereuse. Je me faisais parfois l'effet d'être un ausculteur de volcans. Mon interlocuteur habituel étant le chef de l'État, autant avoir un homme informé plutôt qu'un patron à qui sa cour habituelle fera croire qu'il sait tout sur tout. Le meilleur apprentissage s'effectue grâce à une certaine humilité personnelle et une bonne dose de patience dans l'observation.

M. Giscard d'Estaing s'est planté devant ma grande carte magnétique ornée de fiches et de pastilles multicolores qui couvraient les régions les plus sensibles de la planète. Cette carte occupait tout un panneau de mon bureau de vastes proportions. Sous un tableau d'Édouard Detaille qui m'appartenait et qui représentait un chevalier en armure dorée, au heaume surmonté d'un panache blanc, tenant à la main un bâton de commandement, à cheval sur un palefroi brun dont le harnachement était superbe et dont je fis cadeau au Service au moment de mon départ, se trouvait un canapé Chesterfield en cuir brun, assorti de deux fauteuils club du même style qui entouraient une table basse. On pouvait y causer tranquillement avant et après le déjeuner. J'y travaillais souvent avec mes collaborateurs lorsque nous tenions des réunions.

Valéry Giscard d'Estaing s'est étonné du nombre de flèches qui se trouvaient sur Israël et l'Égypte. Je lui dis qu'il y avait de grands risques qu'une guerre se développât entre ces deux pays. Il avait les mains derrière le dos et son œil s'arrondissait tandis qu'avec une règle, je lui indiquais les problèmes à venir.

Giscard a paru intéressé. Après le déjeuner, je lui ai proposé de lui faire parvenir quelques analyses. Neuf mois plus tard, il a été élu président de la République.

O. – Vous n'aviez pas avec lui la même intimité qu'avec le président Pompidou ?

M. – Non. Devenu président de la République, M. Giscard d'Estaing a préféré confier quelquefois certaines missions à des amis à lui qui ignoraient la rigueur du Service.

O. – Par exemple ?

M. – J'ai appris par la presse l'affaire du voyage à Varsovie.

O. – Vous voulez dire que le directeur général du S.D.E.C.E. n'a pas été informé de la rencontre entre le président français et Brejnev ?

M. – Non.

O. – Non ?

M. – Non ! Peut-être aurait-on pu me consulter avant. Je n'ai pas de fierté d'auteur. Ma seule ambition était de servir l'État et de faire mon métier. Je trouve qu'il est dommage qu'on n'ait pas consulté le directeur général d'alors parce qu'il a peut-être des idées sur la question, et que s'il n'en a pas, et que cela se reproduise deux ou trois fois de suite, il faut le renvoyer dans ses terres et en prendre un autre. Puisqu'on avait eu recours à un certain multimilliardaire d'une couleur politique non équivoque, pourquoi ne pas le nommer, lui, directeur général ?

La rencontre du président de la République française avec M. Leonid Brejnev, secrétaire général du comité central du P.C. s'est produite en mai 1980. Si je ne m'abuse, le 24 décembre 1979, l'Armée rouge avait pourtant envahi l'Afghanistan. Quelle provocation pour les athées du Kremlin, que d'avoir, à leurs frontières méridionales, septentrionales et de l'Ouest, en Afghanistan et en Pologne, deux religions mono-théistes traditionnelles qui soulèvent les peuples dans un élan commun de résistance : l'islam et le catholicisme.

Il est bien connu qu'il y a depuis toujours une inimitié, un mépris réciproque entre les Polonais et les Russes. Il me semble que, pour rencontrer un Russe, il devait y avoir d'autres lieux que la Pologne...

Comment un chef d'État français avait-il pu croire qu'il serait susceptible d'influencer – qu'il s'agisse de l'Afghanistan ou de la Pologne – M. Brejnev ?

O. – Y a-t-il eu d'autres opérations montées par l'Élysée sans consultation du directeur général du S.D.E.C.E. ? Par exemple, la mission de M. Poniatowski à Téhéran pour proposer au Shah de faire éliminer Khomeiny alors réfugié en France ?

M. – Ce n'était pas en coordination avec moi. Cela dit, le président de la République, chef des armées et patron du système politique français, a le droit d'envoyer quelqu'un qui connaît bien les questions étrangères, en qui il a la plus grande confiance pour faire ce qu'il veut. Ce que l'on peut souhaiter, bien sûr, c'est que des missions sérieuses soient faites en liaison avec le directeur général des Services pour que le travail du Service et les observations de l'émissaire soient mis mutuelle-ment à profit.

O. – Une tradition pourtant a bien été maintenue sous Giscard comme sous Pompidou et de Gaulle, celle des chasses gardées africaines. Quand vous arrivez « aux affaires » en 70, il y a eu en Afrique un très long règne, celui de Jacques Foccart...

M. – Le nom de Jacques Foccart a longtemps été dans la bouche du Tout-Paris. Il a joué un rôle important à l'époque du général de Gaulle On a raconté mille et une choses sur lui, tantôt bonnes, tantôt inquiétantes.

M. Foccart a été l'homme des affaires spéciales, ou réservées, du Général. Il avait monté un certain nombre de réseaux en Afrique noire surtout, où malheureusement il y a eu confusion des genres. Il y avait des réseaux officiels et des réseaux semi-officiels. Cette période de l'histoire des Services français a été entachée par la prolifération de ceux qu'on a appelés à l'époque et depuis les « barbouzes ». L'une des missions qui m'avaient été confiées par le président Pompidou a été de mettre fin à ces opérations de « barbouzes », impossibles à contrôler et à manipuler. Il faut suivre une éthique impeccable et une très grande discipline dans les Services secrets. La tentation est forte pour certains de « faire de l'argent », de monnayer informations et secrets. Il est certain que la présence de « barbouzes » dans différents pays africains a incité ces gens-là à devenir des hommes d'affaires et des commerçants, ce qu'ils n'avaient pas à être. J'y ai mis fin.

O. – Et vous y êtes parvenu ?

M. – Si j'en crois la réaction de ces milieux-là, j'ai dû y parvenir dans une grande mesure, oui. Des fonctionnaires français à l'étranger, civils ou militaires, sont convenablement payés, comme tous les représentants français qui travaillent à l'extérieur. Ils n'étaient pas là pour « faire des affaires ». Il fallait donc élaguer très vite et très fort. D'autant que, dans certaines missions, les gens qui en étaient chargés tombaient sur des membres de ces réseaux... ou d'autres réseaux français. Je pense à telle société pétrolière qui disposait de ses propres agents. Qu'une grande société pétrolière – je précise appartenant à l'État – veuille être au courant d'un certain nombre de choses, je trouve cela légitime. Mais qu'elle crée un mini-État dans un État africain, ou même dans le nôtre, non ! Ces gens-là ont recruté parfois des fonctionnaires de mon service dont je m'étais séparé. J'ai trouvé cela déplaisant.

O. – Est-ce que la France a encore les moyens de sa politique africaine ?

M. – Les moyens, les budgets, ne devraient pas être une habitude administrative mais se trouver à la hauteur de la menace militaire ou culturelle, qu'elle vienne de l'Est ou d'ailleurs.

157

Au plan des moyens humains et financiers, nous n'avons qu'une fraction de ce dont certains de nos rivaux disposent. Mais nous y suppléons par la qualité de nos relations. Les Africains sont nos amis, nos parents, nos cousins. Ils ont des liens intellectuels, moraux, charnels avec Paris et la France. Ils sortent souvent des écoles françaises, militaires ou civiles, même si certains d'entre eux sont de plus en plus attirés par les États-Unis ou par un marxisme rouge, bien sûr, mais qui prendra rapidement la couleur du noir. Au-delà de sa clientèle traditionnelle, la France qui a là une mission quasi séculaire, a eu deux vrais amis, deux hommes d'État, non à l'échelon africain mais à un échelon plus vaste, les présidents Houphouët-Boigny et Senghor qui, je le rappelle, ont été de ceux qui ont rédigé la Constitution actuelle de la France.

La France eut le mérite de déceler et de former des cadres africains de grande qualité, contrairement à d'autres nations européennes qui avaient négligé ce secteur important pour l'après-décolonisation. Le moment est venu pour moi de dire combien, depuis de nombreuses années, j'apprécie les contacts que j'ai eus avec, entre autres, les présidents Houphouët-Boigny et Senghor, l'amitié que je leur porte et l'estime en laquelle je les tiens.

Je porte une admiration affectueuse et déférente au président Houphouët-Boigny, cet Africain de haute lignée, qui a fondé de ses propres mains et avec l'appui inconditionnel de mon ami, M. Alain Belkiri, préfet français mis à sa disposition après la Seconde Guerre mondiale, la Côte-d'Ivoire, un des rares pays d'Afrique noire dont la stabilité politique, la démocratie et les succès économiques sont un exemple pour tous.

Le président Léopold Senghor, agrégé de grammaire, membre de l'Académie française, représente un autre exemple d'une réussite exceptionnelle au service de l'Afrique et de la France. Il est dommage que l'on n'ait pas assez soutenu dans un combat si vital pour notre culture ce grand défenseur de la langue française. Qu'il trouve ici mon hommage très amical.

Notre mission consiste à aider et à protéger ces pays africains souvent faibles quand ils sont seuls. Quand, au Tchad, un membre de notre famille noire s'est vu récemment agresser, l'immense crainte des autres pays a été de voir la politique française vaciller ou hésiter.

Un certain nombre de chefs d'État ont remarqué avec justesse : « Si la France n'est pas capable de défendre le Tchad, elle ne nous protégera pas non plus. L'édifice va s'écrouler ! » Nous avons eu raison d'intervenir au Tchad pour empêcher les élucubrations du colonel Khadafi – qui s'est tout de même emparé du Nord du pays.

Je ne suis pas persuadé que nous ayons remporté au Tchad une victoire. On a veillé à ce que les dégâts ne soient pas complets, mais il ne faut pas déguiser en victoire l'abandon d'une partie d'un pays.

O. – Vous avez eu affaire à Hissène Habré au moment de l'affaire Claustre ?

M. – C'est une affaire que j'ai très peu suivie. Il y avait à l'Élysée un désir évident de ne pas me voir m'en mêler. On ne se méfiait jamais de moi politiquement, sinon on ne m'aurait pas gardé une journée de plus. J'étais contractuel, il ne faut pas l'oublier, mais il s'agissait là d'une affaire « réservée » comme on dit dans le jargon. Elle a coûté fort cher aux contribuables français...

Il n'y a pas que des épisodes tragiques quand on surveille les affaires. Ainsi, dans une capitale africaine que je ne nommerai pas, nous avions remarqué que, chaque semaine, le même jour, des motards de la Présidence allaient au même vol de l'avion de Paris attendre un pli qu'ils rapportaient dare-dare au palais. Quelles informations guettait-on avec autant d'impatience ? De quelles sources provenaient-elles ? Nous nous sommes arrangés pour en avoir le cœur net. A l'époque paraissait à Paris un petit hebdomadaire qui traitait d'astrologie, de chiromancie, etc. Le matin de sa parution, l'ambassade dudit pays se le procurait par courrier spécial. Cela m'a donné une idée : pourquoi ne pas racheter cet intéressant magazine et donner à tel ou tel homme d'État des recommandations zodiacales au moment d'une négociation importante ou à la veille d'un sommet ? Les propriétaires de ce mensuel furent approchés mais, pour je ne sais quelle raison, l'affaire ne se fit pas. Peut-être gagnaient-ils trop d'argent ?

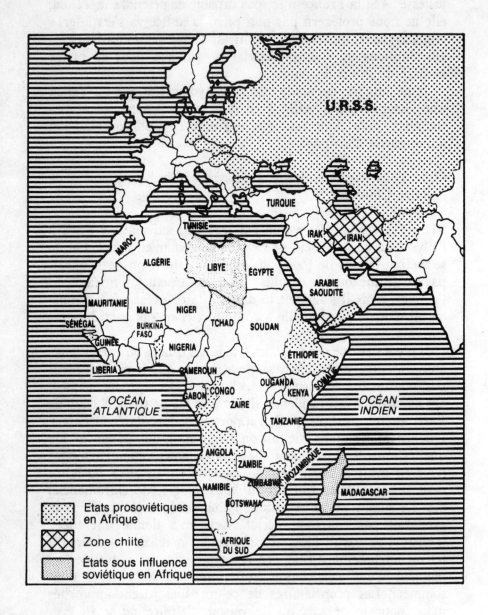

| | Etats prosoviétiques en Afrique |
| Zone chiite |
| États sous influence soviétique en Afrique |

13

Menées africaines

OCKRENT. – Deux opérations au moins, deux opérations de grande envergure, ont été menées en Afrique sous votre impulsion, par vos Services : Kolwezi et la destitution de Bokassa.

MARENCHES. – Deux affaires positives, oui, où nous disposions de renseignements précis qui prouvaient, dans les deux cas, les visées libyennes et soviétiques, ce qui justifiait l'intervention de la France. J'aime que vous me questionniez sur ces deux opérations, mais il m'est agréable de savoir que d'autres ne sont connues de personne et je ne les mentionnerai pas...

O. – Sans souci chronologique, parlons d'abord du Centrafique : il s'agit de la déposition de Bokassa en 78 et du coup d'État orchestré par la France, c'est-à-dire par vous ?

M. – On ne prête qu'aux riches ! L'opération centrafricaine est une opération qui consistait à débarrasser ce malheureux pays de son « Empereur » et à faire en sorte que les Libyens ne prennent pas position au centre de l'Afrique. La pensée stratégique de Khadafi était d'occuper le Tchad, puis l'Empire centrafricain situé juste en dessous. De là, il se trouvait dans un lieu stratégique, l'équivalent du plateau de Pratzen en fonction duquel Napoléon avait conçu la manœuvre de la bataille d'Austerlitz (aujourd'hui en Tchécoslovaquie). Une telle victoire eût été exploitée soit en direction du golfe de Guinée, soit vers la Corne de l'Afrique et la mer Rouge en donnant la main à l'Éthiopie communiste, complétant ainsi la mise sous influence d'une grande partie du continent africain.

C'était le maître plan de Khadafi. Le Centrafrique est l'un des pays les plus déshérités du monde. Bokassa s'y était fait « élire »! Il s'était lui-même couronné Empereur, le 4 décembre 1977, dans des conditions qui tiennent de la comédie de boulevard. La France lui prodiguait ses faveurs. C'était assez commode pour les grandes chasses. Bokassa était devenu une sorte de garde-chasse privé de la République française...

J'avais alerté depuis un moment le président Giscard d'Estaing en le prévenant qu'il s'agissait d'une affaire qui tournait mal. Bokassa ne se conduisait pas bien. Il était devenu un grand alcoolique. On a raconté les histoires les plus invraisemblables sur lui. On a même regardé dans le réfrigérateur du palais présidentiel pour voir s'il contenait de la chair humaine, mais il n'y en avait pas.

L'histoire des diamants a été ridiculement montée en épingle, si j'ose dire. Le Centrafrique avait une production de diamants industriels, comme plusieurs pays. Mais, quand on dit « diamants », le grand public pense immédiatement à la reine de Saba ou aux bijoux de la Couronne, à la Tour de Londres, à de somptueux solitaires blanc-bleu, à des brillants... Bokassa avait de petits diamants industriels qui ne valaient rien. Il les posait sur des plaquettes qu'il remettait à ses hôtes de passage. J'en parle d'autant plus facilement que je n'en ai jamais reçu. Mais j'en ai vu. J'ai rencontré des gens qui en avaient reçu.

La vérité, c'est que la chasse aux grands animaux de ce pays peut y être pratiquée dans de bonnes conditions. Pourquoi n'y aurait-il pas au sommet de l'État des amateurs de grandes chasses? Je ne suis pas contre l'intendance de menus plaisirs, à condition qu'elle ne se confonde pas avec la raison d'État. Chacun a le droit d'aller faire du sport et de se livrer aux activités qu'il choisit. Mais, à partir du moment où l'on s'associe avec des gens qui ne sont pas très dignes, on commence à courir un risque politique. Alors là, je me mêle de l'affaire et je dis : « Attention! » On a négligé cet avertissement.

Un jour, j'ai appris que des éléments des forces spéciales libyennes, du Service Action libyen, étaient arrivés sur place. J'ai prévenu tout de suite le président Giscard d'Estaing. Il m'a demandé si j'étais sûr que c'étaient bien des gens du Service Action libyen. Il n'était pas dans mes habitudes de raconter des détails imaginaires.

Les Libyens n'étaient pas d'une discipline prussienne. Ces militaires, déguisés en civils, gardaient dans leur portefeuille ou dans leur chambre un certain nombre de photos souvenirs, avec papa, maman, la petite amie, etc. Sur ces photos, l'on découvrait ce qui paraissait être un brave civil, en uniforme des services des Forces spéciales libyennes. C'est tout.

Les Services de Renseignement sont professionnellement curieux. Pendant que des gens sont à la piscine, en train de prendre une douche ou de se livrer à un certain nombre d'exercices, revêtus simplement de leur innocence, les Services de Renseignement, par un hasard organisé, tombent sur le portefeuille où se trouve souvent la photo *ad hoc*. Ils font des déductions.

O. – Le Service de Renseignement... centrafricain ?

M. – Il pouvait y avoir des représentants d'organisations française publiques ou privées. Il pouvait y avoir aussi des gens du pays.

J'ai donc dit au président de la République : « Maintenant, nous ne pouvons plus attendre longtemps, car les Libyens, ce n'est pas grave, mais supposons que nous trouvions en République Centrafricaine un régiment cubain ou des Allemands de l'Est, comme en Angola et en Éthiopie. C'est la guerre. Que faut-il faire ? »

On estimait alors, stratégiquement, que l'affaire du Tchad et de la République Centrafricaine était très importante, non pour la France mais pour la défense de notre famille d'Afrique noire. Si l'on ne voulait pas avoir une véritable guerre sur les bras, il fallait agir vite, effectuer une opération chirurgicale. Le moment était venu de remplacer le cher Bokassa.

O. – Comment avez-vous fait ?

163

M. – Nous avons appris qu'il se rendait en visite chez son ami le colonel Khadafi. J'ai indiqué que le moment était venu. Ainsi avons-nous organisé le 20 septembre 1979 une opération qui portait le nom de code : « Barracuda » en couverture mais nous l'avions appelé entre nous : « Caban ». Nous n'avons pas tiré un seul coup de feu et nous n'avons tué ou blessé personne à Bangui, la capitale de la République Centrafricaine. Les parachutistes français ont maintenu l'ordre et David Dacko a pris le pouvoir. C'était une opération comme on devrait l'enseigner dans les écoles de guerre spéciale. La seule différence entre nous et d'autres, c'est que nous n'avons pas fait un ou deux films à la gloire de cette opération ni trois ou quatre romans pour en vanter les mérites.

Une opération modèle est une opération où on obtient le maximum de résultats avec le minimum de casse.

Dans ce genre d'action, il y a un dossier opérationnel qui a été préparé de longue date, on sait où l'on va. On sait ce qu'il faut faire, mais il faut avoir le consentement du décideur politique. A partir du moment où on l'obtient, il faut conjuguer deux sortes de Renseignement, le Renseignement stratégique qui est un renseignement global, politique, psychologique, et il faut faire aussi ce qu'on appelle le Renseignement avant action, c'est-à-dire du renseignement de détail : qu'est-ce qui va se passer, combien de personnels faut-il... quels rouages tente-t-on de mettre en place. On a donc cherché, et on a trouvé, un brave homme qui avait une qualité importante pour une démocratie, c'est qu'il était le seul citoyen de ce pays à avoir été élu démocratiquement.

M. David Dacko était réfugié politique en France. Il a donc fallu le joindre et lui dire : « Voulez-vous participer à une opération qui délivrerait votre pays de ce mini-tyran alcoolique, Bokassa, et voulez-vous chercher à amener un peu de démocratie dans votre pays ? » Ensuite, il a fallu le persuader de courir un risque physique parce que ce n'était pas un homme tout jeune. Il avait des problèmes de santé. Troisièmement, il a fallu lui dire : « Si on fait quelque chose de ce genre, il faut que vous fassiez une déclaration en arrivant. Nous ne sommes pas des colonialistes en train de récupérer une colonie, mais des gens qui ne veulent pas que l'affaire tourne mal et qu'éventuellement les Libyens arrivent au centre de l'Afrique. »

Notre interlocuteur pose la question qu'on se pose en général dans ces cas-là : « A l'arrivée, de quoi va être composé le comité de réception ? » On essaie de le rassurer. Finalement on se met d'accord, il prépare son discours. Enfin, on l'aide un peu à le préparer parce qu'il est très désemparé intellectuellement. On insiste surtout sur le fait que, nous, nous ne voulons rien finalement. En plus, c'est vrai.

O. – Concrètement, vous affectez combien d'hommes à une opération de ce genre?

M. – Ce sont des opérations chirurgicales où le scalpel est l'instrument principal. Il s'agit donc d'opérations de précision qui ne demandent pas un grand nombre d'hommes : entre cent et cent cinquante personnes environ. Ils sont embarqués sur deux avions du Service.

Une des principales difficultés dans ce genre d'opérations est de penser à l'impensable. Il faut essayer de deviner quels vont être les pannes ou les coups durs qui peuvent survenir.

On décide qu'un certain nombre de gens vont partir et atterrir sur l'aéroport de Bangui. Nos spécialistes connaissent bien la région. Nous avons tous les détails sur le fonctionnement de l'aéroport de Bangui : à quelle heure il ouvre, à quelle heure il ferme, où sont les lumières, qui est dans la tour de contrôle, etc.

Il y a pour protéger le terrain deux autos-mitrailleuses et une compagnie de gardes dont on connaît la tribu. Nous comptons même parmi nos cadres des gens qui parlent la langue. Nous savons d'autre part – ce qui est capital – que les gardes n'ont pas été réglés depuis plusieurs mois. C'est important parce que dans ces pays-là on est très mal payé. On survit à peine. Souvent, les forces locales commettent des exactions un peu comme chez nous le pratiquaient les grandes compagnies du Moyen Age. Il faut bien vivre et, pour vivre, on rançonne souvent la population locale.

Quelqu'un a eu l'idée excellente de dire à la Centrale : « Attention, la monnaie locale centrafricaine ne vaut rien à cause d'une inflation galopante. Personne n'en veut. Si on apporte des fonds pour payer les cadres et les hommes de la compagnie de gardes, il ne faut pas de l'argent centrafricain. »

Nous nous sommes donc munis de francs C.F.A. et de devises des autres pays africains. Le soir de l'opération, on a fait un « atterrissage d'assaut », c'est-à-dire que les avions se sont posés très fort et assez dur sur le terrain de Bangui. La veille, on avait envoyé deux personnes choisies parmi nos aviateurs qui, avec des lampes de poche et sur la piste, ont permis aux avions lourds d'atterrir.

Nous étions probablement les seuls à l'époque, peut-être avec Israël, à disposer de ce genre d'équipe complète, avec des gens de formation et de compétences différentes. Il faut avoir des gens qui se connaissent et qui travaillent ensemble à longueur d'année. Pourquoi? Parce que, si l'on débarque avec un avion lourd à des milliers de kilomètres sur un terrain étranger, où l'on ignore ce qui va se passer au sol, avoir une aide électronique et les derniers perfectionnements à l'atterrissage, c'est bien; mais, lorsque deux hommes au sol, les camarades des pilotes, qui vivent avec eux, qui se retrouvent au même mess à longueur d'année, s'exercent avec eux, il intervient alors une électronique humaine, qui opère et qui s'appelle la confiance. Elle vaut toutes les techniques du monde.

Cela n'empêche pas les pépins de dernière minute. Voilà qu'on apprend que l'aérodrome allait être de nouveau ouvert pour un avion égyptien qui avait eu des problèmes et qui devait se poser en retard. Patatras! Tout notre plan était à remanier. Cet avion égyptien se trouvait encore dans un pays africain plus au sud. Par une série de hasards et d'adresse et de chance, nous avons réussi en quelques heures à le faire mettre en panne...

J'étais dans mon centre opérationnel, au sous-sol, à Paris, avec toutes les cartes et l'état-major. Nous disposions d'excellents moyens de communication.

Contrairement à certaines opérations menées par des étrangers, j'avais dit à l'officier qui commandait l'opération et qui se trouvait dans le premier avion avec le chef du Service Action, le colonel de M., brillant officier, et qui joua un grand rôle dans

166

la préparation et l'exécution de cette opération impeccable :
« Je n'interviendrai jamais, parce que c'est vous le patron
de l'opération. Si vous, vous avez des questions à poser,
vous m'interrogez, mais nous, nous n'allons pas vous trou-
bler. » Il a pris ses responsabilités avec beaucoup de compé-
tence.

Nos avions débarquent finalement, guidés par...

O. – ... les deux hommes au sol.

M. – Ils se posent. Comme l'avion égyptien a manqué son
rendez-vous, l'aéroport de Bangui est fermé. Le personnel de
l'aéroport est rentré en ville dans ses foyers. Les hommes sont
en tenue de combat. Le président de rechange et sa voiture se
trouvent dans le deuxième avion.

Les hommes se précipitent vers le bâtiment où se trouvait la
compagnie de gardes, par les portes et par les fenêtres,
mitraillette en main. Aussitôt, l'officier qui parle la langue
tribale tient le discours suivant : « Nous ne sommes pas ici pour
reconquérir quoi que ce soit, mais pour permettre à votre pays
de se débarrasser d'un tyran et y ramener, si possible, la
démocratie. » Je résume. Ensuite, très habilement, le commandant de l'opération fait dire aussi dans la langue tribale :
« Nous savons que vous n'avez pas été payés depuis trois mois.
Veuillez constituer une file le long du mur. »

Un trésorier-payeur qui s'installe avec une chaise et une
table sort d'une cantine les sesterces qui conviennent. Très
habilement aussi, on dit aux officiers : « Messieurs les officiers,
vous pouvez rester armés. Nous avons confiance en vous, vous
savez ce que vous avez à faire », et à la troupe : « Veuillez poser
vos armes à tel endroit. » Pas un coup de fusil n'a été tiré. Les
cadres de la compagnie de gardes s'offrent à nous emmener en
ville pour nous servir de guides. Nous avons occupé quelques
points stratégiques, mais dans une petite ville qui est une
capitale, les points stratégiques sont assez facilement repérables. C'est le palais du chef de l'État, les centraux téléphoniques, la télévision, une caserne ou deux. Dans cette opération
exemplaire, il n'y a pas eu un coup de feu de tiré de part et
d'autre, pas de mort, pas de blessé.

167

Là-dessus, le bon président Dacko a fait le lendemain sa proclamation et les affaires sont redevenues normales. Nos gens sont repartis au lever du jour, remplacés par des troupes françaises en uniforme et tout à fait officielles, venues du Tchad.

O. – L'ambassade de France était au courant ?

M. – Personne n'était au courant. Au milieu de la nuit, une agence de presse, qui n'a existé que quelques heures, a diffusé une dépêche selon laquelle il se passait des choses bizarres en Centrafrique. Le Quai d'Orsay a téléphoné à l'ambassadeur à Bangui qui, réveillé, a tendu l'oreille aux multiples bruits de la jungle. Il a dit qu'il n'entendait rien de spécial. Tout se passait bien.

O. – Autrement dit, c'est une information issue de vos propres Services qui l'a alerté sur ce qui se passait à Bangui ?

M. – Qui a fait une opération d'accompagnement par une certaine désinformation.

O. – Le Quai d'Orsay a dû être ravi d'être ainsi « informé » de votre opération ?

M. – Je n'ai pas pris le pouls du Quai d'Orsay au cours des jours qui ont suivi. Si l'on veut réussir ce genre d'opérations, il ne faut mettre que le minimum de gens au courant. C'est pourquoi j'ai beaucoup insisté à l'époque et je conseille encore à tous les services de disposer d'unités intégrées air/terre/mer. Sinon, si vous êtes obligé de demander des avions aux différents états-majors, vous aurez des centaines de gens informés, et votre opération ratera, bien entendu.

Lorsque nos amis américains ont fait, en avril 1980, la fameuse opération dans le désert d'Iran, à Tabas, nous avons parlé avec ceux qui ont exécuté cette opération et qui étaient des gens de grande qualité. Le colonel Beckwith qui menait le commando destiné à libérer les otages américains recevait des ordres d'une douzaine de personnes en même temps. C'est insupportable ! On a vu le résultat.

168

O. – Voilà pour l' « opération modèle » de Centrafrique. Vous n'en diriez pas tant du Zaïre... Là, vos Services ont été mêlés au moins à deux actions importantes à quelques mois d'intervalle, en 1977 et 1978.

M. – En mai 78, quatre mille anciens gendarmes katangais, sont revenus d'Angola et agissant pour le compte du gouvernement rouge de Luanda, sa capitale, ont assiégé Kolwezi, dans la province du Shaba, au Zaïre, où se concentrent cuivre, diamants, cobalt, manganèse, cadmium, plomb, étain, pétrole, etc. Il y a eu cent vingt Européens massacrés, sans compter les locaux. La France est alors intervenue et les Belges un peu plus tard. Le Zaïre, l'ancien Congo belge, reste l'un des plus grands pays d'Afrique – quatre fois la France – aux richesses fabuleuses. Le fleuve Congo a une puissance autre que celle des fleuves français. Mais ce pays divisé en tribus innombrables, ne peut-être tenu que par une main d'une très grande fermeté. C'est le cas du général Mobutu, aujourd'hui maréchal.

Une balkanisation du Zaïre aurait été extrêmement dangereuse. Des intérêts officiels et privés s'étaient ligués pour séparer le Shaba (l'ex-Katanga) du reste du Zaïre. Des sociétés internationales s'étaient acoquinées avec un certain nombre de personnes à l'intérieur du Shaba et d'autres à Bruxelles. J'ai pensé que nous avions intérêt à ce que le Zaïre demeurât un pays uni. Pourquoi? Parce qu'au Zaïre, la région prospère, celle où sont exploitées ces mines fabuleuses du Katanga, le Shaba, fait vivre le reste du pays. Si l'on avait créé un État indépendant du Shaba, comme le voulaient certains intérêts privés atteints d'une myopie catastrophique, le reste de ce gigantesque pays n'aurait pu survivre sans ces richesses.

Une misère généralisée et un éclatement du Zaïre auraient profité au bloc de l'Est.

O. – Et s'il y avait eu des intérêts français au sein des groupes nébuleux que vous évoquez, la décision de monter l'expédition du Shaba aurait-elle été la même?

M. – Elle a été prise au plus haut niveau politique français. Les Services sont chargés non seulement de renseigner mais parfois d'aider aussi à l'application de la politique du gouvernement.

O. – Dans ce cas précis, on peut imaginer que vous avez fortement poussé le président Giscard d'Estaing...

M. – C'est au chef de l'État de faire la politique du pays, mais il n'est pas interdit au directeur général des Services de Renseignement de donner son avis, même un avis appuyé, si vraiment il y croit.

O. – L'opération du Shaba a été pourtant discutée par vos alliés belges ?

M. – Il y a eu en Belgique des gens qui ont protesté contre l'intervention française. Les Belges ont envoyé ensuite du monde, mais ces militaires sont arrivés un peu tard... Le Zaïre avait été un moment la propriété personnelle du roi Léopold II, qui en avait fait cadeau, littéralement, à la Belgique. A partir du moment où les Belges l'ont abandonné et où le Congo belge, sous le nom du Zaïre, est devenu un pays indépendant, je ne vois pas pourquoi nous n'aurions pas agi quand on nous le demandait. En plus, les autorités du Zaïre ont protégé des intérêts économiques vitaux. Le gouvernement français est d'abord intervenu dans ces affaires, pour sauver du massacre, par des hordes incroyables, un grand nombre de personnes de toutes les couleurs.

O. – Les hordes dont vous parlez étaient financées par qui ?

M. – Il s'agissait soit de gens de sac et de corde sortis d'on ne sait où, soit de gens qui venaient de l'Angola communiste où se trouvaient les fameux gendarmes katangais. Ces quatre mille gendarmes katangais ressemblent au Polisario. Ils vieillissent. Il finit par ne plus y en avoir beaucoup, mais le nom reste.

O. – Ces gens-là étaient financés par qui ?

M. – Beaucoup de ces gens-là, venant de l'Angola, étaient, bien entendu, financés par les Cubains et le bloc de l'Est, sans

170

compter certains intérêts américains qui exploitent le pétrole du Cabinda, enclave côtière entre le Zaïre et le Congo. On y trouve du pétrole qui intéresse la Gulf Oil, de l'uranium, du manganèse, etc.

Dans cette opération au Shaba, le Service a joué un rôle très important. Il y est arrivé seul et le premier. J'ai envoyé quelques hommes tout de suite, avec des bérets amarante sur la tête, même s'il s'agissait d'un cuisinier ou d'un coiffeur. Puissance du mythe! On les a envoyés à la nuit. Ils ont débarqué. La trentaine de conseillers cubains déjà arrivés sur place se sont immédiatement repliés de l'autre côté de la frontière angolaise. Je fis répandre le bruit par mes envoyés qu'ils constituaient l'avant-garde de la 11e Division Parachutistes. En réalité, c'était un coup de bluff.

En mars 77 à la première opération de Kolwezi, dans la province du Shaba au Zaïre, nous avons participé simplement au Renseignement et nous avons bénéficié du conseil technique des Marocains et des Zaïrois pour les opérations. Nous connaissions bien le terrain et nous avions des cartes détaillées. L'admirable Légion étrangère a mené l'opération dans des conditions extrêmement difficiles (on lui a fourni, au dernier moment, un modèle de parachute dont les légionnaires ne connaissaient pas l'usage). Comme toujours, nous n'avions pas les transports. Nous fûmes obligés de les emprunter et ce fut un miracle si les soldats qui sautèrent des premiers avions ne furent pas hachés par les hélices de ceux qui suivaient.

Je constate qu'aujourd'hui la France, avec une politique ambitieuse sur le papier, ne dispose toujours pas d'avions de transport à long rayon d'action. Les fameuses forces de déploiement rapide manquent encore de moyens aériens.

O. – On l'a constaté au Tchad.

M. – Les Transalls sont de bons avions qui ont des pattes trop courtes... Quand on a construit les Transalls – c'est là que réside l'impréparation, le manque de réflexion stratégique, on pensait qu'on garderait Fort-Lamy pour l'éternité. Fort-Lamy ou N'Djamena, l'ancien Fort-Lamy.

Pour opérer sur Djibouti ou en Afrique noire, les Transalls

171

n'ont pas l'autonomie de vol suffisante. On n'a fabriqué que quelques dizaines de Transalls. Seules les armées de l'air allemande et française en ont acheté. Résultat : quand on voyait, dans des endroits plus ou moins vaseux, des Transalls qui ne portaient pas la croix de fer allemande sur les fuselages, on disait : « Ça y est! Ce sont des avions du S.D.E.C.E.! » Nous commettions la pire erreur pour un Service de Renseignement, qui était de pouvoir être facilement identifié.

J'avais voulu, et j'ai essayé, durant des années, d'acheter des C 130 américains Hercules, de Lockheed. Ils ont une portée plus longue. Il en existe des milliers d'exemplaires. On en voit sur tous les terrains du monde. Ils sont banalisés. On peut enlever les couleurs françaises en quelques heures si on effectue une opération. Je n'y suis pas parvenu parce qu'il n'était pas question d'acheter des avions étrangers.

Sans être un technicien, je me souviens de trois chiffres qui m'avaient frappé. Le Lockheed C 130 emportait *deux fois* plus de tonnage que les Transalls, allait *deux fois* plus loin et coûtait *deux fois* moins cher. J'ai été jusqu'à envoyer une mission aux États-Unis. Elle avait trouvé des C 130 d'occasion, parce qu'il y a là un marché aussi énorme que celui des camions d'occasion. On vendait les C 130 à des prix très bas munis de moteurs impeccables, y compris les rechanges.

O. – Et vous n'avez pas pu les acheter ?

M. – Pour des raisons de politique intérieure, on a fabriqué le fameux Transall. Ensuite, on s'est rendu compte qu'il n'avait pas de rayon d'action. On a fabriqué des super-Transalls qui ont coûté plusieurs fois le prix d'un Lockheed. Cette affaire a peut-être été politiquement bonne pour les syndicats de la société nationale qui les fabrique, mais, sur le plan de l'armée, de la stratégie, et plus modestement du Service, elle a été un désastre.

Pour en revenir à l'affaire du Shaba, l'opération aurait tourné court sans l'envoi d'un contingent marocain sur des Transalls français. Nous n'avions pas les moyens politiques et militaires d'assurer seuls le suivi de l'opération.

J'ai pensé, en regardant la carte, que le Roi Hassan II était

172

le seul qui aurait le courage de l'assumer et surtout la vitesse de décision politique. Son système, qui ne ressemble pas aux « démocraties molles » européennes, a un grand avantage : celui de la rapidité. Dans les cas urgents, sans demande formelle d'audience le Souverain me recevait aussitôt. C'était l'accord que nous avions depuis des années.

J'allai le voir, accompagné d'un de mes généraux et de mon aide de camp. Il était dans sa ferme près de Fez au bord d'un lac artificiel, sous une grande tente caïdale. Il avait dû monter à cheval quelques instants auparavant, parce qu'il y avait là des chevaux de selle, tenus en main. Le souverain chérifien ignorait totalement la raison de ma visite inattendue. Le Roi sortit de sa tente. Alors que j'étais encore à une trentaine de mètres, je marquai un temps d'arrêt par déférence. A ce moment-là, il s'est passé une chose extraordinaire, dont je n'ai toujours pas l'explication. Le Roi leva la main droite et traça dans l'air le signe « non » en s'écriant : « Non, je n'irai pas ! » Il avait tout compris, tout deviné.

O. – Comment l'avez-vous convaincu ?

M. – Vingt-cinq minutes après, lorsque je lui eus exposé les arguments qui m'avaient déterminé à venir le voir si brusquement, le scénario sinistre qui permettait, si rien n'était fait, à travers l'écroulement probable du Zaïre puis de toute l'Afrique centrale, d'assister à la perte des matières premières stratégiques pour l'Occident, la contagion qui se répandrait dans toute la région, le continent africain coupé en deux à la hauteur de la taille, la clairvoyance du Roi saisit immédiatement l'importance vitale de l'enjeu. Il téléphona sur-le-champ à quelques chefs d'État africains en leur disant : « Il faut y aller ! »

C'était la naissance de l'intervention interafricaine (Maroc, Gabon, Sénégal, Côte-d'Ivoire, Togo). Au moment où il donnait son premier coup de téléphone, je me levai en lui demandant la permission de me retirer par discrétion, mais il me fit rasseoir auprès de lui pour assister aux différentes communications. « C'est vous le responsable ! Asseyez-vous près de moi pendant que je téléphone. » Sa Majesté et moi étions parvenus aux mêmes conclusions, à des milliers de kilomètres

173

de distance. Elle était seule capable de prendre une décision aussi immédiate et d'envoyer un contingent d'élite brillamment commandé par le colonel Loubaris, ce qui a sauvé la situation. Cette affaire a coûté cher aux Marocains. Ils ont envoyé là-bas beaucoup de matériel qu'ils n'ont jamais récupéré. On leur avait promis de le leur rembourser, ce qui, à ma connaissance, n'a pas été fait à ce jour, pas même les frais de subsistance.

O. – D'où vient cette amitié avec Hassan II ?

M. – Les hasards de la vie. J'ai beaucoup de liens familiaux avec le Maroc. Le Maroc est un pays à part, un grand pays, à la différence de l'Algérie et de la Tunisie qui n'étaient, jusqu'à ces dernières années, qu'une expression géographique de l'Empire ottoman. Mon épouse y a vécu ses années de jeunesse. J'ai rencontré le Roi un peu par hasard, grâce à un officier français, le colonel Edon, personnage superbe, ancien officier méhariste, cavalier comme moi, et qui était un grand franco-marocain. Un jour, il m'a dit : « Ah! Alexandre, vous devriez connaître le jeune prince », le Roi actuel. Nous sommes allés déjeuner chez lui. Je connais le Souverain chérifien depuis plus de trente-cinq ans.

Amateur de la vie sous toutes ses formes, celui-ci est devenu un géostratège doué d'une des intelligences les plus brillantes qu'il m'ait été donné de rencontrer, d'une mémoire prodigieuse, du « troisième œil », celui de l'extrême sensibilité et de la haute perception, et l'un des rares hommes d'État de notre époque. A la suite des circonstances et de coups durs, il a acquis une compréhension, une vision des affaires mondiales qui mérite-raient des moyens financiers supérieurs à ceux du Maroc. Si le Roi Hassan II, qui parmi ses différentes fonctions est l'un des deux gardiens du détroit de Gibraltar, possédait une fraction du pétrole du Golfe, la face du monde changerait. Il a tout compris. Il saisit aussi bien les problèmes globaux que les questions qui intéressent la zone méditerranéenne, le Proche-Orient et le Moyen-Orient, entre autres. Il est de nos jours l'un des meilleurs orateurs de la langue française. Il perçoit les problèmes de l'Occident. Il a une connaissance de la politique intérieure française extrêmement rare, même chez des Français

174

spécialisés. Il a, en plus, comme on l'a vu au cours des différents attentats dont il a failli être la victime, un courage, un esprit de décision peu communs.

O. – Il s'agit d'un régime qui, sans verser dans l'erreur des classifications à l'occidentale, est un régime autocratique, pour ne pas dire plus.

M. – C'est un régime qui n'est pas comparable avec une démocratie à la danoise ou à la britannique, c'est vrai. Mais il s'agit du seul régime du continent africain qui ait une opposition ouverte, une presse d'opposition qui ne soit pas faite de samizdats, mais qu'on achète dans les kiosques. Il y a même, je crois, un ou deux députés communistes.

Chaque fois que le Souverain m'a interrogé sur des personnalités ou des événements, je lui ai toujours répondu ce que je pensais, sans chercher à lui plaire. C'est ce qu'il attendait de moi. Je n'ai jamais essayé de le flatter parce que c'était contraire à mon éthique, contraire au *gentleman's agreement* que nous avions.

O. – Quels étaient vos liens avec le général Oufkir?

M. – J'avais perdu le contact avec lui depuis de nombreuses années. Un jour, je croise une connaissance commune, qui me dit : « Le général Oufkir regrette depuis la campagne d'Italie de ne plus vous voir. » J'étais alors en fonctions. Je réponds : « Si, par hasard, il vient dans un pays voisin, nous pouvons nous rencontrer ». Depuis l'affaire Ben Barka, il ne pouvait venir en France.

Quelque temps plus tard, le messager est revenu en me disant : « Le général a l'intention d'aller en Angleterre vers la fin du mois. » J'ai répondu : « J'y serai également. Peut-être pourrions-nous nous rencontrer à Londres? » J'avais fait dire au général Oufkir qu'il n'avait qu'à passer au Turf Club. J'avais ajouté : « S'il fait beau, de là, nous pourrons aller à pied et je l'emmènerai dans un endroit typiquement anglais, chez Simpson on the Strand, où le rez-de-chaussée est réservé aux hommes et où l'on vous sert, d'un trolley en argent massif d'époque victorienne, une admirable viande de bœuf. »

Il y avait là Si Mohammed Laghzaoui, ambassadeur du Maroc à Paris. Il avait occupé plusieurs des grands postes du royaume. C'est un vieil ami. Nous sommes partis déjeuner tous les trois chez Simpson.

Vers la fin du repas, l'ambassadeur Laghzaoui s'est éclipsé et je suis resté seul avec le général Oufkir. Il a commencé à me raconter des choses désagréables sur ce qui se passait au Maroc, sur le gouvernement, sur la manière dont le pays était mené. Je l'ai écouté et ne remarquai pas spécialement la phrase qu'il laissa tomber au moment de quitter la table : « D'ailleurs, tu auras de mes nouvelles la semaine prochaine... »

La semaine suivante eut lieu la fameuse attaque en vol contre l'avion du Souverain. A ce moment-là, sa phrase m'est revenue en mémoire. Si cet attentat avait réussi – et seule la présence d'esprit extraordinaire du Roi l'a empêchée –, Oufkir aurait pu devenir le dictateur du Maroc.

Au bout de quelque temps, on me rapporta des bruits, des ragots, qui commençaient à courir : j'aurais été au courant de l'attentat, j'en connaîtrais même les détails, j'aurais conseillé Oufkir dans cette affaire... On en est même arrivé au point où c'était pratiquement moi qui avais organisé l'attentat contre mon auguste Ami.

Là, j'ai demandé à l'ambassadeur du Maroc à Paris, qui est devenu un ami, le Dr Ben Abbès, de venir me voir. Je lui ai dicté un message pour le Souverain en trois points.

Le premier point, c'est que j'étais étonné – si les bruits qu'on me rapportait étaient exacts –, que Sa Majesté écoutât ces ragots.

Le deuxième point, c'est que... Elle me connaissait depuis suffisamment de temps, et suffisamment bien, pour me demander de venir La voir, me poser les questions qu'Elle désirait, face à face. Je me serais immédiatement rendu au Maroc. Elle le sait depuis des années. C'est toujours vrai.

Troisièmement, et là, évidemment, l'ambassadeur eut quelque peine à écrire : si j'avais organisé l'attentat, je ne l'aurais pas manqué.

J'avais demandé aux Services que l'on regardât, grâce à la police des frontières, par quel vol l'ambassadeur partirait pour le Maroc. Il prit le premier vol pour faire son rapport au

176

Souverain. Quelques jours après, il revint m'expliquer que tout cela était faux. Au contraire, les sentiments que le Roi éprouvait à mon égard étaient ceux que j'espérais qu'ils fussent.

J'attendis quelque temps et me rendis au Maroc. Le Souverain était à Ifrane, cette merveilleuse station d'hiver. La route qui conduit à Ifrane rappelle les Vosges ou le Japon : paysages de neige, de sapins et d'innombrables sources. Il voulut bien me retenir à dîner avec trois ou quatre personnes. Après le repas, le Roi m'invita à faire quelques pas dans le jardin. Je pris la liberté de lui demander s'il avait bien reçu mon message et, devant l'affirmative, je me permis de lui en rappeler les trois points. Au troisième, il me dit en souriant : « Cela ne m'étonne pas de vous. »

Là encore, on ne prête qu'aux riches.

Qui était à la base de cette calomnie ? On peut dire sans se tromper que c'étaient des gens au service d'une organisation qui cherchait à rompre la vieille amitié qui existait entre le Souverain et moi, et entre le Maroc et la France.

O. – Vous parlez d'Oufkir : vous ne dites pas comment il a fini.

M. – Il a mal fini. Nous finissons toujours mal, puisque tout le monde meurt. C'est la grande égalité. C'est simplement une question de date. Ce qui est choquant, c'est l'accident de parcours. Je ne connais pas le détail de celui d'Oufkir qui, finalement, ne me regarde pas. Je laisse aux historiens le soin d'examiner, à la loupe d'abord et au microscope ensuite, ce genre d'affaire.

O. – Il est quand même tout à fait difficile de croire que vous n'en sachiez pas plus sur la fin d'Oufkir ?

M. – Vous connaissez les liens que je peux avoir avec le Monarque chérifien et avec son beau pays. Il faut toujours avoir une éthique solide et une grande discipline personnelle et intellectuelle. Ce qui m'intéressait – c'était mon métier dans les affaires du Maroc –, c'était de protéger le Maroc contre les agressions extérieures.

177

J'estimais qu'il était extrêmement important d'essayer de faire en sorte que le régime chérifien conservât sa stabilité politique, parce que, sans stabilité politique, il n'existe pas d'économie valable. Supposons un instant que la rive sud de Gibraltar soit occupée par un pays allié de l'Est ou un système marxiste. J'aime autant vous dire que nous assisterions à l'effondrement du système occidental car la Méditerranée deviendrait une nasse. Pour répondre à votre question, je n'avais pas à m'immiscer dans les affaires de politique intérieure du pays...

O. – ... la frontière est quasiment impossible à tracer à partir du moment où des gens très proches de vous s'en mêlent...

M. – Je reconnais que c'est difficile.

O. – ... comme c'était le cas d'Oufkir et comme c'était aussi le cas du patron des Services secrets, Dlimi.

M. – Encore une fois, nous n'avons pas à nous immiscer dans les détails de la politique intérieure d'un pays, parce que cela nuirait à l'amitié que nous entretenons au niveau des pays et des gouvernements. J'ai rencontré le général Oufkir une fois en vingt ans, le jour où nous avons déjeuné ensemble à Londres. Je ne l'avais pas vu pratiquement depuis la fin de la Seconde Guerre mondiale et, bien entendu, je ne l'ai pas revu depuis.

O. – Vous aviez des liens plus étroits avec Dlimi qui était le patron des Services et qui est mort, lui aussi, de façon brutale ?

M. – Il exerçait plusieurs fonctions très importantes. Il était le patron du bureau des aides de camp, le commandant en chef du Sud marocain contre le Polisario, l'envoyé du Roi pour des missions plus ou moins secrètes dans d'autres pays et, notamment, au Proche et Moyen-Orient. Il nous est arrivé de faire des missions ensemble.

178

O. – Où, par exemple ?

M. – Dans différents pays du Moyen-Orient. Je considérais le général Dlimi comme un homme extrêmement solide, intelligent et formidablement travailleur. Il était beaucoup plus jeune que moi. J'avais essayé de lui apprendre un certain nombre de choses, sur les problèmes de stratégie, sur les problèmes du Renseignement.

O. – Il a mal fini.

M. – Il est arrivé les événements que l'on sait.

O. – C'est-à-dire que le général Dlimi s'est tué à Marrakech dans une collision entre sa voiture et un camion. On dit beaucoup que ce sont les Services français, vos Services, qui ont organisé cet accident.

M. – C'est complètement grotesque. J'ai appris par un coup de téléphone du Roi lui-même la mort du général. Bien entendu, les Services français furent aussi surpris que moi. J'avais une très grande sympathie pour le général et une grande admiration pour l'extraordinaire travail qu'il accomplissait. Dans ce genre de métier, il faut bien dire qu'on se fait énormément d'ennemis. Je pense qu'il devait en avoir beaucoup et certainement très haut placés.

Toutes les histoires qu'on a racontées sur une face cachée du général, tel Janus, je n'ai pas à les connaître. Je ne les connais pas et je ne veux pas les connaître. Moi, je voyais un seul côté du général. Très souvent son travail, en tout cas au cours des missions que j'ai accomplies avec lui, était un travail bien fait.

Il n'était pas dans mes habitudes de m'émouvoir devant les innombrables affabulations qui peuvent courir sur le patron d'un grand Service secret. On peut tout dire et sans impunité d'un tel personnage, car il ne répond jamais.

J'ai gardé et je conserve encore cette attitude aujourd'hui.

Durant toutes ces années où le Souverain chérifien m'a fait l'honneur de son amitié et de sa confiance, de temps à autre, des forces plus ou moins obscures ont cherché à nous séparer. Elles continuent...

Sans le Roi Hassan II, sans le Maroc, nous n'aurions pu mener un certain nombre d'opérations – surtout en Afrique – et nous n'aurions pu, en particulier, soutenir militairement et autrement Jonas Savimbi, le héros de la résistance anticolonialiste en Angola.

14

Un front oublié : l'Angola

MARENCHES. – Les gens croient en Savimbi parce que c'est un homme prodigieux, charismatique, d'un courage immense, et parce qu'après avoir lutté contre le colonialisme portugais de l'époque, il se bat maintenant contre un colonialisme infiniment plus puissant : le colonialisme soviétique. Il lutte, comme les Afghans, contre l'Empire soviétique, représenté en Angola par les Cubains, Russes, Allemands de l'Est, etc.

Savimbi défend comme de Gaulle sa terre à lui contre les trente à quarante mille Cubains, mercenaires de l'Empire soviétique, qui ont envahi son pays les armes à la main en 1975. Ce n'est pas sa faute si les « démocraties molles » (à part la France, durant un court laps de temps) ont eu tellement peur qu'elles ont pratiqué la politique de l'autruche.

L'un des principaux malheurs de Savimbi et de la résistance angolaise, c'est que le régime angolais est financé en grande partie par les revenus pétroliers réglés par la Gulf Oil, la compagnie américaine qui exploite le pétrole dans l'enclave du Cabinda.

Nous avions des photographies montrant des ingénieurs de la Gulf Oil, au Cabinda, s'embarquant dans un avion militaire cubain protégé par des soldats communistes cubains en armes. C'est un consortium pétrolier américain, dont font partie certains membres distingués de la Trilatérale, qui aide à maintenir au pouvoir le gouvernement métis prosoviétique en Angola de Luanda... C'est l'une des contra-

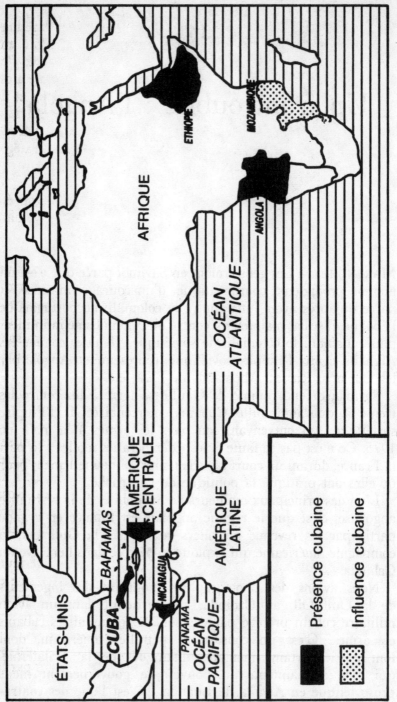

ÉTATS-UNIS

CUBA
BAHAMAS

AMÉRIQUE
CENTRALE

NICARAGUA

PANAMA

OCÉAN
PACIFIQUE

AMÉRIQUE
LATINE

OCÉAN
ATLANTIQUE

AFRIQUE

ÉTHIOPIE

MOZAMBIQUE

ANGOLA

 Présence cubaine

Influence cubaine

Présence cubaine en Afrique.

dictions de l'histoire d'un conflit essentiel. L'argent prime tout pour certains capitalistes qui croient au veau d'or. Ils ignorent la guerre révolutionnnaire. Ils ne veulent pas la connaître. J'ai souvent raconté l'histoire de Lénine et de la corde. Lénine a dit à peu près ceci : « Les pays bourgeois sont tellement bêtes et ils sont si cupides qu'un jour ils nous vendront eux-mêmes la corde avec laquelle on les pendra. » L'Occident n'a pas de stratégie alors que dans le monde de l'Est, il existe une stratégie d'État que chacun doit servir de son mieux.

OCKRENT. – L'aide française à Savimbi ne paraît pas avoir été déterminante. Manque de moyens, ou manque de volonté politique ?

M. – Le Dr Jonas Savimbi m'a écrit plusieurs lettres dans un français superbe, pour me dire que sans notre aide déterminante, le grand mouvement de résistance au communisme qu'est l'Unita, qui contrôle actuellement un territoire plus grand que la France, aurait été anéanti. Pour des raisons politiques, le président Giscard d'Estaing a choisi une autre voie que celle que nous avions recommandée en ce qui concerne Savimbi. On ne voulait pas plus mécontenter les Soviétiques, que les heurter de front. A l'échelon le plus élevé, on m'a donc suggéré d'arrêter le soutien que j'apportais à Savimbi.

Le Service français tentait, à mon époque, d'éviter de laisser des pays du tiers monde passer d'un colonialisme à un autre, pire encore. Le plus bel exemple a été la remise des clefs de l'Angola aux représentants des gens de l'Est par l'amiral Rosa Coutinho, agent communiste, qui avait fait toute sa carrière dans la marine de guerre portugaise, sous le président Salazar.

Lorsque l'Empire lusitanien s'écroula, miné de l'intérieur, faute d'éviter au Mozambique de sombrer dans le marxisme et la famine, il fallait au moins tenter de contrer l'emprise soviétique et cubaine en Angola.

O. – En 1974, aviez-vous des informations sur ce qui se préparait au Portugal, ou avez-vous été pris au dépourvu par la révolution des Œillets ?

M. – La faiblesse des régimes autocratiques ou dictatoriaux est qu'ils reposent sur une seule vie humaine, en général celle du fondateur. C'est ainsi que Hitler ou Mussolini, chefs charismatiques très populaires à un moment donné, ne pouvaient prolonger leur système, quelles qu'aient été les vicissitudes de leur destin, car il leur manquait l'élément essentiel que constitue une philosophie, une religion. Le communisme soviétique a pris modèle sur les grandes religions. Il a, toute révérence gardée, un pape, un collège des cardinaux, le Politburo, l'assemblée des archevêques et évêques, le comité central et ses secrétariats spécialisés. Il a également le K.G.B. qui s'apparente *mutatis mutandis* à la sainte Inquisition et dont – ne l'oublions pas – une des tâches principales, sinon la principale, est de veiller aux déviationnismes possibles qui peuvent dégénérer en schismes. Du déjà vu. Il faut bien comprendre que la ressemblance avec l'organisation de l'Église catholique est frappante.

Nous pourrions ajouter qu'ils ont également leurs missionnaires et leurs martyrs. La grande différence, c'est que leur Église est sans Dieu et ils sont perdus pour une raison bien simple. J'observe que toutes les Églises ont eu la prudence de ne promettre le vrai bonheur qu'après la vie. Eux sont perdus pour avoir promis le bonheur sur terre, alors qu'ils sont incapables de nous en montrer même un échantillon...

Pour redescendre sur terre au milieu des œillets de la révolution portugaise, on savait, à l'époque, que le régime vieillissait au même rythme que Salazar. Nous étions bien informés sur la révolution qui se préparait, non seulement au Portugal, mais dans son empire d'outre-mer : Angola, Cap-Vert, Macao, Mozambique, Saint-Thomas et Principe, Guinée, Timor. L'enclave indienne de Goa était déjà partie. L'Angola, le Mozambique et la Guinée portugaise allaient disparaître et la partie portugaise de l'île de Timor allait devenir indonésienne.

O. – Les services français entretenaient traditionnellement des liens avec la police secrète portugaise, la P.I.D.E. ?

M. – Le patron de la P.I.D.E. était un monsieur B., qui venait une fois par an me rendre visite.

Il arrive un matin dans mon bureau, à la caserne des Tourelles – il était de culture française –, en me disant : « Paris est merveilleux, il fait beau, la vie est belle ! » C'était vrai, car j'avais ouvert les fenêtres et les petits oiseaux chantaient. Je lui dis : « Cher monsieur B., asseyez-vous. » Et je lui demande : « Êtes-vous au courant de ce qui se passe chez vous, au Portugal ? » Il me répond : « Non, qu'est-ce qui se passe ? » Je lui dis : « Il y a la révolution. » Il se lève, mû comme par un ressort : « Ce n'est pas possible ! – Tiens, vous n'êtes pas au courant ? » Il me répond : « Non ! »

J'ai su plus tard qu'il avait dû s'arrêter dans un endroit idyllique quelque part en France, où peut-être des préoccupations personnelles l'avaient retenu loin de tout moyen d'information.

Comme il avait du mal à me croire, j'ai dit à mon aide de camp d'appeler son bureau à Lisbonne, mais nous n'obtînmes qu'une série de bruits épouvantables faits de borborygmes accompagnés de fritures en tous genres. Prise d'assaut, la P.I.D.E. ne répondait plus ! Monsieur B. devenait de plus en plus vert. C'est ainsi qu'il a échappé à l'épuration qui a suivi, et qu'il a pu chercher l'asile politique à Madrid.

Le régime portugais, comme tous les régimes catalogués forts, finissait par croupir sur ses lauriers, devenant fou et aveugle. L'armée portugaise ne représentait rien. Pour envoyer des hommes dans les territoires d'outre-mer et les encadrer, on avait fait appel à des officiers de réserve, souvent formés dans les grandes universités, dont celle de Coïmbra et de Porto. Le parti communiste clandestin portugais avait placé dans ces universités des professeurs à lui – ce qui fait que ces deux universités ont fabriqué des sous-lieutenants de réserve communistes. Le Parti s'était aussi infiltré jusque dans l'Église. La fameuse P.I.D.E. ne s'en était pas aperçue !

Le Portugal ne se trouvait pas au centre de nos préoccupations internationales. La France a des moyens restreints. Ce n'était pas une affaire de premier rang, mais on l'avait assez bien vue.

O. – En Angola, avez-vous maintenu le contact ou même l'assistance à Savimbi malgré les consignes de l'Élysée ?

M. – Cette période a été difficile. Le président Giscard d'Estaing m'a dit : « Êtes-vous sûr que Savimbi ait des chances ? Peut-on compter sur lui ? Croyez-vous qu'il ait un avenir ? » Je lui ai expliqué qu'il avait avec lui, contre les métis qui tenaient la capitale, Luanda, l'ensemble de la population noire angolaise authentiquement africaine. Savimbi est un vrai Noir et un véritable Africain, alors que la bourgeoisie communiste de Luanda est composée en général de métis. C'est un élément important à connaître pour aujourd'hui et pour le futur.

Comme en Afghanistan, si les Soviétiques et leurs comparses tiennent les villes, une bonne partie du reste du pays est libre. Il appartient à Savimbi. Aucun Cubain, aucun Allemand de l'Est, ni leurs patrons soviétiques ne s'y risquent, sans des colonnes puissamment armées.

Un jour, le Président m'a dit : « Ah ! mais l'Angola, c'est loin. » Et je lui ai dit avec un petit sourire : « Oui, mais ça se rapproche. » J'ai beaucoup insisté sur la dimension du personnage de Savimbi et aussi sur l'importance stratégique d'une zone qui, comme la Namibie voisine, représente un intérêt majeur pour des matières premières et aussi pour Walvis Bay, la fameuse baie en eau profonde que convoite la marine de guerre soviétique.

Le président Giscard d'Estaing m'a demandé si j'étais bien sûr que Savimbi et ses partisans avaient saboté le chemin de fer de Benguela, qui transporte vers Lobito, le grand port angolais sur l'Atlantique, les minerais zaïrois.

L'ambassadeur de France à Luanda, qui ne sortait jamais de la capitale de l'Angola, faute d'autorisation, lui avait affirmé le contraire. J'ai vu le président hésitant, aussi décidai-je de lui apporter une preuve indiscutable. Je me suis dit, comme Mao, qu'une image vaut dix mille mots. J'ai donc envoyé un de mes officiers sur le terrain, par la bande de Caprivi, cette bande de terre très mince au sud de l'Angola.

Mon admirable représentant, chargé de prendre les photos convaincantes, a remonté une grande partie de l'Angola à pied dans la brousse pendant trois mois. Il a fait près de deux mille kilomètres à pied – aller et retour –, pour prendre des photos puisque le président de la République devait être convaincu. Les photos qu'il m'a rapportées montrent des hommes de Savimbi le long de la voie ferrée du Benguela Railroad, en train de poser des explosifs pour faire sauter les rails et détruire les ponts.

Quand cet officier remarquable est revenu par la même route, c'est-à-dire à pied, il m'a raconté qu'il avait été repéré par des avions et des hélicoptères cubains et attaqué plusieurs fois, lui et son escorte.

Ce qui m'a prouvé que Savimbi était bien le chef du pays, c'est que, partout, mon officier a été hébergé et nourri par les populations locales et les différentes tribus.

Par-delà des ethnies, Savimbi est le chef naturel, le vrai chef de l'Angola, comme de Gaulle était celui de la France qui ne voulait pas se soumettre.

Je suis allé présenter au président de la République les photos qui montraient les ponts et le chemin de fer détruits.

O. – Il a été convaincu ?

M. – Il a bien voulu les regarder. A la sortie de l'Élysée, j'espérais l'avoir convaincu. Il a pourtant pris la responsabilité pour ne pas déplaire aux Soviétiques de faire cesser l'aide de la France à Savimbi.

O. – Les États-Unis ont, au même moment, officiellement suspendu leur soutien aux mouvements qui luttaient contre le régime de Luanda. Pourtant, l'aide que vous prodiguiez ouvertement ou officiellement à Savimbi devait être coordonnée, j'imagine, entre vos Services et les Services américains ?

M. – Non, pas du tout ! Sur le terrain, nous opérions seuls.

O. – A ce moment-là, Kissinger, le secrétaire d'État américain, était sûrement de votre avis ?

M. – Nous étions, en effet, du même avis.

O. – Et il s'est fait violemment contester par le Congrès.

M. – Un des grands drames de ces dernières années, c'est que les Services secrets américains étaient tellement ouverts à n'importe qui que, souvent, ils m'ont recommandé eux-mêmes : « Surtout ne nous dites rien, parce que nous sommes incapables de garder un secret. Vous le liriez le lendemain dans le *Washington Post* ou le *New York Times*. »

C'est ainsi que Jonas Savimbi a été abandonné pendant longtemps aussi bien par l'Europe que par les États-Unis. Cet homme est un géant de l'histoire, non seulement un géant physique, mais un géant intellectuel et moral.

Il venait de temps en temps me voir en Europe ou au Maroc. J'envoyais un avion le chercher. C'était assez compliqué. Je ne voulais pas qu'il soit repéré en passant les frontières mais, enfin, c'était de la routine. Il m'avait dit une fois : « Ah! Je ne pourrai jamais vous montrer la situation sur place, quel dommage! » Je lui avais répondu : « Vous savez, il ne faut pas me dire des choses de ce genre parce que vous excitez ma curiosité. Comme les taureaux ou les grenouilles quand ils voient un chiffron rouge, j'ai envie de sauter. » Je suis donc allé lui rendre visite un jour dans son maquis de l'Angola, dans l'un de ses P.C. opérationnels, au sud, secrètement, bien sûr. De ma vie, je n'ai vu un tel charisme! Ses hommes, qui étaient dans un état de dénuement incroyable, le regardaient comme une divinité. L'emprise morale, psychologique que cet homme peut avoir sur ces pauvres hères en guenilles est extraordinaire.

O. – Au delà du simple défi, pourquoi prendre le risque d'aller ainsi sur le terrain?

M – D'abord pour montrer au président Savimbi et aux braves qui se battaient autour de lui qu'au moins un pays occidental, européen celui-là, la France en l'occurrence, s'intéressait à eux jusqu'au point de venir leur rendre visite.

Ensuite, parce qu'il est essentiel, pour un patron, de passer le premier dans des endroits difficiles. Cela aide ensuite à dire aux autres : « Allez-y! »...

188

O. – Vous aviez demandé l'autorisation du président Giscard d'Estaing pour cette expédition ?

M. – Non. Je considère que ce genre de choses faisait partie de mon travail quotidien.

O. – Autrement dit, le directeur général du S.D.E.C.E. a disparu pendant plusieurs jours ?

M. – Il disparaissait beaucoup et souvent.

O. – Sans que le chef de l'État sût nécessairement où le trouver ?

M. – Sans que le chef de l'État eût ce problème supplémentaire.

O. – Mais admettons qu'il vous cherchât ?

M. – Eh bien, en admettant qu'il me cherchât, il ne m'aurait pas trouvé sur-le-champ. Mais on lui aurait expliqué que j'étais en mission. Voilà.

O. – Pourquoi êtes-vous allé sur le terrain en Angola et non en Afghanistan ?

M. – Parce que nous ne pouvions pas tout faire ! La France est un pays de premier plan, non l'un des deux géants. Notre spécialité a toujours été l'Afrique. Il est relativement simple d'aller en Angola. L'Angola avait comme chef de sa résistance un seul homme, et non pas dix ou vingt chefs de tribus qu'il aurait fallu rencontrer. Si j'avais rendu visite à un chef de la résistance afghane, les autres auraient été vexés ou furieux.

J'éprouve une admiration et une affection sans bornes pour Savimbi. S'il survit, il sera un jour le président de ce pays plus vaste que la France et aux possibilités en tous genres, humaines, minières, agricoles, exceptionnelles. Je crois servir la France et l'Europe en disant que, si l'on regarde la carte de l'Afrique, on remarquera que nous pourrions, avec un Angola

189

libre, disposer d'une zone à influence culturelle française extrêmement forte et qui irait pratiquement de Tanger, du détroit de Gilbraltar, jusqu'à la frontière sud de l'Angola et de la Namibie. Une grande partie de l'Afrique occidentale serait plus ou moins de culture française.

C'est le côté culturel qui compte. Prenez l'exemple de l'Espagne et du Portugal. A l'époque de Charles Quint, on disait que le soleil ne se couchait jamais sur son empire. Les Italiens n'ont plus de colonies, comme on disait autrefois. Le Portugal, aujourd'hui, représente cent trente à cent trente-cinq millions de personnes. Un Portugais peut aller au Brésil : ils ont une sorte de citoyenneté commune. Un Brésilien au Portugal est chez lui. Et ne parlons pas de l'Hispanidad. L'Hispanidad représente trois cents à trois cent cinquante millions de gens qui parlent l'espagnol et qui sont donc de culture espagnole.

Si un jour – et c'est hélas en train de se faire –, si le français, la langue française disparaît d'une grande partie des pays traditionnels où nous étions fortement implantés, elle entraînera dans sa chute la culture française, c'est-à-dire le rôle de la France.

O. – Quel genre d'assistance avez-vous prodigué à Savimbi? Des armes, des vivres?

M. – Je me souviens, par exemple, d'une opération. Cent trente tonnes de fournitures venant de Chine populaire sont arrivées dans un pays africain de la côte atlantique, où nous les avons conditionnées en paquets de quinze, vingt kilos, pour qu'on puisse les porter sur la tête dans les sentiers de la brousse. Un travail de fourmi. Nous les avons acheminés jusqu'au port de Pointe-Noire, au Congo. De là, nous avons organisé leur transport, par porteurs, jusque dans la zone de Savimbi.

O. – Qui avait acheté les fournitures à la Chine?

M. – C'était un arrangement. Les Chinois s'intéressent à l'Afrique, en particulier quand il s'agit de contrer les Russes.

O. – Cette assistance à Savimbi était-elle coordonnée à l'époque, entre vous et les Sud-Africains?

M. – Non. Pour aider Savimbi, il fallait à un certain moment pouvoir passer par l'Afrique du Sud. C'est tout. Il n'y avait pas tellement de voies d'accès vers l'Angola de Savimbi. Il fallait soit traverser le Zaïre soit l'Atlantique, ce qui était dur, en raison de la barre. Il n'est pas facile d'aborder sur la côte. Il fallait ou le consentement des Sud-Africains, ou qu'ils acceptent de regarder de l'autre côté. Je m'y suis employé.

O. – Savimbi est maintenant ouvertement soutenu par les Sud-Africains?

M. – Ce sont les seuls. Les « démocraties molles » étaient prêtes à le laisser dévorer chez lui par les Soviétiques. Il n'a pu trouver une aide réelle qu'auprès des Sud-Africains. Pour un homme qui est un Noir cent pour cent, être soutenu par les Sud-Africains, c'est un peu *the kiss of death* – le baiser de la mort – même si les Sud-Africains ont des relations quelquefois bonnes, quelquefois même excellentes avec leurs voisins noirs. Les chefs d'État doivent être pragmatiques. Ainsi, l'un des vieux sages de l'Afrique, le Dr Hastings Kamuzu Banda, qui est un réaliste, l'ancien président fondateur du Malawi, Nyassaland, s'est dit : « Après tout, l'Afrique du Sud est la grande puissance du coin, la grande puissance financière et industrielle. Il faut faire des affaires avec elle. » Telle est la réalité des choses au-delà des discours des dimanches, qui soulagent la conscience. L'apartheid est sûrement un système qu'on peut déplorer, mais il faut le faire évoluer en douceur.

J'ai vu M. Botha, le Premier ministre actuel, avec qui j'ai eu une très longue conversation il y a quelques années. Je lui ai expliqué qu'il était nécessaire, à mon sens, de mettre en œuvre de grands changements en Afrique du Sud.

Je lui ai dit, entre autres choses, que les Bantoustans – ces régions noires plus ou moins autonomes –, n'étaient peut-être pas une bonne idée. On y fabriquerait des bombes à l'intérieur de la République de l'Afrique du Sud. Il fallait faire évoluer,

191

par degrés, les gens et commencer par les métis, Indiens et autres qui se situaient entre les Blancs d'origine européenne et les Noirs, venus du Nord en Afrique du Sud au siècle dernier. Ces métis avaient soif de respectabilité et il fallait les faire siéger avec les Blancs dans une chambre unique.

Je lui disais également à l'époque que c'est parmi eux que les éléments noirs les plus avancés trouveraient leurs cadres. Nous voyons tout cela aujourd'hui sous nos yeux.

M. Pieter W. Botha a été très réceptif. Il m'a dit : « Je suis tout à fait d'accord là-dessus, mais je tiens à vous préciser que, si j'y allais trop fort et trop vite, je ne resterais pas vingt-quatre heures de plus dans ce bureau. Parce que les extrémistes blancs et les extrémistes noirs veilleraient à ce que je l'évacue dans les plus brefs délais. » Je lui ai dit alors : « Monsieur le Premier ministre, c'est votre problème, ce n'est pas le mien. Vous m'avez demandé une vue globale des choses, je vous la donne. »

O. – L'intérêt stratégique de l'Afrique du Sud pour l'Occident justifie-t-il les timidités ou les compromis que les pays occidentaux, jusqu'ici, ont pratiqués à l'égard de ce régime ?

M. – Deux considérations stratégiques s'imposent. D'abord la position géographique de l'Afrique du Sud. Entre les deux océans – Atlantique et Indien –, elle contrôle le trafic maritime, les pétroliers qui passent par la route du Cap qui est vitale. C'est la première voie maritime. C'est la raison pour laquelle la base navale de Simonstown comporte des services d'écoute qui comptent parmi les plus perfectionnés du monde. Les Américains étaient partie prenante. Ils ne le sont plus, je crois, depuis quelques années.

En 1984, l'une des affaires d'espionnage les plus révélatrices de ces dernières années a éclaté. Un officier général de la marine sud-africaine a été démasqué. C'était un agent des Services soviétiques, ainsi que sa femme, depuis une vingtaine d'années.

La seconde considération tient aux matières premières. J'ai expliqué un jour au président Reagan, au cours d'un long entretien, que sur les huit matières premières stratégiques[1] indispensables en temps de guerre comme en temps de paix, il n'en contrôlait lui, l'Américain, que quatre, et les Russes, huit. J'avais apporté des cartes préparées par mes services, qui étaient très bien faites. Le président Reagan m'a demandé la permission de les conserver. Quelques jours plus tard, il a nommé une commission d'une vingtaine de personnes pour étudier cette question vitale.

O. – Que pensez-vous des sanctions contre la République sud-africaine?

M. – Il est plus facile de faire la leçon à un pays comme l'Afrique du Sud qu'à l'Empire soviétique, sur lequel on n'exerce aucune influence et que l'on craint en raison de son surarmement et de la menace permanente qu'il représente!

Il est difficile d'obtenir un juste milieu entre la pression et le laxisme. On ne peut fermer toutes les portes. Les sanctions économiques n'ont jamais bien fonctionné, depuis le blocus continental à l'époque de Trafalgar.

O. – Jusqu'à quel point, selon vous, l'Union soviétique exploite-t-elle la situation en Afrique du Sud?

M. – L'Empire soviétique l'exploite parce que partout où germe un mécontentement et partout où il y a une possibilité de troubles, elle organise ceux-ci, elle les aide et les attise. C'est le cas de l'Amérique centrale et du Sud, l'Irlande, etc.

O. – Et de quelle manière, en l'occurrence?

---

1. Germanium (électronique avancée); titane (sous-marins de chasse, alliage extrêmement résistant); magnésium (explosifs); platine (contacts aussi conducteurs que l'or pour l'aviation, circuits avec contacts rapides); mercure (chimie nucléaire, instruments de mesures); molybdène (acier); cobalt (chimie nucléaire); colombium (alliages spéciaux extrêmement rares).

On peut ajouter pour les aciers : le tungstène, le manganèse, le chrome, (l'ensemble de ces matériaux stratégiques étant vitaux pour la Défense).

M. – Les Services spéciaux soviétiques ont leur représentation dans les pays voisins. Tout le monde sait que maintenant, à Lusaka, en Zambie, se trouve l'un des grands centres des Soviétiques pour l'Afrique orientale. Les fonds et les armes pour alimenter l'African National Congress peuvent passer partout, mais le quartier général des services soviétiques, pour cette opération de déstabilisation de l'Afrique australe, se trouve à Lusaka.

15

La menace globale

MARENCHES. – La tâche d'un grand Service de Renseignement est non seulement d'avoir une idée sur la manière dont les autres agissent dans son propre pays et ailleurs, mais aussi d'avoir une connaissance générale de ce qui se passe dans le monde.

Une des faiblesses des États occidentaux, dans leur système d'organisation et d'analyse, c'est qu'ils ont affaire à un adversaire global, qui raisonne en termes globaux, pour qui le théâtre d'opérations est la planète. Malheureusement, nous n'appréhendons qu'une fraction du théâtre d'opérations, celle qui nous intéresse sur le moment. On a souvent une vue tactique locale ou régionale, franco-française, quand elle n'est pas politicienne. Alors qu'on devrait d'abord avoir une vue stratégique globale et, ensuite, étudier le côté tactique, régional du pays qui nous intéresse.

Pour les gens du bloc soviétique, la notion de temps de paix et de temps de guerre n'existe pas. C'est une idée à laquelle les « démocraties molles », auxquelles nous avons le bonheur d'appartenir, se cramponnent. La première fois que je l'ai perçue, c'est lorsque j'ai compris l'interprétation soviétique de la fameuse phrase de Clausewitz : « La guerre n'est que la continuation de la politique par d'autres moyens. » J'ai lu, il y a de nombreuses années, le livre d'un des penseurs militaires de la jeune Armée rouge de la période 1925, le maréchal

Chapochnikov, *Le Cerveau de l'armée* [1]. Il dirigea l'académie militaire Frounzé et demeura jusqu'à sa mort, en 1945, le conseiller militaire de Staline. Paraphrasant Clausewitz, il nous donne la clef qui permet de tout comprendre, passé, présent et futur. Il dit : « Si la guerre n'est que la continuation de la paix par tous les moyens, pour nous, la paix n'est que la continuation de la guerre par d'autres moyens. » C'est l'une des deux ou trois choses essentielles qu'il faut comprendre pour devenir ce que j'appelle un grand initié de la politique mondiale et de la stratégie globale.

OCKRENT. – Pour vous, la stratégie globale reste essentiellement dominée par le conflit Est-Ouest ?

M. – Disons, en simplifiant, qu'il faut partir d'un constat, si pénible qu'il soit pour les souvenirs de gloire et les mythes. Nous avons, nous les démocraties occidentales, pratiquement perdu la Seconde Guerre mondiale. Nous étions partis en guerre contre des systèmes dictatoriaux et nous nous retrouvons face à un autre système dictatorial, qui paraît bien plus dangereux puisqu'il s'agit de l'un des deux grands Empires du monde, dont la philosophie, dont la religion couvrent maintenant une partie du globe. Je veux dire par là que les agents ou les partisans du fascisme italien dans le monde se comptaient en quelques milliers, de même que les national-socialistes allemands. Cette fois, nous avons affaire au marxisme, dont les partisans se comptent par millions, même s'ils diminuent face aux échecs innombrables, entre autres économiques. Le système du communisme soviétique se trouve encore dans ce que j'appelle sa phase de religiosité, c'est-à-dire dans sa phase expansionniste, messianique, missionnaire.

O. – Pénétré de cette conviction, pendant les onze ans que vous avez passés à la tête du S.D.E.C.E., est-ce que vous avez eu le sentiment d'infléchir la politique de la France vis-à-vis des pays de l'Est, essentiellement vis-à-vis de l'Union soviétique ?

1. Mozg Armil.

196

M. – Ce serait assez difficile à définir. Il faudrait d'abord s'entendre sur le terme « infléchir ». Durant ces années, j'ai simplement averti le gouvernement et nos alliés des dangers que je constatais tous les jours. C'était mon métier. Je crois cependant qu'il faut voir ces problèmes assez froidement et sans haine. Ils font partie du grand jeu des hommes, du grand jeu de l'Histoire.

O. – Est-ce que, pendant cette période, votre connaissance et votre perception du système soviétique et de ses dépendances ont été améliorées ?

M. – Il faut être très modeste dans ces affaires-là. Nous avons obtenu une foule de renseignements, souvent de détail, mais je crois que la perception de l'ensemble du conflit a été mieux évaluée. A force de former des gens pour analyser ce genre de problèmes, on finit par avoir des experts plus compétents. Sur les grandes lignes, nous n'avions pas tellement à apprendre, mais, en revanche, nous nous informions beaucoup sur les méthodes et les moyens. Les conflits s'adaptent au terrain sur lesquel ils se situent. On ne peut pas comparer un conflit au Nicaragua avec un conflit en Afghanistan, même s'ils ont des points communs.

J'ai dit, durant de nombreuses années à nos amis américains : « Méfiez-vous de l'Amérique centrale, méfiez-vous de l'Amérique latine, parce qu'il s'y rassemble trois éléments d'un cocktail explosif : une très grande misère, des systèmes politiques à mi-chemin entre l'autocratie et la dictature, où souvent une oligarchie extrêmement restreinte n'a aucun souci de ces foules misérables, une expansion démographique qui, de plus en plus, compte parmi les problèmes majeurs du monde. » J'avais même fait à un moment aux Américains une proposition : « Nous sommes un peu moins voyants que vous, les gringos, et peut-être pouvons-nous aller regarder ce qui se passe à des endroits où nous sommes moins repérables que vous ? » Et mon interlocuteur, un important personnage, m'a répondu : « Mais pourquoi se préoccuper de l'Amérique centrale et de la zone caraïbe ? »

Mon conseil n'a pas été suivi d'effet. On a vu depuis à quel

197

point les États-Unis sont maintenant obsédés par ce qui se passe au sud de leur continent.

La plupart des conflits et des grandes questions sont à la portée de n'importe qui : il faut apprendre à regarder une carte, savoir un peu d'histoire et de géographie. Prenez l'affaire polonaise : la Pologne est une donnée stratégique. Le système du glacis européen est tel que l'Empire soviétique ne pouvait pas se permettre de perdre la Pologne pour une raison très simple. On ne peut pas lâcher le tiers du glacis. Or la Pologne représente le tiers des habitants du glacis soviétique en Europe. Il y avait surtout le fait que l'Allemagne de l'Est, pièce essentielle du dispositif, et massivement investie, dépend de la Pologne qui la sépare de l'Union soviétique. Toutes les voies de communication, de ravitaillement passent par la Pologne...

Il n'était pas question un seul instant, pour qui connaît la carte, que les Soviétiques lâchent la Pologne. C'était vrai aussi pour la Tchécoslovaquie. Quand le grand vent de l'histoire a soufflé – c'est le mot du général de Gaulle –, il a soufflé en réalité chez les faibles. Il était visible, pour qui savait lire une carte, que Lech Walesa se trompait en croyant que son printemps à lui serait plus fort que l'emprise de l'Empire soviétique.

Ce n'était pas une raison pour ne pas tenter de l'aider. Je me souviens d'avoir fait à qui de droit, au moment de l'affaire Solidarnosc et de Walesa, deux recommandations simples : « Il faudrait des imprimeries pour que les résistants polonais puissent diffuser leurs tracts, et il faudrait aussi une cinquantaine de postes émetteurs-récepteurs. »

O. – Qui de droit... le chef de l'État ?

M. – Non... Une haute personnalité étrangère qui m'a répondu : « Pour quoi faire ? – Écoutez, je vous en supplie, jouez toujours le jeu comme si vous étiez l'autre. Changez de fauteuil. Si vous êtes l'autre, qu'est-ce que vous faites ? D'abord, pour que la rébellion ne s'étende pas, vous contrôlez tous les postes à essence, très peu nombreux comme nous le savons dans les pays de l'Est. Les voitures ne peuvent plus rouler. Ensuite, vous investissez les moyens de communication pour que vos adversaires ne puissent pas téléphoner à travers le pays. Il faut alors leur faire parvenir une cinquantaine de postes émetteurs-récepteurs, et former des opérateurs radio. Mon interlocuteur m'a dit comme d'habitude : « C'est une idée fantastique », et rien n'a été fait.

C'est toujours par la tête que pourrit le poisson. S'il y a un changement un jour, il se produira à Moscou. A ce moment-là, la liberté pourra refleurir dans les pays de l'Est de l'Europe. Tant qu'il n'y a pas ce changement à Moscou, l'ordre régnera à Varsovie.

Si les affaires avaient mal tourné en Pologne, du point de vue soviétique, un certain nombre de mesures étaient envisagées :

1) L'intervention avec autorisation de tir des unités spécialisées de la milice;

2) L'intervention de l'armée polonaise;

3) L'intervention des « pays frères » du pacte de Varsovie;

4) L'intervention directe de l'Armée rouge.

L'habileté manœuvrière des gens du Kremlin et du gouvernement communiste polonais a permis momentanément d'éviter, toujours du point de vue moscovite, le pire. Remarquez un détail de désinformation que vous entendez chaque jour dans les media : lorsqu'il est question de Jaruzelski, fils d'un hobereau polonais typique, officier de cavalerie et propriétaire terrien assassiné au cours du fameux massacre de la forêt de Katyn [1], et dont la mère est morte déportée en Sibérie, l'on dit toujours : le « général Jaruzelski » en insistant lourdement sur le mot « général » qui a en Occident une connotation de respectabilité plus ou moins de droite. On ne dit jamais : « Jaruzelski, secrétaire général du parti communiste polonais », c'est-à-dire le parti unique polonais.

Exemple de désinformation, grâce au choix d'un titre plutôt que d'un autre. En raison du drame de sa famille, Jaruzelski représente l'exemple frappant de ce que j'appelle un janissaire des temps modernes (les janissaires étant ces enfants chrétiens

---

1. Quatre mille cinq cents officiers polonais furent tués d'une balle dans la nuque. Les Allemands les découvrirent en 1943 dans huit fosses. Une enquête, menée par une commission américaine, conclut en 1953 que les victimes internées au camp de Kozielsk avaient été massacrées par la police politique soviétique.

enlevés à leur famille, élevés dans le culte de l'islam et le métier des armes, qui relevaient directement du sultan turc). Dans ma vision, Jaruzelski est un général communiste soviétique d'origine polonaise.

Une dernière remarque. Dans le système classique, où l'armée occupe le terrain et conquiert par là même les populations, il faut de nombreuses troupes pour occuper ledit terrain. Le travail d'occupation et de contrôle des populations est exécuté par les habitants eux-mêmes. Souvenez-vous de ce que disait Sun Tzu : « Ainsi, ceux qui sont experts dans l'art de la guerre soumettent l'armée ennemie sans combat. Ils prennent les villes sans donner l'assaut et renversent un État sans opérations prolongées. »

O. – Venons-en aux instruments de la puissance soviétique. Ce que vous appelez volontiers l'armée impériale soviétique, c'est l'Armée rouge ?

M. – L'Armée rouge, oui, dite rouge. Quelle que soit sa couleur, ce qui compte c'est le choix des uniformes, des décorations, le pas de l'oie, la discipline extrême, le fait qu'elle veille aux frontières de l'Empire et qu'elle franchisse des frontières pour occuper des pays libres.

Je me suis procuré, alors que j'étais au Service, un film soviétique très curieux sur l'Armée rouge. On y voyait, notamment, une séance à l'académie Frounzé, la super-école de guerre (du nom de ce commissaire soviétique militaire né au Turkestan). Il avait organisé les forces bolcheviques en Biélorussie. Frounzé a chassé les émirs de Boukhara et de Khiva, dirigé les opérations contre l'Armée blanche de Wrangel. Il a été ensuite nommé commandant de l'académie militaire de Moscou. On a débaptisé sa ville natale, Pichpek, qui porte maintenant son nom et qui doit bien avoir quatre cent mille habitants.

Dans ce film, on voyait, à l'académie Frounzé, des généraux. Il était très intéressant d'observer, non des généraux penchés sur des plans, mais ce qu'il y avait aux murs : des portraits de personnages en perruques poudrées... et, cela, de nos jours!

Une des principales décorations actuelles est chez eux l'ordre de Souvarov (Feldmaréchal, comte, puis prince) qui fut vaincu par le général français Masséna à la bataille de Zurich en 1799.

O. – Plus encore que l'armée, c'est l'appareil de l'espionnage soviétique que vous avez étudié en détail.

M. – Le K.G.B. et le G.R.U. (les militaires) représentent la plus grande multinationale du monde, la plus riche, celle qui dispose du personnel le plus nombreux. Ses filiales qui portent toutes des noms variés sont rivées à la maison-mère dont le filet s'étend non seulement à l'intérieur des limites de l'empire mais sur la planète entière.

Aux États-Unis, par exemple, ses agents sont basés à l'ambassade, au consulat, mais aussi au sein de représentations diverses, des media, des écoles et universités, des agences maritimes et aériennes, des affaires d'export-import, des banques et une foule d'organisations, souvent religieuses.

Les autres pays de l'Est ont la même organisation, mais en plus petit. L'ensemble constitue un formidable réseau d'espionnage, de subventions, dont la désinformation et les agents de désinformation ne sont pas les éléments les moins importants.

Les filiales de la multinationale K.G.B. se sont partagé la chasse. La plus spécialisée, celle qui a le plus d'affinités avec un domaine déterminé, s'en occupe. Ainsi, les Roumains sont actifs dans l'O.P.E.P. parce que, grâce aux champs pétroliers de Ploesti, ils sont producteurs de pétrole. Les Soviétiques leur ont dit : « Vous infiltrez l'O.P.E.P. » Comme ils ressemblent à des Latins et qu'ils parlent souvent magnifiquement le français, les Roumains sont aussi chargés de tout ce qui est francophone. En Afrique, par exemple, ce sont les membres des services de la Securitate, c'est-à-dire la branche roumaine du K.G.B., que l'on retrouve souvent.

Les Polonais, eux, s'occupent du nord de la France parce qu'il s'y trouve plusieurs centaines de milliers de Polonais mineurs ou descendants de mineurs polonais. Ils sont spécialisés dans la pénétration de l'Église et des milieux catholiques.

Les Bulgares prêtent également une main particulièrement

201

forte, et certaines opérations ont récemment défrayé la chronique [1].

Le K.G.B. constitue à l'Est l'élite de l'élite. C'est une aristocratie – le mot n'est pas trop fort. Des fils et des petits-fils d'officiers du K.G.B. ou du G.R.U. font maintenant carrière. Il s'est créé une caste dont les privilèges ne sont peut-être pas fabuleux, si l'on regarde la vie d'un Occidental, mais qui, par rapport aux standards ordinaires du citoyen moyen des pays de l'Est, offrent une existence tout à fait agréable. Ses membres ont l'extrême fierté d'appartenir à une élite qui livre un grand combat. Les chefs de ces organisations sont parmi les membres les plus importants de la Nomenklatura. A ce niveau, le terme « privilégié » n'est pas un vain mot.

Pourtant, depuis deux ou trois ans, j'observe qu'il y a beaucoup plus de transfuges issus des services spéciaux soviétiques et de l'Est qu'il n'y en a eu pendant longtemps. A nous de ne pas être innocents lorsque nous les interrogeons. Attention à ceux qui posent des questions et cherchent à nous faire trop parler. Les Occidentaux sont souvent crédules dans ce domaine.

Pour expliquer la prolifération des transfuges, il faut aussi étudier l'évolution politique du régime. Les équipes qui se sont succédé à de courts intervalles à la tête de l'Empire soviétique ont bouleversé l'avancement ou la carrière de certains de leurs « clients ». Des transfuges étaient les poulains de l'équipe X ou de l'équipe Y, alors que l'équipe Z se trouve maintenant au pouvoir. Pourquoi ont-ils quitté le Service de la sainte Russie rouge ? Il y a de multiples raisons. Certains parce que, ayant acquis le goût de la liberté au contact de l'Occident, sont trop oppressés lorsqu'ils rentrent chez eux. D'autres, pour des raisons de drames personnels, ambitions de carrière insatisfaite, histoire de cœur et de fesses, etc. Ils franchissent le Rubicon sur un coup de tête.

Le K.G.B. dispose aussi d'émissaires qui paraissent au-delà de tout soupçon. Un jour, un de mes grands homologues, responsable des Services dans son pays, a attiré mon attention sur un personnage très séduisant : « Monsieur le directeur général, ce monsieur, arrivé de l'Est sans un sou, est mainte-

1. Voir *Le Parapluie bulgare,* de Vladimir Kostov, Stock, 1986.

nant multimillionnaire. Il a monté des affaires où il est pour cinquante-cinquante avec un associé qui n'est autre que le chef de l'État... »

J'ai compris alors l'embarras du chef des Services spéciaux lorsque je l'interrogeais sur l'individu en question.

Celui-ci est allé sévir ensuite dans un pays voisin, en Europe, où il faillit se faire recruter par le chef de l'opposition modérée que je connaissais très bien.

Au cours d'un dîner à Paris, ce dirigeant de l'opposition du grand pays voisin me raconte : « J'ai trouvé un type formidable, intelligent, qui connaît admirablement la politique mondiale, et puis, ce qui ne nuit pas, il est richissime. Figurez-vous qu'il m'a dit : " Monsieur, si vous avez besoin d'argent, moi, mon unité, c'est le million de dollars. " »

J'ai interrompu mon interlocuteur en lui disant : « Ne s'appelle-t-il pas M. X ? »

Il a failli avoir une attaque d'apoplexie : « Comment le savez-vous ?

– Mon cher, c'est très simple, vous venez de me le décrire. »

C'était bien l'homme en question. Depuis, cet homme politique de dimension européenne, et qui jouera encore un grand rôle, m'a plusieurs fois dit : « Vous m'avez sauvé la vie! J'allais l'engager dans mon équipe. » Je lui ai répondu : « Vous avez eu raison de m'écouter parce que vous auriez introduit, parmi votre entourage, le loup dans la bergerie. »

C'est arrivé à des gens très importants. Souvenez-vous du chancelier Willy Brandt, qui avait pour intime le capitaine Gunther Guillaume, officier de Renseignement des Services de l'Allemagne de l'Est, qui avait accès à tous les secrets de la République fédérale d'Allemagne. Son ex-homme de confiance fut nommé commandant, si j'ose dire à sa sortie, en reconnaissance de ses bons et loyaux services.

O. – Au cours de ces onze années à la tête du S.D.E.C.E., avez-vous eu des transfuges entre vos mains?

M. – Oui. Toutes sortes de gens passent du goulag dans le camp de la liberté. Si l'on part du bas, par exemple de Hong

Kong, la petite colonie de la Couronne britannique au flanc de l'immense Chine, un certain nombre de Chinois s'évadent. Nous l'avons observé de près. Bien entendu, les grands Services occidentaux sont en place. La plupart des fuyards sont des paysans chinois. Dieu sait s'ils sont de braves gens, et des gens braves en même temps, qui ont affronté les pires dangers physiques, gardes-frontières, réseaux de barbelés, tempêtes et requins quand ils passent par voie de mer, mais ils n'ont malheureusement rien à nous apprendre. Ils racontent ce qui se passe dans leur village. Lorsqu'on en a entendu cent, on a entendu cent fois la même chose. C'est ce que nous appelons des « renseignements d'ambiance ».

Ce qui est intéressant pour les Services de Renseignement, c'est d'écouter des transfuges qui apportent une expérience, des nouveautés ou parfois des documents. C'est le haut du pavé.

Le travail du renseignement, tel celui d'une fourmi bénédictine, est fait de recoupements. On ignore si le monsieur qui se tient en face de vous, interrogé par des officiers ou fonctionnaires du contre-espionnage, n'est pas en réalité un agent de la puissance en question qui entreprend de vous désinformer.

Oleg Bitov, le directeur de la *Literatournaïa Gazeta,* qui a traversé Paris en 1983, y a été interrogé par les nôtres. En réalité, il voulait expérimenter – et c'était la mission qu'on lui avait confiée – certaines filières qui conduisaient à l'Ouest et repérer ainsi quelques responsables particulièrement actifs du camp de la liberté en France et en Grande-Bretagne afin d'ouvrir des dossiers sur elles. Lorsque Oleg Bitov a terminé son « inventaire », il est rentré à Moscou, mission accomplie. La C.I.A. a expérimenté de son côté le même genre de déception...

O. – Est-ce qu'il est arrivé, au cours de vos onze années, qu'un très gros poisson du K.G.B., par exemple, choisisse le S.D.E.C.E. pour refuge ?

M. – Oui.. De temps en temps, un poisson important a permis de démanteler l'activité d'un certain nombre d'agents qui opéraient dans les pays de l'Ouest.

Si vous avez la chance, comme cela m'est arrivé, de parler avec un officier supérieur du K.G.B. et que vous lui demandez : « Comment étiez-vous organisés sur mon pays ou sur les pays voisins ? », la méthodologie de sa maison est intéressante à observer. Quand j'évoquai avec l'un d'entre eux des questions de recrutement et de budget, il a cru que je plaisantais. Je lui ai dit que j'avais moi-même de grandes difficultés de recrutement et de budget, qu'il fallait se battre pour avoir un peu d'argent, etc.

Je lui ai demandé : « Était-ce votre cas ? » L'interprète a dû répéter deux ou trois fois, tellement cet officier trouvait ma question incongrue. Il s'est enquis de savoir si le directeur général était sérieux ou s'il s'agissait d'une plaisanterie. Quand l'interprète lui a expliqué qu'il s'agissait d'une question tout à fait sérieuse, cet homme est parti d'un immense éclat de rire. Sa crise d'hilarité terminée, il m'expliqua que son grand Service ne connaissait aucun problème de recrutement. Le souci était plutôt de trier les innombrables volontaires qui se disputaient l'honneur de servir leur patrie en bénéficiant des privilèges y afférents.

Lorsque j'ai évoqué les problèmes budgétaires, il s'est tenu les côtes : « Moi, je n'ai jamais entendu parler de problèmes budgétaires ! Quand on a besoin d'argent, on en a. C'est tout ! »

C'est la grande différence entre les régimes totalitaires – où les Services secrets sont la colonne vertébrale de l'État et du parti unique – et les « démocraties molles », cramponnées à leur rêve de paix, et dont les Services secrets s'amusent à se faire la guerre entre eux. S.D.E.C.E ou D.G.S.E., D.S.T, Quai d'Orsay... Le problème des relations entre Services spéciaux et diplomates a toujours existé.

Ainsi, avons-nous failli avoir un transfuge chinois à Alger. A l'époque de Mao, nous y tenions beaucoup parce qu'il aurait été le quatrième transfuge chinois de l'histoire récente. En plus, c'était un officier du chiffre. Pour parler gentiment, nous n'avons pas reçu de l'ambassade de France à Alger l'aide que nous aurions été en droit d'en attendre. Le chef de notre mission diplomatique eut peur. Il s'arrangea pour effectuer les pressions nécessaires afin que ce malheureux rentre en Chine. Il a été drogué dans des conditions abominables...

205

O. – Il s'était réfugié à l'ambassade de France ?

M. – Oui, mais on n'a pas voulu l'y accepter. Les Chinois l'ont récupéré de façon supermusclée. Je suppose que ce malheureux a dû rejoindre ses honorables ancêtres dès qu'il a regagné l'Empire du Milieu.

O. – Parmi ces transfuges, arrive-t-il que certains préfèrent passer au S.D.E.C.E. plutôt qu'à la C.I.A. ?

M. – Nous sommes trop près. Le bras séculier du K.G.B. est long. Ils craignent physiquement de n'avoir que quelques centaines de kilomètres entre eux et leur pays d'origine. Ils préfèrent se rendre dans le Nouveau-Monde ou aux antipodes. Parfois la chirurgie esthétique, la reconstruction d'un passé inventé pour la circonstance et une nouvelle personnalité aideront à leur survie. Ils fondent alors une nouvelle famille.

Mais j'ai « traité » personnellement, en France ou ailleurs, bien des agents de l'Est passés à l'Ouest.

O. – Concrètement, une séance de « traitement » se passe comment ?

M. – Il s'agit, en général, d'un grand nombre de séances étalées sur des semaines, des mois ou quelquefois même des années, parce que, une fois que les transfuges ont vidé leur sac, ils gardent toute leur efficacité en tant qu'analystes et experts des affaires de l'Est. Le « défecteur » peut apporter des nouvelles d'actualité, par exemple l'emplacement et les noms d'agents, les détails d'un réseau opérant dans les pays dont il a eu à connaître, confirmer ou infirmer telle analyse que nous avions faite dans le passé et y apporter un éclairage nouveau. Si le défecteur était éliminé, on perdrait l'apport qu'on peut en espérer. Un spécialiste des techniques de renseignement adverse est « valable » pendant un certain nombre d'années parce qu'il peut décrypter les éléments du puzzle. Il a une lecture, une vue plus aiguë qu'un autre parce qu'il est issu du pays en question. Un Slave a une optique, une technique mentale mieux adaptées que la nôtre pour comprendre ce que des hommes qui lui ressemblent ont décidé d'entreprendre.

Je vais vous raconter une histoire qui va vous montrer combien il est difficile de savoir : un, à qui on a affaire vraiment et, deux, combien le secret, malgré toutes sortes de précautions, n'est jamais parfait.

Nous avons eu entre les mains, il y a plusieurs années, un des plus grands transfuges jamais passés à l'Ouest depuis la guerre et que j'avais très envie de voir. Cet homme vivait sous une fausse identité, très protégé, dans le continent nord-américain. Après différentes tractations avec nos Alliés, il a été décidé que ce personnage viendrait en France de façon que des gens de mon Service et moi-même puissions le voir, lui parler et passer un certain nombre d'heures ensemble. Des précautions tout à fait exceptionnelles ont été prises pour son arrivée en Europe : fausses identités, changement du physique, etc. J'avais dit aux gens du Service qui s'occupaient de ça : « Vous allez avoir la responsabilité de le protéger pendant les quelques jours qu'il va passer en France. Je ne veux pas pour ma part être au courant des détails quand il arrive, quand il part, comment il vient, avec qui et où vous allez le loger... même moi je ne veux pas le savoir, parce que le meilleur moyen de protéger un secret c'est de ne pas le connaître. »

Un jour, cet important personnage est donc arrivé à un endroit précis du territoire français, disons un endroit public comme une gare, et parce qu'il s'agit d'un professionnel, il n'est pas arrivé du côté où on l'attendait. A partir de ce moment-là, on le prend en main et par la main, et on l'amène dans une ville organisée à cet effet quelque part au bord de la mer. Il y avait bien sûr une surveillance discrète, mais efficace, durant les quelques journées qu'il a passées à cet endroit. Et, par mesure de précaution, pendant qu'il travaillait avec les spécialistes dans les salons du rez-de-chaussée de la villa, discrètement on a examiné ses affaires... par habitude simplement. On a regardé de près tout ce qu'il avait amené : valises, vêtements et autres. Il n'avait ni cigarettes, ni pigeon voyageur, ni radio portative. Il avait l'habitude d'aller faire un peu de marche à pied dans le parc de la villa. C'était une période de l'année où la station balnéaire était désertée. On ne risquait pas de rencontrer des visages connus. Un matin, un des fonctionnaires aperçoit par

207

terre un objet, il se penche, il le ramasse : c'était une boîte de cigarettes russes vidée. Paris a été averti tout de suite de cette découverte... curieuse. Il n'y a que deux explications possibles. A la première, ma méfiance innée n'a pas souscrit longtemps : que par un hasard absolument extraordinaire une mouette survolant la mer toute proche avait ramassé dans un cargo soviétique une boîte de cigarettes qui traînait sur le pont en la prenant pour un steak et l'aurait ensuite lâchée, pile dans le parc. Ou alors – et là c'est plus grave, « quelqu'un » est venu poser ce paquet de cigarettes durant la nuit, comme un signal – et il en existe quelquefois entre les Services secrets comme un message qui, disons-le, ne manque pas totalement d'humour.

J'ai ordonné qu'on fasse immédiatement une enquête pour savoir si on trouvait ces cigarettes en France. Le Seita, consultée au meilleur échelon, nous a fait savoir dans les heures qui suivaient que non, ces cigarettes n'étaient nullement importées en France. J'ai prescrit la même enquête dans tous les pays européens voisins, et la réponse a été identique.

O. – Peut-on imaginer que ce soit quelqu'un travaillant officiellement pour vos Services, qui ait posé le paquet ?

M. – Ce n'est pas impossible... Il y a eu naturellement une enquête très approfondie mais on n'a rien trouvé d'absolument sûr. Dans ce monde-là, je vous l'ai dit, on nage dans des eaux très glauques. Il ne s'agit pas de citoyens normaux, mais des professionnels du silence et de la dissimulation.

O. – Le transfuge, lui, a quitté sans encombre le territoire français ?

M. – Oui, et il est toujours en bon état.

O. – Vous avait-il apporté des informations importantes ?

M. – Disons que nous avons pu confirmer grâce à lui certaines hypothèses de travail. Il arrive, c'est vrai, mais c'est rare, que des transfuges livrent de véritables trésors.

Nous avons traité, par exemple, quelqu'un qui venait d'un

208

pays de l'Est qui n'était pas la maison-mère. Il nous a remis des listes. Pendant des années, il nous a expliqué, interprété (pas traduit, « interprété », c'est très différent) les événements tels que les voit l'autre bord. C'est extraordinaire!

Ce grand défecteur nous a défini les cibles. Il nous a raconté ce que les membres d'une filiale du K.G.B. pensaient d'un certain nombre de personnalités françaises du monde politique, administratif ou industriel, l'identité des hommes ou femmes achetés en espèces sonnantes et trébuchantes (et que l'on croise souvent dans les cocktails). Très instructif! Il est passionnant d'engranger l'image que se fait un service de l'Est de tel homme politique français par exemple, le profil de carrière de tel personnage « important », perçu par l'œil froid d'un officier de l'Est.

O. – Comment se fait-il alors qu'il n'y ait pas eu en France, depuis vingt ans, de gros poissons qui aient été convaincus d'intelligence avec le K.G.B.? Comment se fait-il qu'on n'ait jamais finalement mis au jour que des personnages plutôt falots?

M. – Parce que le Renseignement est le contraire de la pêche : ce sont les gros poissons qui passent à travers les mailles du filet, ou plus exactement les gros ne sont pas menacés par le chalut, probablement parce qu'ils ne sont pas là quand il passe. Et alors on attrape de la friture.

O. – Supposons que tel ou tel transfuge important vous ait dit : « Voilà quelle est notre liste de gens que nous payons ou avec qui nous entretenons des relations privilégiées en France. Vous, patron du S.D.E.C.E., qu'est-ce que vous faites?

M. – Quand le patron du Renseignement extérieur apprend une chose comme ça, il le dit immédiatement au service spécialisé qui est la D.S.T.

O. – Il n'est pas tenté de garder l'information pour lui, et de laisser le poisson le guider pour son profit vers d'autres bancs de pêche?

M. – Il l'est peut-être, mais il ne doit pas l'être. Non seulement ce n'est pas légal, ni loyal et sportif, mais en plus ce serait idiot : vous avez bien trop à faire avec notre métier, le Renseignement, pour vous substituer au contre-espionnage intérieur. Ce serait complètement idiot. Mais cela s'est beaucoup fait, malheureusement. Pas de mon temps.

O. – Si le contre-espionnage intérieur ne semble pas avoir à son actif de plus grosses prises, c'est peut-être aussi parce que le contre-espionnage extérieur n'est pas aussi efficace qu'il pourrait l'être.

M. – C'est un peu vrai... Mais il faut quand même savoir qu'un certain nombre de poissons de taille moyenne ont été pris au cours des années. Cela a été fait à la française, c'est-à-dire de façon assez discrète, par les services du contre-espionnage intérieur.

O. – De façon discrète, c'est-à-dire ?

M. – C'est-à-dire qu'on ne l'annonce pas forcément à la première page des journaux. Mais il est difficile de croire qu'il y ait eu des gros poissons partout en Grande-Bretagne, en Allemagne et pas chez nous. A moins que le bon Dieu ne protège la France...

16

Les conquêtes de l'Empire : l'Afghanistan

MARENCHES. – Fin décembre 1979, les troupes soviétiques ont officiellement pris pied en Afghanistan à la demande du régime communiste d'alors. Je savais à l'avance que l'Afghanistan allait être envahi. Je l'avais annoncé plusieurs années auparavant. Il suffisait de regarder la carte – il faut toujours regarder la carte –, pour comprendre que ce pays allait jouer le rôle d'un tremplin pour la marche de l'Empire soviétique vers les mers chaudes.

Il y a peu de dérogations à la fameuse formule de Bismarck qui disait à peu près ceci : « De toutes les données qui composent l'histoire, la géographie est la seule qui ne change jamais. » Sans doute le percement du canal de Suez par M. de Lesseps ou celui de l'isthme de Panama sont de rares exceptions à cette règle. Ils ont modifié quelque peu la géographie et la stratégie mondiales. On ne trouverait pas beaucoup d'autres exemples. Celui qui a, comme moi, les yeux depuis tant d'années fixés sur la carte du monde et qui parcourt celui-ci en tous sens, le stéthoscope en main, finit par avoir une vague idée de ce qui s'y passe.

Il doit tenter alors de se glisser dans la peau de l'adversaire avec sa vision, sa logique, qui est quelquefois, pour l'Occidental, l'illogisme le plus effréné. A mon bureau, pour mieux jouer ce jeu, nous changions parfois de sièges et nous allions nous asseoir de l'autre côté. Comment voulez-vous comprendre quelque chose aux vieux ayatollahs si vous ne possédez pas la faculté d'ajuster votre mentalité à celle du XIe siècle ?

Si j'étais russe et maintenant soviétique, j'éprouverais depuis des siècles, depuis Pierre le Grand pour être exact, le désir d'accéder aux mers chaudes où, pour une fois, la flotte de guerre pourrait se mouvoir dans des eaux libres. Les quatre flottes soviétiques, celle de Mourmansk, celle de la Baltique, celle de la mer Noire et celle du Pacifique (qui doit passer entre les îles japonaises) sont enfermées et condamnées à se glisser par des goulets d'où elles sont observées en permanence par les Alliés. Actuellement, la marine de guerre soviétique qui est pratiquement l'égale de la flotte des États-Unis, et dont les bâtiments sont sans doute plus jeunes, est aidée par d'innombrables bateaux de pêche dont les cadres dépendent directement de la flotte de guerre. Ils sont dotés de systèmes de communication les plus sophistiqués et leurs campagnes de pêche sur toutes les mers ne s'intéressent pas qu'aux poissons [1]. De même Aeroflot est l'auxiliaire de l'armée de l'air : les avions de la grande compagnie nationale, l'Air France soviétique, sont conçus pour être transformés en quelques heures en avions militaires. Ajoutons que le P.-D.G. est un maréchal de l'aviation et le directeur général, un général d'armée aérienne.

L'invasion de l'Afghanistan est l'avant-dernier acte d'un événement majeur de ce siècle.

Depuis plus d'une dizaine d'années, les agents soviétiques travaillaient la région comme ils le font aujourd'hui dans la province du Baloutchistan, qui est à cheval sur l'ouest de l'Iran et l'est du Pakistan. Je pensais depuis longtemps à cette opération que j'avais baptisée d'un nom de code : l'opération « Pierre le Grand ». Quand on a lu ce que pensait Pierre le Grand, son testament de 1725 (qu'il soit réel ou apocryphe, peu importe), on perçoit quels sont les besoins impériaux de la

---

1. La nouvelle flotte russe est l'œuvre de l'amiral Gorchov qui vient de prendre sa retraite, après avoir été pendant près de trente ans le créateur d'abord, puis le commandant en chef de cette marine présente sur toutes les mers du globe. Les patrons des marines occidentales ne restent, eux, en fonction que deux ou trois ans...

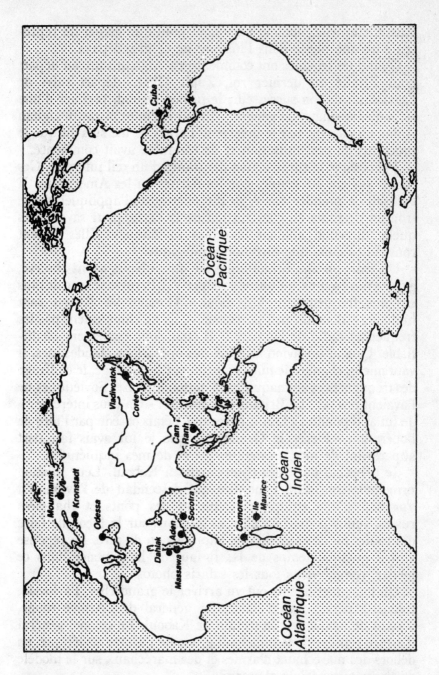

Bases et points d'appuis des quatre flottes soviétiques : Mourmansk, la
Baltique, la mer Noire, le Pacifique.

Russie éternelle, dont le personnel politique actuel ne représente qu'une phase dans l'histoire de ce grand pays.

Quand les troubles ont commencé en Afghanistan, au départ pour l'Italie du dernier roi, Zahir Chah, départ suivi de l'assassinat de son successeur, le prince Daoud, premier d'une série d'assassinats, du général Mir au Premier ministre afghan Amin, en passant par le président Taraki, je me suis dit que le processus de déstabilisation et de conquête avait commencé.

J'ai observé la construction des routes d'un œil intéressé. Ces routes avaient été tracées par les Russes ou les Américains. Il suffisait de prendre une règle d'écolier et de l'appliquer sur le tronçon de route en construction de la carte, pour savoir vers quelle direction allaient les voies soviétiques. Elles étaient construites dans une direction stratégique.

Un jour, un ami britannique me dit : « Nous avons observé, grâce à nos écoutes, qu'un avion super V.I.P. russe se rend de plus en plus fréquemment à Kaboul. » Comme les Russes sont humains – donc un peu paresseux –, ils ne changeaient pas les fréquences radio de l'appareil. Il était donc facilement identifiable. Quand un avion effectue des opérations clandestines, il vaut mieux changer le numéro peint sur le fuselage, le chiffrage des fréquences et en maquiller la nationalité. Les Soviétiques ne l'avaient pas fait. Le Britannique me dit : « Ça vous intéresse ? » Je lui ai répondu : « Oui », parce que j'étais obsédé par l'idée de l'opération « Pierre le Grand » et que je lui avais fait part auparavant de mes pressentiments et de mes inquiétudes.

Je dépêchai donc des observateurs à Kaboul. Leur mission principale consistait à me dire qui descendait de l'avion, s'il s'agissait d'une équipe d'ingénieurs des ponts et chaussées russes, venus pour conseiller les Afghans sur la façon de faire des routes ou de chasseurs de papillons ou de pire. La réponse vint à quelque temps de là. Il faut de la patience dans ce métier, comme dans tous les safaris photos.

Un jour, mes agents ont vu arriver le grand chef, Pavlovski, colonel-général, chef d'état-major général de l'Armée rouge, sortant de l'avion sur le terrain de Kaboul. Le colonel-général d'armée représente le plus haut grade de l'armée soviétique, en dehors des maréchaux d'armes et des maréchaux sur le modèle de l'armée impériale allemande.

Durant l'été 1979, ce militaire de haut rang séjourna un bon moment dans ce pays particulièrement rude. L'Afghanistan, l'été, n'est ni Saint-Tropez ni les îles Hawaii. Il y a l'altitude, une poussière démentielle, des insectes partout. C'est le dernier endroit où l'on puisse rêver d'aller quand on connaît le luxe (dont on n'a aucune idée en Occident) dans lequel vivent les grands chefs dorés sur tranche de l'Armée rouge, avec un solitaire en guise d'épingle de cravate...

L'affaire s'accélérait. Quelques mois plus tard, en décembre 1979, je reçus la visite d'un journaliste américain de dimension internationale, plus particulièrement spécialisé dans les interviews de chefs d'État, toujours présent là où il y avait guerres et révolutions. Il était le cousin d'un de mes cousins belges. Il a profité de cette occasion pour me demander où il devait aller pour son prochain reportage. Je lui ai répondu : « Eh bien, il y a plusieurs endroits intéressants : approche du canal de Panama, c'est-à-dire de l'Amérique centrale, les Caraïbes, le Moyen-Orient... » Il s'est écrié : « Non, non, ne citez pas plusieurs endroits. Un seul, s'il vous plaît ! »

Après un instant de réflexion, je lui ai dit : « Si j'étais vous, j'irais à Kaboul. » Il est tombé des nues : « Pourquoi Kaboul ? – Vous m'avez posé la question, je vous ai répondu. »

Interloqué, il partit dare-dare pour Washington où il demanda à Brzezinski, conseiller national de Sécurité du président Carter, ce qu'il en pensait.

Celui-ci interrogea tous les Services de Renseignements civils et militaires et après enquête déclara, avec un haussement d'épaules : « *Nonsense !* » Il n'était pas de cet avis, ce n'était que des « rumeurs européennes »...

Malgré ce jugement du plus haut niveau, ce grand journaliste me fit confiance. Il arriva en Afghanistan, pratiquement seul de son espèce, presque au moment où les transports lourds atterrissaient sur l'aéroport de Kaboul et où les colonnes motorisées franchissaient au nord le fleuve Amou-Daria, l'ancien Oxus d'Alexandre le Grand, frontière naturelle séparant le nord de l'Afghanistan des provinces sud de l'Empire soviétique.

D'Islamabad, il prit un avion moderne, pas un de ceux qu'on voyait au fond du Moyen-Orient, et que l'on surnommait autrefois les Inch Allah Air Lines. Il fallait avoir la miséricorde du Seigneur pour arriver à bon port.

215

Il est arrivé à Kaboul au moment où l'invasion de ce petit pays par les forces soviétiques s'accomplissait. C'est ainsi qu'avec quelques données de base, beaucoup de chance, et du « pifomètre », j'ai acquis la réputation de devin du Renseignement.

La première fois où le président Reagan, peu après son élection, m'invita à le rejoindre en Californie pour passer une soirée avec lui, afin d'évoquer les grands problèmes du monde, il m'accueillit en me disant : « Ah! Vous êtes l'homme qui avait prévu la date de l'arrivée des Soviétiques en Afghanistan! » Je l'ai rassuré : « Monsieur le président, dans cette affaire, le hasard et la chance ont joué un plus grand rôle que le mérite personnel... »

A cette occasion, je passai plusieurs heures dans l'intimité du nouveau président des États-Unis, la plupart du temps en tête à tête avec lui. Il était tel que nous le connaissons tous maintenant, grand, mince, la poignée de main vigoureuse, le regard direct. Il me déclara dès l'abord qu'il ne connaissait pas grand-chose aux affaires de la stratégie mondiale. Je fus très frappé par cette déclaration d'une modestie remarquable. Ordinairement, à ce niveau, la suffisance est souvent de rigueur. Il aimerait m'entendre, dit-il, sur ce que je considérais comme étant les plus importants dangers de notre temps.

Je m'étais muni de cartes préparées par mon service et, après lui avoir parlé des matières premières stratégiques, nous avons évoqué entre autres la nécessité d'aider tous ceux qui, dans différentes régions du monde, luttaient contre l'emprise communiste. L'un des grands changements, dans le monde actuel, c'est qu'il y a peu d'années encore les maquis, guérillas et résistances étaient en général des mouvements dits « de gauche », qui luttaient contre des dictatures dites « de droite ». Aujourd'hui, et de plus en plus, ces mêmes mouvements sont désormais aussi populaires qu'anticommunistes. Les résistants héroïques d'Afghanistan sont, avec l'Unita de mon ami Jonas Savimbi, aux premières lignes des combattants de la liberté.

Comment se fait-il que les États-Unis et la baudruche européenne n'aident pas massivement ceux qui souffrent et meurent à leur place? Par lâcheté et aveuglement historique, à mon avis.

216

OCKRENT. – A partir du moment où les troupes soviétiques sont entrées en Afghanistan, est-ce que les Services occidentaux, en particulier les Services français, ont mis sur pied un système d'aide ou d'assistance aux résistants afghans?

M. – Non. Une fois de plus, le monde occidental a été pris de court. Il est toujours surpris, soit parce que les Services de Renseignement n'ont pas fait leur besogne, soit, et c'est plus fréquent encore, parce qu'on ne les a pas écoutés. Ils dérangent.

L'arrivée brutale du grand voisin du Nord en territoire afghan a placé devant le fait accompli l'Europe et les États-Unis.

Détail intéressant : une partie de l'invasion de l'Afghanistan a été exécutée par l'Ogroug, c'est-à-dire par la région militaire qui se trouve juste au nord de la frontière russo-afghane. Naturellement, comme les troupes, en particulier les Tadjiks, parlent la même langue des deux côtés de la rivière, on a vu apparaître des difficultés entre membres de la même ethnie. En tout cas, avec l'arrivée des colonnes motorisées et surtout des masses d'avions lourds transportant des troupes soviétiques, on a assisté à un modèle d'exécution militaire semblable à l'invasion de la Tchécoslovaquie. Un constat qui pourrait servir de leçon. Si, un jour, se produit une marche en avant des troupes du pacte de Varsovie en Europe occidentale, il faut savoir que ces gens-là mettent très longtemps à se déterminer, très longtemps ensuite à organiser les choses. Leur démarche est presque germanique. Mais une fois que c'est parti, ça va très vite et très fort. Tous les observateurs qui ont comparé l'invasion de la Tchécoslovaquie et l'invasion de l'Afghanistan sont d'accord sur ce fait.

L'Afghanistan a joué un grand rôle au siècle dernier entre les deux grands Empires de l'époque, l'Empire britannique qui, lui, n'existe pratiquement plus, et l'Empire russe, dit soviétique, qui, lui, existe toujours et qui n'a pas cédé un mètre carré de terrain. Les Afghans sont des guerriers farouches. Tout de suite, dans l'arrière-pays afghan, s'est organisée la résistance.

Mais le drame d'un pays relativement primitif comme l'Afghanistan, c'est qu'il n'y a pas une véritable unité nationale. Il y a des tribus correspondant souvent à des vallées, et ces tribus se bagarrent entre elles depuis des siècles. Très habilement les Services secrets du régime de Kaboul, dirigés naturellement par le K.G.B. et le G.R.U., en profitent et organisent la pagaille. Un peu comme à Rome le responsable de la Gaule organisait la pagaille entre les tribus gauloises pour mieux les dominer et les soumettre.

O. – Est-ce que les Services occidentaux, et en particulier les Services français, soutiennent d'une manière ou d'une autre les groupes de résistance afghans ?

M. – Je ne sais pas ce que font maintenant les Services français. Je sais mieux ce que font les grands Services alliés, ou plutôt je sais mieux ce qu'ils ne font pas. L'aide est accordée au compte-gouttes, en tout cas l'aide américaine. Quant à l'Europe, cette fameuse Europe de trois cent vingt millions de personnes, elle ne fait rien, comme d'habitude, ou si peu... Une histoire m'a laissé pantois. Au début de l'occupation soviétique, je rencontre des personnages très importants de l'Allemagne fédérale (Dieu sait qu'ils appartiennent, eux, au camp occidental, qu'ils sont riches, avec des possibilités considérables, non seulement sur le plan financier, mais sur le plan des techniciens et de l'armement). Je leur dis : « Ne croyez-vous pas qu'il faudrait aider les Afghans massivement, à travers le Pakistan ? » Réponse d'une certaine personne que je ne nommerai pas à cause de la réponse qu'elle m'a faite : « Ah! Mon Dieu, vous n'y pensez pas! Que deviendrait l'institut Goethe à Kaboul ? » Au nom d'un institut de culture germanique à Kaboul, voilà le genre de réponse que j'ai obtenu. Cela revient à parler d'un cor au pied à quelqu'un en train de mourir d'une maladie épouvantable. J'ai répondu à mon interlocuteur : « Rassurez-vous, quand le régime communiste sera bien établi, il n'y aura plus d'institut Goethe à Kaboul. »

Je constate qu'actuellement – et c'est à la gloire de notre pays – les seuls gens qui se mouillent en y allant, qui ne se contentent pas de discours du dimanche, ce sont les médecins

218

français, qui vont à leurs frais, avec l'aide de braves gens qui envoient leur contribution. Ils vont, en exposant leur vie, en risquant leur peau, dans les montagnes de l'Afghanistan dans des conditions extrêmement pénibles, moralement et physiquement, pour aider ces résistants afghans, les soigner et témoigner sur place de la solidarité occidentale. Ils sont bien les seuls!

O. – Mais il s'agit d'une assistance médicale et non militaire ou financière.

M. – La guerre est, si j'ose dire, un système d'armes. Bien sûr, il faut des armes pour combattre, mais il faut aussi soigner les blessés et faire en sorte qu'ils ne meurent pas. Quand je vois que nous n'aidons pas massivement les Afghans et Savimbi, en Angola, il n'y a aucune excuse à cela, si ce n'est une lâcheté incommensurable de notre part.

O. – Une lâcheté ou une forme de réalisme qui consiste à dire finalement : l'Afghanistan n'était pas prévu à Yalta, mais l'occupation fait partie du partage des Empires.

M. – Il y a pire. J'ai parlé avec un important sénateur américain il y a un an ou deux, qui m'a dit – j'en suis resté stupéfait et je le suis encore : « De toute façon, les Russes gagneront. Les Afghans sont fichus. Donc ce n'est pas la peine de prolonger leur agonie. Il ne faut pas les aider. »

O. – Les Afghans bénéficient par ailleurs d'un financement arabe pour des raisons largement religieuses.

M. – Il serait tout à fait intéressant de comparer les sommes que versent aux Afghans un certain nombre de pays arabes conservateurs et riches, et ce qu'ils donnent par ailleurs au gouvernement syrien qui, lui, est aidé puissamment par les Soviétiques. Parmi les bénéficiaires, on pourrait ajouter un grand nombre d'organisations terroristes. Cette générosité-là, dans les bas-fonds new-yorkais, on l'appelle *protection money*. Les propriétaires de casinos ou de boîtes de nuit et des autres institutions illégales versent aux mafias locales, à des gangsters qui soi-disant les « protègent », des sommes d'argent considérables pour éviter qu'on les tue ou qu'on fasse sauter leurs installations...

Le pays qui est en première ligne est le Pakistan. Voilà un pays aux ressources limitées, avec une population énorme et qui accueille des millions de réfugiés victimes du plus grand exode de la population de l'histoire contemporaine, tout de suite après l'effroyable aventure du Cambodge.

O. – Plutôt qu'un enjeu pour les pays occidentaux, l'Afghanistan n'est-il pas le champ clos de l'affrontement entre les Soviétiques et l'Islam chiite ?

M. – Je crois, moi, que l'enjeu de l'Afghanistan est l'un des principaux enjeux de notre époque. Pourquoi ? Parce que les forces du géant du Nord ne sont pas simplement en Afghanistan pour le contrôle du territoire. Ils sont là parce qu'ils considèrent ce pays comme un tremplin qui va leur permettre l'accès aux mers chaudes.

Si nos lecteurs veulent bien regarder la carte, ils s'apercevront que, si le Russe atteint la côte face à l'Arabie Saoudite, il est sur les mers chaudes. Il n'y a plus personne pour observer ses manœuvres. Il construira un immense port militaire. Il fera coup double, puisqu'il contrôlera en même temps l'entrée du détroit d'Ormuz, comme la base de l'île de Socotra, à Aden, et l'Éthiopie contrôlent l'entrée de la mer Rouge.

Si vous partez de cet endroit au nord de la mer d'Oman pour les géographes, au nord de l'océan Indien, du côté pakistanais ou du côté iranien de la frontière, si vous prenez une règle et si vous allez plein nord, c'est là que l'invasion aura lieu. J'espère qu'elle ne se produira pas, mais je crois qu'elle aura lieu... Je le répète depuis un quart de siècle. Il s'agira d'un événement aussi considérable que l'ont été les deux grandes guerres mondiales. En tirant ce trait nord-sud, la plus vaste masse terrestre du globe, c'est-à-dire l'Eurasie, sera coupée en deux.

O. – L'axe deviendrait donc soviétique ?

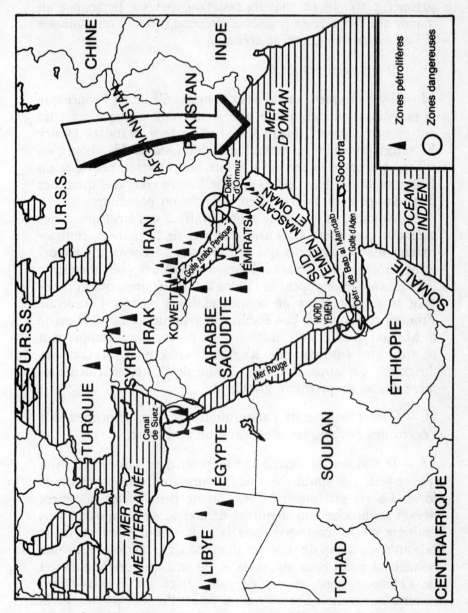

Opération « Pierre le Grand » : l'accès aux mers chaudes.

M. – Il s'agit d'un événement que je considère comme de premier plan. Je ne connais pourtant que six personnes au monde que ce genre de problème intéresse et dont l'œil s'allume si l'on évoque ce genre de scénario.

O. – Et qui sont les six ?

M. – Il y a sûrement un ou deux hommes d'État en France que je ne nommerai pas, parce que je ne veux pas que tous les autres me détestent jusqu'à la fin de leur mandat! Henry Kissinger, nouvelle manière, l'archiduc Otto de Habsbourg et, si l'on commence à chercher très fort, on trouverait peut-être un Britannique ou deux. Alors que de l'autre côté, des quantités d'experts passionnés travaillent à l'échelon planétaire.

N'oublions pas que nous avons affaire à des stratèges, à des gens qui examinent sans arrêt la carte de la planète, contrairement aux Occidentaux qui se jettent sur l'événement ponctuel et ne s'intéressent jamais à l'aspect global des événements.

D'un côté les myopes, de l'autre les planétaires, qui apprennent le monde, dans de bonnes maisons comme l'académie Frounzé et autres, où l'on établit scénario sur scénario. Il existe à Moscou d'excellents instituts de prospective, comprenant chacun une cinquantaine d'experts « globaux » et dont les dirigeants qui appartiennent à l'élite de l'élite, sont actuellement des as de première grandeur.

O. – C'est plus que de l'admiration que vous exprimez là à l'égard des Soviétiques, c'est presque de l'envie.

M. – Je n'ai jamais, depuis 1939, éprouvé de haine envers qui que ce soit. J'ai simplement de la haine contre les systèmes de force. La vie est intolérable si l'on ne peut parler librement devant ses proches, un chauffeur de taxi ou au restaurant, sans craindre d'être matraqué dans la minute qui vient ou de se retrouver en camp de concentration. Mais je n'éprouve aucune haine contre des gens qui, dans le jeu tragique des hommes et de l'Histoire, font, en fin de compte, ce qu'ils considèrent comme leur boulot. Disons que, si j'étais l'un des patrons de la pensée impériale soviétique, je serais très fier. Ce sont des hommes de puissance, issus d'une grande tradition, pour qui le communisme n'est sans doute qu'un accident de parcours.

17

Les guerres du pétrole

MARENCHES. – Pour nous autres Occidentaux, la conception de la guerre reste souvent traditionnelle, comme à la bataille de Fontenoy. Depuis l'apparition du marxisme, nous avons affaire à des guerriers révolutionnaires qui ont une vision globale de la guerre. Parmi les matières premières, le pétrole tient une place prépondérante.

Dès 1970, je suis allé voir nos alliés traditionnels et nos amis étrangers pour leur montrer une carte en leur disant : « La grande zone pétrolifère qui comprend l'Iran, le Golfe, l'Arabie Saoudite, la péninsule arabique nous est vitale [1]. Le traité de 1921 permettait et permet toujours au géant du Nord d'intervenir en Iran en cas de troubles, à n'importe quel instant. La province du nord de l'Iran, l'Azerbaïdjan, fut conquise en 1920 par l'Armée rouge.

Les manigances des Soviétiques dans la Corne de l'Afrique, en Éthiopie, à un moment en Somalie et leur établissement dans l'île de Socotra, en face d'Aden à l'entrée de la mer Rouge, dessinent sur la carte un encerclement. Si l'on trace un quadrilatère sur la carte du Moyen-Orient, il commencerait à la frontière du Pakistan. De là il passerait au nord de l'Irak pour

---

1. A cette époque, près de 90 pour cent des approvisionnements en pétrole du Japon et 75 pour cent de l'Europe provenaient de cette région.

223

redescendre sur la Méditerranée, il irait au Caire, à Khartoum et rejoindrait ensuite la Corne de l'Afrique. Le Service se devait d'être présent dans cette vaste zone si essentielle pour nous tous. La remarquable qualité des spécialistes implantés dans cette zone, leur connaissance du monde arabo-musulman et souvent des techniques du pétrole faisaient merveille. Orientés par mes soins, ils surent prévoir les événements graves que nous avons vécus et je pus ainsi alerter les autorités politiques françaises ainsi que les Services alliés.

Le Renseignement est un puzzle. Au fur et à mesure que s'assemblent les morceaux, une image d'ensemble apparaît. Les théâtres d'opérations s'animent, innombrables, sous vos yeux. Alors interviennent le raisonnement, l'expérience et l'analyse froide des renseignements. Je crois avoir été l'un des premiers – je ne parle pas des géographes et des spécialistes –, à attirer l'attention des grands responsables du monde politique sur l'importance du détroit d'Ormuz.

J'ai prévenu le président de la République, M. Pompidou : « Voilà le danger, il faut faire des stocks. » A la suite de cette suggestion, il fit doubler ou tripler les stocks de pétrole de la France.

OCKRENT. – L'arme du pétrole a été utilisée en même temps que la guerre du Kippour entre Israël et les pays arabes ? Avez-vous été pris au dépourvu ?

M. – Nous avions des renseignements d'une précision remarquable. On connaissait les O.D.B., les ordres de bataille des deux armées, le nom du commandant en chef et les noms des principaux protagonistes. Nous fûmes capables d'indiquer la date du déclenchement des opérations à quarante-huit heures près.

Les affaires du Proche-Orient se tiennent. Il n'y a pas de guerre entre Israël et l'Égypte, ou entre Israël et un autre pays. Il s'agit d'une même région où apparaissent de temps en temps des flambées à un endroit ou à un autre.

O. – Quels étaient vos rapports avec les Services israéliens ?

M. – Les Services israéliens sont des services très efficaces pour différentes raisons. D'abord, les Israéliens, le peuple juif, sont habiles et intelligents, avec des facilités linguistiques incroyables. Ils sont en guerre, c'est-à-dire qu'ils ont une motivation solide, extrêmement forte et, comme ils sont peu nombreux, il faut qu'ils soient durs. Ils n'ont pas le choix. Ils habitent un territoire étroit. Si l'on regarde une carte d'Israël, il se dessine au milieu une sorte de taille de guêpe qui doit faire à peu près treize ou quinze kilomètres de large. C'est très difficile à défendre. Voilà pourquoi ils engagent souvent des actions préventives parce qu'ils ne peuvent pas se permettre d'attendre qu'une masse ennemie se concentre à une frontière quelconque. Ils se croient obligés de tirer les premiers. Ils ont très probablement l'arme nucléaire dont ils se serviraient en dernier ressort. Les Services français et les Services israéliens n'étaient pas concurrents dans ces affaires. Chacun avait ses problèmes à soi.

O. – Ont-ils collaboré sous votre « règne » ? Y a-t-il eu des cas de collaboration ponctuels ?

M. – Il y a eu des cas de collaboration ponctuels, mais sans engagement politique.

O. – Vous voulez dire que vous avez donc choisi de ne pas avoir, avec les Israéliens, d'actions à caractère politique ?

M. – Nous avions des rapports avec les Services israéliens, comme avec la plupart des Services du monde libre.

O. – Avec le même degré de confiance ?

M. – L'épicentre du monde israélien en guerre, c'est le Moyen-Orient. Nous n'avons pas les mêmes rapports avec eux qu'avec l'Europe de l'Ouest ou les États-Unis.

On m'a souvent demandé ce que je pensais des conflits entre Israël et les nations arabes voisines. Depuis de nombreuses années, je crois qu'Israël n'est pas en « danger de guerre » mais en « danger de paix ». L'État hébreu, assiégé par les nations voisines, a littéralement le dos à la mer. D'une part – et c'est moins connu – la population arabe vivant en Israël, suit une courbe de croissance démographique élevée, ce qui n'est pas le cas des Juifs. Il se développe donc, à l'intérieur même d'Israël, les éléments d'une subversion redoutable. D'autre part, cette « guerre » a des chiffres de pertes modestes car les accidents d'auto tuent plus d'Israéliens que la « guerre » elle-même. Enfin, la mobilisation du peuple juif en Israël et de la Diaspora permet aux fonds d'origine américaine de couler en abondance. Ces fonds seraient beaucoup moins importants si Israël vivait en paix.

En ce qui concerne les peuples arabes de la région, dont la tendance séculaire est au conflit fratricide, ils n'ont guère en commun que la haine d'Israël. Tout cela m'a porté à croire depuis longtemps que toutes les parties concernées souhaitaient secrètement que cette « guerre » se poursuive et je ne vois pas qu'il en soit autrement dans les années à venir.

Lors d'un de mes passages à Washington, mon grand ami, le général Alexander Haig, à l'intelligence et à l'expérience incomparables, était à l'époque secrétaire d'État. Je lui fis cette démonstration. Il s'envolait le lendemain pour une tournée au Proche-Orient. Après m'avoir écouté, il me confia : « Si vous m'aviez dit tout cela il y a quinze jours, je ne partirais pas demain. »

O. – Avec la crise du pétrole, l'Occident est entré dans une phase d'affolement.

M. – L'Occident était désuni et surtout l'Europe. Ce géant physique, ce nain politique dont la voix de castrat se fait à peine entendre, est prêt à céder à tous les chantages possibles et imaginables, comme nous le voyons depuis. Non seulement il n'y a jamais eu de politique commune à l'égard du cartel des pétroles, mais chacun a essayé de jouer au petit malin en faisant des combines à côté, sous la table, derrière la porte, etc.

Il n'y a pas d'O.P.E.P. de l'Occident. On peut concevoir qu'il y ait un O.P.E.P. des vendeurs de pétrole mais pourquoi n'y a-t-il pas un O.P.E.P. des acheteurs ?

226

O. – Qu'est-ce qui a changé dans la nature même du Renseignement avec cette guerre du pétrole ?

M. – Il n'y a pas eu de changements fondamentaux dans la doctrine, mais dans son application. Nous avions affaire à un groupe de gens, qui, par la grâce d'Allah, disposent de l'énergie dont nous avons une soif inextinguible. J'ai pensé alors qu'il fallait négocier avec les propriétaires des zones pétrolifères ou avec Allah, qui les leur a données dans un geste de munificence. Il fallait en même temps être prêt – si le chantage avait été excessif – à intervenir militairement dans ces zones. A l'énoncé d'une telle idée, les gens se mettent à trembler.

O. – C'est une thèse que vous avez défendue auprès des autorités françaises ?

M. – C'est une thèse qu'on ne peut même pas discuter. Les gens se voilent la face. Que faire devant un maître-chanteur ? A un moment donné, s'il veut vous étrangler, c'est lui ou vous. Nous n'en sommes pas arrivés à ce stade.

O. – C'est dans cette perspective que vous avez entrepris de resserrer les liens avec l'Arabie Saoudite ?

M. – Tout à fait. J'ai visité pendant des années ce pays et je continue à entretenir des rapports amicaux avec un certain nombre de princes de la Maison de Saoud où il y avait, comme dans toutes les affaires humaines, des gens remarquables et de grande classe et des gens moins bien. J'ai eu des conversations passionnantes. J'avais – je le dis avec déférence – sympathisé avec ce très grand monarque qu'était le Roi Fayçal qui se montra toujours très attentif à mon égard.

Le Roi Fayçal a été le monarque le plus remarquable de cette Maison de Saoud. Il avait, lui, une grande expérience du monde extérieur car il avait été écarté du pouvoir durant des années et il avait mis à profit ce demi-exil pour parcourir le monde et s'informer. Il m'appréciait parce que nous étions tous deux des cavaliers et que nous avions servi à cheval avec un sabre, comme il me l'a fait remarquer un jour. J'ai demandé au

227

Roi Fayçal si, dans ce parcours effréné qui conduit les grands nomades à la civilisation industrielle, l'âme bédouine ne se serait pas perdue. Il acquiesça. Et, à cet instant, me prit dans son estime. Je m'en voudrais de ne pas avoir une pensée fidèle et très amicale pour notre représentant dans le royaume à l'époque, le colonel C., arabisant complet, grand connaisseur du monde arabe, dont les années passées au Sahara lui avaient appris à le connaître et à l'aimer. Nous avions à notre Service, pour la France, une race d'officiers et de fonctionnaires, formés à la dure, qu'aucun de nos alliés ne possédait, exception faite des Britanniques. Comprendre les seigneurs du désert s'apprend non les fesses posées sur les bancs des écoles et des universités, mais sur la *rahla*[1] et dans les longues soirées passées sous la tente, autour d'un feu où brûlent les excréments de dromadaires, en sirotant un thé très fort.

A l'époque, chacun des grands pays occidentaux – et aussi les autres – cherchait à renforcer son influence dans cette région. La zone pétrolifère du Moyen-Orient était depuis toujours une chasse gardée anglo-américaine à travers le cartel de grandes sociétés appelées les « majors ». Il ne faut pas oublier que les Britanniques, par exemple, avaient historiquement la main sur le pétrole de l'Iran d'aujourd'hui. Ils étaient tout-puissants également en Irak. Les Américains, eux, régnaient sur le pétrole saoudien, et au-delà. Ainsi, lors de mon premier voyage en Arabie Saoudite, alors que j'arrivais à Djeddah, le grand port de la mer Rouge, le gouvernement et le Roi d'Arabie Saoudite se trouvaient à Riyad. Mes messages sont passés, littéralement, physiquement, par les hommes des télécommunications de l'Aramco, la compagnie pétrolière américaine. Autrement dit, le directeur général des services de Renseignement français communiquait avec les plus hautes autorités d'Arabie Saoudite par l'intermédiaire des services de communications américains! Cela a changé depuis. Au fur et à mesure des relations que j'ai créées dans cette partie du monde, et singulièrement en Arabie Saoudite, j'ai pu mettre sur pied un autre système de communications.

1. Selle de méhari.

O. – Est-il ou non exact que quelques années plus tard, en novembre 1979, c'est aux Français que le régime saoudien a fait appel pour déminer – au propre et au figuré – l'insurrection de La Mecque?

M. – Non. A ma connaissance, les Français ont joué un rôle de conseil, un rôle de techniciens et de fournisseurs d'un certain nombre d'engins *ad hoc,* mais les Français n'ont pas opéré physiquement à l'intérieur des Lieux saints pour la raison que c'est absolument impossible et impensable. Il y a eu simplement assistance en conseils et en moyens techniques lorsque mille trois cents rebelles ont attaqué la Grande Mosquée.

O. – Cette assistance, qui l'assurait? Les gens de vos services ou les gens du G.I.G.N.?

M. – Dans le cas précis de La Mecque, je crois qu'un certain nombre d'engins spéciaux ont été fournis par la gendarmerie.

O. – Quel a été le rôle de vos propres Services?

M. – Mes Services ont prodigué quelques conseils. Ces avis n'ont pas été suivis. Sinon, nous aurions évité ces graves événements qui auraient pu embraser l'ensemble du pays. Et cela d'autant plus que la plupart des hauts responsables étaient absents du royaume. Plus précisément, l'alerte fut donnée par un pèlerin marocain qui faisait ses dévotions, tournant sept fois autour de la Kaaba, la pierre noire sacrée, recouverte du Kiswa, le tissu noir orné de versets brodés d'or du Coran, que l'on renouvelle chaque année et dont les reliques sont appréciées.

Entendant les premiers coups de feu, le pèlerin marocain se précipita au téléphone, hors des Lieux saints, pour appeler l'ambassade du Maroc où l'officier de service était par hasard, ce jour-là, le représentant de nos homologues marocains. Ce capitaine saisit immédiatement la gravité de la situation et alerta Rabat. C'est ainsi que Sa Majesté chérifienne reçut, quelques instants plus tard, le message vite décrypté, qui annonçait le viol des Lieux saints. Elle avait en face d'Elle le prince Abdallah Ibn Saoud Abdul Aziz, chef de la garde blanche et qui constituait en dehors de l'armée et de la police, le plus sûr rempart de la monarchie saoudienne. Or un colonel de ladite garde était l'un des responsables du complot. Il avait organisé l'approvisionnement des mutins cachés dans le labyrinthe des sous-sols de La Mecque, en introduisant des armes automatiques dissimulées sur des civières, où étaient censés reposer de pieux défunts qui, selon la tradition, portés par les leurs, devaient tourner autour de la Kaaba avant d'être inhumés.

J'avais moi-même signalé depuis assez longtemps au pouvoir saoudien, et au meilleur niveau, qu'il y avait des infiltrations d'armes venues du Sud-Yémen. Et, avec une belle assurance, un certain nombre de responsables saoudiens de l'époque m'ont dit qu'ils avaient l'affaire sous contrôle. Combien de fois ai-je entendu cette phrase dans ma vie, de la part de gouvernements qui se croient forts, et qui, en réalité, sont déjà infiltrés!

Espérons qu'un jour, une autre opération du même type n'aura pas lieu. Il est plus facile de déshonorer quinze cents princes de la famille Saoud en souillant les Lieux saints que de les assassiner un par un comme on l'a fait pour le Roi Fayçal en mars 1975.

O. – Au Moyen-Orient, l'une des caractéristiques de la politique française, à partir de 1970, a été un rapprochement spectaculaire et fructueux avec l'Irak. Vous en avez été l'un des instruments ou l'initiateur?

M. – Actuellement, l'Occident, et notamment la France, soutient beaucoup Bagdad. Les intérêts de l'Europe et ceux du monde encore libre étaient, alors et encore, de faire en sorte que l'Irak ne soit pas seulement le « client », au sens romain du terme, des Russes. J'ai été le premier Occidental à ouvrir la porte de l'Irak. Je me suis arrangé pour que les Irakiens ne soient pas uniquement liés aux Soviétiques, dont ils ont d'ailleurs besoin, mais pour qu'ils s'entendent aussi avec l'Occident et plus particulièrement avec la France. Je ne leur ai pas dit : « Il faut vous défaire des Russes et tomber dans les bras de l'Occident », mais plutôt : « Ne pensez-vous pas que vous devriez avoir aussi des amitiés occidentales ? »

Un de mes vieux amis, qui a une grande et plus ancienne expérience du Moyen-Orient et de ses habitants, connaissait certains membres de l'équipe dirigeante. Par son intermédiaire, j'avais rencontré un homme exceptionnel, Sadoun Chaker, l'ami, le bras droit du chef de l'État irakien, Saddam Hussein. Il était le chef des Services secrets irakiens, c'est-à-dire le second ou le troisième personnage de l'État, le bras séculier du pouvoir. Cette équipe est formée de gens extrêmement durs, arrivés à la force du poignet. Sadoun était un homme jeune, séduisant, intelligent et sympathique.

Un jour, il est venu me voir à Paris. Je l'ai reçu comme il convenait. Le soir, nous avons dîné avec l'un de ses collaborateurs et l'un des miens. Je lui ai dit : « Si Votre Excellence le permet, je vais vous parler avec une grande brutalité et de façon extrêmement directe. Je vois votre pays de façon un peu triste. Il suffit de se promener au musée des Antiquités de Bagdad pour constater que votre histoire et votre passé sont parmi les plus riches de l'humanité, avant même l'Égypte. Aujourd'hui, votre pays est le seul du monde arabo-musulman, et même au-delà, qui ait de l'eau et du pétrole. Le sort – Allah, si vous préférez, Excellence – a fait que les pays qui ont de l'eau n'ont pas de pétrole et réciproquement. C'est curieux, mais c'est comme ça. Vous êtes l'exception. Grâce aux très grands fleuves qui descendent du Caucase, le Taurus, le Tigre et l'Euphrate, vous avez de l'eau en abondance et vous avez, tout le monde me l'assure, des possibilités pétrolières et minérales fabuleuses. Certains vont jusqu'à penser que vous êtes une seconde Arabie Saoudite. Et, que faites-vous pendant ce temps-là ? »

Après être sortis de table, nous nous sommes installés dans mon bureau où j'avais de grands fauteuils de cuir marron. « Que faites-vous, entre ce passé prestigieux et un avenir qui peut l'être ? Vous pratiquez le terrorisme de base. »

Protestations de Sadoun. Je sors de ma poche un papier et je lui dis : « Je crois que nous sommes convenus de parler très directement entre nous, n'est-ce pas ? » Il fait un signe affirmatif. Et j'ajoute : « Tenez, vous avez versé telle somme au compte numéro tant, à telle banque du Moyen-Orient, sur le compte de telle organisation terroriste, il y a trois mois et à telle date. » Soudainement, il paraît terriblement gêné. Je le regarde bien en face. Il fait « oui » de la tête. Je poursuis : « Le mois dernier, vous avez versé telle et telle somme, numéro tant, etc. Voulez-vous qu'on continue ? » Il répond : « Ce n'est pas la peine, j'ai compris. » Cet homme s'est dit tout d'un coup : « Voilà quelqu'un avec qui l'on peut parler. » Nous sommes par la suite devenus de grands amis. Il m'a invité en 1974 en Irak. Je suis allé voir le chef de l'État. Nous avons discuté géopolitique. Durant les années qui ont suivi, l'Irak a peu à peu cessé de subventionner et d'entretenir les mouvements terroristes. J'avais rappelé à Saddam Hussein que les gens qui avaient l'ambition de faire de leur pays un pays important, de jouer un rôle régional de poids, n'avaient jamais réussi grâce au terrorisme.

Saddam Hussein est un Sunnite, comme l'équipe au pouvoir. Un scénario me fait peur. Si l'on regarde la carte – comme on doit toujours le faire – et qu'on imagine un coup d'État à Bagdad, si le Bagdad que nous connaissons disparaît au profit d'un Bagdad chiite, à ce moment-là se constituerait un Empire chiite qui irait du Pakistan à la Méditerranée. Les avant-gardes sont déjà au Liban. Ce serait très dangereux pour la Turquie, bastion de l'O.T.A.N. dans cette région du monde (et aussi la plus grande armée de l'O.T.A.N., cinq cent mille hommes).

Il y a une analogie intéressante entre le régime de Bagdad et celui d'Ankara. Il s'agit de populations musulmanes et de deux États laïques.

Un des grands périls de notre époque est l'explosion chiite, difficilement compréhensible pour des Occidentaux non spécialisés. C'est, en effet, le triomphe de l'irrationnel et du fanatisme. Si Bagdad devait un jour être gouverné par un Khomeiny-bis, alors il faudrait sonner le tocsin car il se constituerait comme je le répète un empire allant de l'Inde aux rivages de la Méditerranée.

Les principautés du Golfe qui sont autant de Monaco en termes de possibilités de défense ne tiendrait pas un mois. Les

Israéliens paieraient très cher l'argent qu'ils ont gagné en aidant longtemps le régime de Téhéran.

Quant aux chrétiens, ce à quoi nous assistons maintenant est, dans ma vision, rien moins que le dernier acte des croisades. Pour les fanatiques, ce conflit ne sera achevé que lorsque le dernier chrétien aura été exterminé ou sera parti.

Quel exemple nous donne la monarchie marocaine où toute les communautés vivent en paix!

O. – Étant donné la politique pro-arabe de la France et le fait que vous-même ayez beaucoup travaillé au renforcement des liens avec l'Irak, la coopération entre vos services et Israël en pleine émergence du terrorisme a dû être difficile?

M. – Cela a sûrement compliqué les affaires parce que les Israéliens ne voyaient pas d'un très bon œil notre amitié et nos relations un peu privilégiées avec le monde arabo-musulman que le général de Gaulle avait initiées.

O. – Ces relations privilégiées avaient l'avantage de nous faire vendre des armes ?

M. – Cela faisait partie de la politique générale pro-arabe de la France.

O. – Dont vous étiez l'un des partisans?

M. – Dont j'étais, en tout cas, partie prenante. Je n'avais pas, moi, à déterminer la politique générale de la France. Je suis arrivé à un moment où cette politique était engagée depuis des années. Elle a continué pendant les onze ans où j'étais aux affaires et elle continue depuis.

L'autre avantage pour nous, à l'époque – et il était vital – était d'assurer la sécurité et la régularité de nos approvisionnements pétroliers. Les Israéliens n'ont pas été les seuls à voir d'un mauvais œil notre rapprochement avec l'Irak. Il gênait beaucoup de monde. Je me souviens d'un incident savoureux lors de l'une de mes visites en Irak.

En pleine réunion avec plusieurs des grands patrons du

233

régime, je me suis approché de l'une des fenêtres. Quelqu'un a touché un rideau et un microphone est tombé. Mes hôtes se sont regardés, très embarrassés. Je leur ai dit : « Ne prenez pas cet air! Je suis persuadé que vous savez accrocher un microphone. Ce genre de travail mal fait ne peut l'être que par quelqu'un qui souhaite que le microphone tombe au moment où nous sommes ensemble. » Je suis sûr que ce n'était pas les Irakiens qui l'avait placé mais des spécialistes qui voulaient mettre fin à mes relations avec l'Irak.

O. – Depuis cette époque vous avez gardé des liens avec le président irakien ?

M. – Nous nous sommes revus par la suite. Je suis allé à Bagdad il y a quelques mois. Le président Saddam Hussein voulait parler un peu géopolitique.

O. – C'est-à-dire d'abord de l'interminable guerre avec l'Iran que Saddam Hussein a entreprise en 1980 ?

M. – La guerre avec l'Iran est née d'un affreux malentendu. Sadoun Chaker, maintenant ministre de l'Intérieur et membre du comité de la Révolution, c'est-à-dire de l'instance suprême qui gère le pays, a été remplacé à la tête du Renseignement par quelqu'un qui n'avait pas les qualités requises et qui est en outre, j'ai failli dire hélas, le demi-frère du président, qu'il a mal informé.

C'est le drame des régimes autoritaires. Si le grand chef se trompe, les conséquences sont incalculables. On a fait croire au président Saddam Hussein, qui est un homme solide, dur, qui a de très grandes qualités, que s'il entrait dans ce que les Iraniens appellent le Khouzistan et qui fournit 92 pour cent de la production pétrolière (les Arabes l'appellent l'Arabistan), il y aurait un soulèvement populaire pour applaudir le premier soldat irakien qui se profilerait à l'horizon. Autrement dit, on l'avait flatté. La première qualité d'un chef du Renseignement, c'est de dire la vérité. Il faut un grand courage car parfois, il faut déplaire. Le président Saddam Hussein a été induit en erreur. En réalité, la population ne s'est pas soulevée à l'apparition des Irakiens. Ces populations chiites vivaient sous le contrôle ferme et expéditif des Gardiens de la Révolution et ne pouvaient en aucun cas manifester leur sentiment. C'est ainsi que les Irakiens et les Iraniens se sont enlisés dans cette guerre. J'ai dit au président Saddam Hussein que je la voyais se prolonger encore longtemps.

L'Iran représente trois fois la population de l'Irak, trois fois ses revenus pétroliers. L'Irak dispose, en revanche, de moyens financiers et militaires importants, en matériel de l'armée de terre et surtout en aviation, grâce à l'aide des pays du Golfe et de l'Arabie Saoudite. Son armée est motivée, moderne, centrée autour de Saddam Hussein, galvanisée par l'esprit patriotique, nationaliste, même si 52 pour cent de la population, comme les Iraniens, sont chiites. Mais, jusqu'à présent, ces 52 pour cent ont été plus patriotes irakiens que chiites. En face, on a affaire à un fanatisme moyenâgeux et à une théocratie exploitée par le clergé chiite.

L'immense majorité de l'Islam est sunnite, sans clergé réellement structuré. N'importe qui peut monter en chaire le vendredi pour parler de Dieu ou lire des sourates. Le système chiite est très différent. En Iran, à peu près quatre-vingt mille membres du clergé, dont les évêques (je traduis librement : les ayatollahs), et les mollahs, qui sont les prêtres, exercent une influence politique sur chaque village, chaque bourg, chaque chef-lieu de canton — ce qui n'existe pas chez les sunnites, c'est-à-dire le reste du monde arabe musulman.

L'immense majorité des chiites est concentrée en Iran. On en trouve une tribu peu connue au nord-est de l'Arabie Saoudite et à Bahrein. On assiste à l'ébauche d'un Empire chiite. Il commence au Pakistan et s'étend jusqu'aux bords de la Méditerranée.

Le discours de Khomeiny est porteur. Il est prononcé dans un style et un langage que nous ne connaissons plus : celui des analphabètes. Il parle pour des gens qui ne savent pas lire mais seulement écouter. Le petit livre vert de Khomeiny est quelque chose d'incroyable! Quand je pense qu'il est le chef d'une des puissances importantes du monde et qu'il a publié un ouvrage où il explique très sérieusement que, si par exemple, vous avez eu des privautés corporelles avec votre bourricot, il faut ensuite

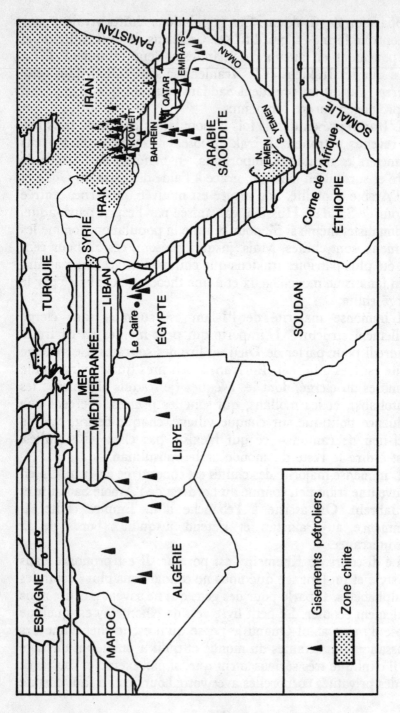

L'expansion chiite du Proche au Moyen-Orient.

Gisements pétroliers

Zone chiite

faire attention au moment où vous allez faire subir le même traitement à votre femme ou votre petite amie... Que Son Éminence se mêle de techniques de ce genre, cela dépasse l'entendement occidental! Voilà le personnage avec lequel nous devons négocier et qui vit toujours au XIᵉ siècle.

J'ai raconté un jour au président Reagan – afin de lui expliquer ce qu'étaient les ayatollahs et les chiites – l'histoire du siège de Béziers où le cardinal-légat du pape, bénissant les troupes avant l'assaut final, s'écria : « Soldats, tuez-les tous; Dieu reconnaîtra les siens! »

Lorsque le président de l'Irak m'a demandé ce que j'avais envie de voir durant ce dernier voyage, je répondis que l'Occident avait été stupéfait d'apprendre l'existence de camps d'enfants prisonniers de guerre, ceux-là mêmes que l'Iran lançait à travers les champs de mines. Je demandai donc à visiter un camp de ces prisonniers particuliers. Il mit à ma disposition un général qui devait me servir de cicerone.

Nous arrivâmes, après un assez long trajet en automobile, en vue d'un camp classique dont on apercevait dès l'arrivée les barbelés et les miradors. J'avais emmené mon interprète personnel, pour des raisons faciles à comprendre. Il y avait là des centaines de gamins dont les plus âgés avaient au maximum dix-huit ans. Ils étaient convenablement nourris et propres. J'ai demandé à voir les toilettes et les cuisines, parce qu'on ne vous les montre jamais. Des professeurs leur apprenaient l'anglais, l'arabe, les langues étrangères et des métiers manuels. On les formait à différents métiers. J'ai demandé au hasard à l'un des gosses : « Quel âge as-tu ? – Treize ans. – Prisonnier de guerre depuis combien de temps ? – Trois ans. » Une simple soustraction permettait de constater que cet enfant avait été capturé à l'âge de dix ans. Beaucoup d'entre eux souffraient de blessures aux jambes ou avaient été amputés auparavant car ils avaient servi à déminer les champs de mines. Ils ne craignaient rien car ils portaient suspendue par une ficelle autour du cou une clef en plastique ou en métal : la clef du paradis.

Il y a, paraît-il, quelqu'un qui fait fortune quelque part en Extrême-Orient en fabriquant par caisses entières ces clefs. Si le gamin meurt durant son passage à travers le champ de mines, il croit avoir la clef du paradis, il y va tout droit! Il est motivé, il court. Lorsque l'infanterie iranienne suit ces enfants démineurs, c'est un peu comme sur les pierres d'un jeu : on saute de cadavre de gosse en cadavre de gosse parce qu'au moins, on est sûr qu'il n'y a plus de mines, là où gît un corps. On a beau être endurci, un tel spectacle laisse songeur. Moi qui croyais avoir tout vu, j'avais enregistré quelque chose de nouveau dans le domaine insondable de l'horreur. Ce soir-là, m'endormant avec difficulté, je me disais : « A la fin du XXᵉ siècle, au moment où l'homme marche sur la lune, voir encore cette boucherie... »

O. – Pourquoi cette guerre est-elle condamnée à durer ?

M. – Parce qu'il y a une sorte d'équilibre entre les forces militaires en présence, parce qu'elle sert l'intérêt de beaucoup de gens, entre autres celui des producteurs de pétrole. Les belligérants pompent et exportent le tiers de leur production normale. Si, demain, l'Iran et l'Irak pompent les deux autres tiers, on assistera à un effondrement majeur des prix du pétrole. L'intérêt des marchands d'armes joue également.

Un certain nombre de puissances étrangères fournissent les deux adversaires. Plus inattendus, Israéliens et Français à travers des circuits très compliqués, procurent secrètement à l'Iran les pièces détachées qui lui sont nécessaires. Enfin beaucoup de gens – et je n'aurai pas la cruauté de les citer – espèrent que l'Irak et l'Iran s'épuiseront mutuellement, car ces deux puissances font très peur dans la région. Différents pays européens sont impliqués. Il s'est fondé récemment des sociétés fantômes en Espagne et au Portugal. Elles fournissent non seulement des pièces détachées, mais réparent des avions, des navires, etc. Dans ce genre d'opérations, l'unité de base ne se situe pas au-dessous du million de dollars... Cela arrange tout le monde. Les Israéliens qui ont fait autrefois des profits substantiels dans cette affaire ont pratiqué une politique de Gribouille. Si demain Bagdad s'effondre – ce qu'à Allah ne plaise –, un immense Empire chiite, établi du Pakistan à la Méditerranée, constituerait un très grand danger pour Israël.

O. – Quel est l'intérêt de la France à alimenter cette guerre ?

M. – Si nous ne vendons pas des avions et de l'armement d'une remarquable technicité ou des fusées aux Irakiens, d'autres le feront.

O. – Au-delà de ce raisonnement traditionnel, ces pays au régime parfois fragile accumulent des quantités d'armements incontrôlables.

M. – Quelle est l'alternative ? Que les grandes nations occidentales reprennent en main ces pays, en fassent de nouveau des colonies, des mandats et maintiennent une sorte de *Pax romana occidentalis* ? C'est une autre formule, mais ce n'est pas celle du siècle. Nous sommes les amis de l'Irak. Il faut continuer. Quelques beaux esprits à Paris ont estimé qu'il fallait aussi faire des affaires avec l'Iran. Je crois que la politique de la France – elle n'est pas la seule à appliquer cette méthode –, qui consiste à reconnaître les États et non pas les gouvernements, est, faute de mieux, la seule. Mais je ne vois pas pourquoi nous soutiendrions l'Iran, avec ce régime qui n'est vraiment pas un régime modèle, alors que nous avons des amis en Irak.

O. – Vous voulez dire que le régime irakien est un régime modèle ?

M. – Pas selon les critères des démocraties de l'Occident. Mais alors il n'y a plus grand monde avec qui faire affaire. L'intérêt de l'Occident, au-delà de la bonne conscience, c'est de savoir choisir ses alliés.

18

Le Shah et l'Ayatollah

MARENCHES. – L'Occident, depuis quelques années, doit affronter un ennemi de plus : l'intégrisme musulman, et surtout sa composante principale, le chiisme. C'est une donnée nouvelle. On n'a pas su la détecter à temps.

Mon remarquable représentant en Iran, le colonel L., fut le premier à déceler, dès 1973, la fermentation qui agitait l'Église chiite, et avec quelle perspicacité! C'est grâce au pétrole que l'Iran a récemment émergé du néant historique. Au début des années 70, on n'avait pas encore exploité les immenses gisements d'hydrocarbures d'Amérique centrale, du Mexique, de la mer du Nord. Maintenant, il y a trop de pétrole dans le monde. Mais, à ce moment-là, la zone pétrolifère, en dehors de l'Empire soviétique et des États-Unis, était, en gros, la péninsule arabique et le sud de l'Irak et de l'Iran. Le Shah, fils du fondateur de la nouvelle dynastie Pahlavi (dont le père – un géant – avait déposé le dernier Roi Kadjar) a vu sa toute-puissance monter au zénith grâce à l'or noir.

Je fus, lors de notre première rencontre, impressionné par le Shah Chahanchah Aryamer (Roi des Rois, protecteur des Aryens). C'était un homme tout à fait occidentalisé, parlant un français comme on souhaiterait que chacun le parlât en France, imprégné de culture française, pas très grand, mince, le geste vif, doué d'une intelligence peu commune et d'une mémoire étonnante.

Si ce n'était son apparence physique, bien connue, on était

incapable, même avec une oreille très fine, de deviner que l'on n'avait pas affaire à un Français, au courant de tout, cultivé. Il était totalement biculturel.

Plusieurs années avant que je ne fasse sa connaissance, un amiral français de mes amis avait été reçu par lui afin de lui présenter un dossier hautement technique. Le même jour un attentat fut commis contre lui par un soldat de la garde. L'Empereur échappa à la mort de justesse mais l'audience ne fut pas annulée ou même retardée. L'officier général français se présenta au palais impérial alors qu'on balayait encore les débris de carreaux et autres objets qui jonchaient le sol. Des traces de sang, témoins de la lutte qui suivit, éclaboussaient les murs. L'officier général français fut introduit auprès du Shah qui, impassible, discuta du dossier en question.

Mon ami, le marin, me raconta que le Shah connaissait parfaitement le dossier jusque dans les moindres détails techniques. Aucune allusion ne fut faite, au cours de cette audience, aux événements qui, quelques instants auparavant, avaient failli endeuiller l'Empire.

Tous les pays occidentaux le courtisaient. Mais la France avait un atout particulier. Il aimait ce qui était français. Il connaissait très bien notre histoire et même les détails de notre politique intérieure. J'ai fait ce qui était en mon pouvoir pour l'intéresser aux grands problèmes de la stratégie mondiale, pour laquelle il avait un goût prononcé. Il voulut bien me prendre en sympathie. Il me demanda de le rencontrer plusieurs fois par an. J'ai essayé de lui donner des conseils, de lui dire comment je voyais les choses du monde. C'était l'un de ces rares hommes avec qui l'on pouvait parler de géopolitique, de stratégie internationale, sans qu'il eût uniquement en tête la politique politicienne comme tant de dirigeants.

OCKRENT. – Vous demandait-il conseil pour ses propres Services secrets?

M. – Ses Services secrets étaient un peu un mythe. Ils n'étaient pas très professionnels. La S.A.V.A.K. était davantage une police qu'un Service de Renseignement, ce qui est souvent le cas dans les pays du tiers monde. Comme ils n'ont pas de

Service de Renseignement, ils choisissent la solution la plus facile, la seule qu'ils aient à leur disposition, celle de prendre des policiers et d'en faire des officiers de Renseignement – ce qui ne marche pas, naturellement.

O. – Quelles étaient à votre niveau, les formes concrètes de cette collaboration franco-iranienne?

M. – La collaboration franco-iranienne consistait à regarder ensemble le vaste monde. Comme l'Iran a deux mille kilomètres de frontières communes avec l'U.R.S.S. et huit cent cinquante-cinq kilomètres avec l'Afghanistan, il était intéressant de voir de Téhéran la partie sud de l'Empire soviétique.

Le Shah avait une bonne vision de ce qui se passait dans le monde, mais pas de ce qui se passait chez lui. Je crains qu'il n'ait été désinformé par son entourage sur la situation intérieure du pays, et l'action de l'Église chiite.

La Perse, puis l'Iran ont toujours reposé sur quatre piliers: le monarque, l'Église, l'armée et le bazar. Nous avons assisté, impuissants, à la prise en main de l'Église, puis à la destruction du trône et de l'armée. Les jeux étaient faits.

O. – A vous entendre, les Services spéciaux français ont été les seuls parmi les Occidentaux à détecter les ferments de la révolution. Comment expliquer que vos collègues américains n'aient pas eu la même perspicacité?

M. – Les Américains avaient entre trente et quarante mille personnes présentes en Iran, en grande partie des techniciens de l'U.S. Air Force, et, bien évidemment, les gens de la C.I.A.

L'une des faiblesses du système américain de l'époque, c'est que Washington estimait d'une manière un peu schématique que le monde est divisé en deux. D'un côté les bons, nos amis; de l'autre, les mauvais, nos ennemis. S'ils sont nos amis, on ne discute pas et on n'y regarde pas de trop près. Selon cette perspective, quand on avait le Shah pour allié, on était tranquille. On le surnommait d'ailleurs le « gendarme du Golfe ».

243

J'avais en main des rapports me signalant : « L'insatisfaction monte... Le clergé s'agite. » Ces rapports devenaient des B.R., bulletins de renseignements, dont l'analyse allait à qui de droit. L'Empereur, dont j'avais la confiance, m'avait dit : « Je compte sur vous pour me dire toujours les choses désagréables que les autres ne me disent pas. »

Le pouvoir est effrayant parce qu'il est autodestructeur. Dans le cas du Shah, c'était pathologique. Ce n'était pas un dictateur, mais un autocrate. Le dictateur d'un pays est un monsieur qui, lorsque le premier membre du clergé local monte dans un minaret pour commencer à faire un discours contre le grand chef, s'arrangera pour que ce soit la dernière harangue qu'il prononcera et sa carrière s'arrêtera là. Un autocrate est un monsieur qui, si le premier membre du clergé local grimpe dans le minaret pour se répandre en discours enflammés contre le grand chef, ne fera rien. Il pourra recommencer impunément par l'intermédiaire du muezzin. La voix des mollahs, porteuse de subversion, se répand tandis que ses échos s'amplifient dans les villes et les campagnes les plus reculées.

O. – Ce qui n'a pas empêché le même autocrate d'avoir moins de retenue, disons, à l'égard d'autres opposants politiques.

M. – Nous sommes en Orient. Nous ne sommes pas aux Champs-Élysées, à Hyde Park ou à Central Park. Il ne faut pas commettre l'erreur fréquente de juger avec notre éthique, avec nos propres lunettes, ce qui se passe chez les autres. D'abord, parce que c'est déformé et parce qu'ensuite nous manquons d'une juste approche. J'ai souvent dit : « Nous, dans l'Occident judéo-chrétien, quand nous voulons être polis, nous mettons des souliers et enlevons notre chapeau. Les Musulmans (six cents millions environ), mettent leur chapeau et enlèvent leurs souliers. Qui a raison ? Il s'agit d'autre chose, c'est tout. »

Je n'avais pas à juger. Ce qui me préoccupait, c'était de conserver une certaine stabilité dans cette région du Moyen-Orient, si vitale pour notre ravitaillement en pétrole, qui fournissait en gros les trois quarts du pétrole de l'Europe et qui transitait à travers le fameux détroit d'Ormuz.

Pour préserver le Shah, il fallait le prévenir de ce qui se passait. Il m'a répété plusieurs fois : « Vous êtes le seul à me dire ça. Les autres m'affirment le contraire. » Ce à quoi je lui ai répondu chaque fois avec beaucoup de déférence : « Sire, la question n'est pas le nombre de voix, mais la justesse des propos. »

O. – A l'époque, Khomeiny était-il en exil en Irak ?

M. – En effet, Khomeiny était en exil en Irak. Mon ami, Sadoun Chaker, chargé, entre autres, de lui, me tenait au courant. Il m'a raconté que l'Ayatollah avait un caractère affreux. C'est un tyran moyenâgeux. Un jour, un enfant de sa famille s'était battu avec un enfant du voisinage. Il voulut que l'on mît à mort celui-ci, qui avait osé lever la main sur son rejeton. Les Irakiens, bien évidemment, ne lui donnèrent pas satisfaction.

Il essayait par ses discours enflammés de fomenter des troubles dans l'Empire iranien. Il avait une vengeance personnelle à assouvir contre le Shah, qui l'avait pourtant épargné en l'exilant en 1963. Le général Pakravan, ancien ambassadeur d'Iran à Paris, qui avait été le mentor militaire du jeune Shah, avait sauvé la vie de Khomeiny, exilé à l'époque, au lieu de lui faire rejoindre ses honorables ancêtres comme certains le proposaient. Des années plus tard, quand le général Pakravan est rentré en Iran, un des premiers actes de Khomeiny fut de le faire arrêter et fusiller. Pourquoi ? Pour qu'il ne raconte pas que l'Ayatollah lui devait la vie.

De 1963 à 1978, Khomeiny, exilé à Nadjaf, a vécu aux frais des Irakiens. A la suite d'un rapprochement entre le Shah et Saddam Hussein, des pourparlers ont été entrepris pour essayer de mettre une sourdine à l'action de Khomeiny.

La même semaine, j'avais envoyé mon directeur de cabinet porter un message verbal à Saddam Hussein. Je lui faisais dire qu'il fallait faire très attention à cet homme, qui me paraissait être un véritable brûlot et qu'il n'y avait rien de plus redoutable que les feux de forêts qui, souvent poussés par le vent, franchissent les routes pour embraser à son tour la forêt voisine – je pensais aux frontières. Puisque les Irakiens voulaient bien m'écouter, ils firent en sorte de ne pas le garder plus longtemps.

Mon envoyé, rentré deux jours plus tard, me rendit compte : « Monsieur le directeur général, vous allez être content : la décision est pratiquement prise par les Irakiens d'expulser Khomeiny. »

Son Éminence prit très mal la chose et menaça ceux qui avaient fourni, à lui et à sa suite, durant tant d'années le gîte et le couvert, de leur réserver le même sort qu'il réservait au Shah.

Bagdad n'avait pas l'habitude de ce genre de langage et, bien entendu, le gouvernement maintint sa décision.

Là-dessus, le saint homme reçut la visite d'une équipe de la télévision française qui lui indiqua que la France était le pays idéal pour quelqu'un comme lui, ce qui confirma chez le vieillard le désir de nous rendre une visite prolongée.

O. – Vous ne voulez tout de même pas dire que ce sont des journalistes de la télévision française qui ont donné à Khomeiny l'idée de demander asile à la France ?

M. – Il y pensait déjà mais, comme ils lui ont affirmé qu'il serait bien accueilli en France, notre homme y a débarqué un jour.

O. – Ce ne sont donc pas vos services qui ont organisé son accueil en France ?

M. – Absolument pas ! Khomeiny est un brûlot et, comme on l'a vu depuis, un énorme danger international.

O. – Comment expliquez-vous que le pouvoir ait jugé bon de le laisser s'installer en France ?

M. – Il y avait deux écoles. Certains, au Quai d'Orsay, estimaient que la tradition de la France, terre d'accueil, devait se manifester de nouveau en recevant Son Éminence. Tel n'était pas mon avis. Je pensais qu'il ferait mieux d'aller en résidence vers des cieux plus cléments, l'Italie, par exemple.

246

O. – Pourquoi l'Italie ?

M. – Parce que le climat y est meilleur. Avant de nous faire bénéficier de sa présence, Khomeiny fit une tentative pour s'établir lui et les siens au Koweit. Les Koweitiens, saisis de frayeur, indiquèrent au saint homme que le climat chaud et humide du fond du Golfe ne conviendrait pas à sa santé déjà précaire.

Cette nouvelle, lorsqu'elle me parvint, me remit en mémoire une scène d'une comédie d'Édouard Bourdet, dans laquelle on disait d'un des personnages, plus très jeune, d'apparence frileuse, toujours malade, mais ne mourant jamais : « Il a une mauvaise santé... de fer ! »

Toujours est-il que Khomeiny arrive le 10 octobre 1978 à Neauphle-le-Château où l'attend un comité d'accueil, renforcé par des enthousiastes, gauchistes de tout poil, venus dare-dare de toutes les grandes universités occidentales, auxquels se mêlent différents spécialistes *ad hoc*.

Je fis savoir à l'Élysée que, selon moi, l'arrivée de cet encombrant visiteur n'était pas une bonne nouvelle. Les brûlots ont pour fonction de mettre le feu à tout ce qui se trouve à leur portée.

O. – Puisque ce sont vos services, et donc vous, qui aviez souligné l'importance du clergé chiite, n'est-ce pas finalement grâce à l'acuité de ces observations que Khomeiny a été accueilli en France, pour miser sur l'avenir ?

M. – Je ne crois pas que les deux affaires soient liées. Je pensais qu'il fallait faire très attention parce qu'une partie du clergé chiite, sous l'influence de Khomeiny, s'agitait de plus en plus contre la monarchie. L'opposition s'était déjà manifestée, en 1963, lors de la révolution blanche durant laquelle le Shah avait saisi beaucoup de terres qui appartenaient traditionnellement au clergé, pour les distribuer aux paysans. Entre autres, des biens de la famille Khomeiny ont été confisqués, ce qui renforça la haine de celui-ci à l'égard de la monarchie, et du Shah personnellement.

Rappelons que le Shah d'Iran était un Occidental, élevé en

partie en Europe. C'est, avec sa maladie, l'une des raisons principales de sa chute. Si le Shah avait eu des réflexes orientaux au moment où se sont manifestés les premiers troubles, il aurait probablement fait en sorte que ceux-ci fussent stoppés immédiatement.

On l'a souvent comparé à son père, un ancien sous-officier, devenu colonel des cosaques qui était, contrairement à son fils, fin et fluet, un géant. A l'époque, on me rapporta un mot terrible qui résumait l'ensemble de la situation : « A son père, on n'osait pas mentir. A lui, on n'ose pas dire la vérité. »

O. – Lui disiez-vous la vérité ?

M. – Il m'avait demandé de toujours lui dire la vérité, en tout cas la mienne. Je l'ai fait. J'ai toujours dit la vérité ou plutôt ma vérité, car qui peut se vanter de détenir la vérité ? Permettez-moi de vous rappeler que mon seul et unique souci était la défense des intérêts supérieurs de la France, de l'Europe et du camp de la liberté. Je n'avais ni désir ni besoin d'avancement – pour aller où ? –, ni de récompense d'aucune sorte.

O. – Lui avez-vous dit : « Faites attention, les mollahs s'agitent dans vos campagnes » ?

M. – Je le lui dis, et j'ai dit aussi : « Attention au bazar. » Je lui ai surtout dit : « Attention à l'administration Carter ! » Je l'ai prévenu que ce personnage désastreux sur le plan national et international qu'était le président Carter avait décidé de le remplacer. Le président américain était totalement ignorant des réalités proches et moyen-orientales et, entre autres, iraniennes. Dans la courte vue de ce personnage boy-scout au visage poupin qui devait tout juste savoir où se trouvait l'Iran, le Shah était un vilain dictateur, qui mettait les gens en prison et, donc, il s'agissait d'y implanter le plus tôt possible le système démocratique, façon U.S.A. Jamais, je le suppose, personne n'avait appris à l'hôte de la Maison-Blanche la règle d'or de l'Orient : « Baise la main que tu ne peux couper. »

J'ai mentionné un jour au Shah le nom de ceux qui, aux

États-Unis, étaient chargés d'envisager son départ et son remplacement. J'avais même pris part à une réunion où l'une des questions abordées était : « Comment fait-on pour faire partir le Shah et par qui le remplace-t-on ? »

Le Shah ne voulut pas me croire. Il me dit : « Je vous crois sur tout, sauf sur ce point. – Mais, Sire, pourquoi ne me croyez-vous pas sur ce point-là également ? – Parce qu'il serait stupide de me remplacer! Je suis le meilleur défenseur de l'Occident dans cette région du monde. J'ai la meilleure armée. Je possède la plus grande puissance. » Il a ajouté : « Ce serait tellement absurde que je ne peux pas y croire! » Et, après un silence, pendant lequel j'ai réfléchi à ce que j'allais lui répondre, je lui ai dit : « Et si les Américains se trompaient ? »

C'est ce qui s'est passé. Les Américains avaient pris leur décision. Comme toujours, ils avaient une vision du pays correspondant à celle des Iraniens qu'ils fréquentaient : ceux qui sortaient de Harvard, de Stanford ou de la Sorbonne et qui représentaient moins d'un pour cent de la population. Aux États-Unis, comme en Europe, on n'imaginait pas que le peuple iranien était composé de gens vivant au XIe siècle. Les Iraniens que côtoyaient les Américains vivaient à Téhéran, fréquentaient les cocktails. Ils auraient mieux fait de délaisser les réceptions où l'on n'apprend rien et où l'on n'attrape que des maladies de foie, pour vivre au contact du petit peuple du bazar et des campagnes. J'engageais mes représentants à observer cette règle.

O. – On avait aussi en Occident une perception qui n'était pas toujours flatteuse du régime du Shah.

M. – La perception occidentale du régime du Shah passait trop souvent à travers le miroir déformant de la S.A.V.A.K. qui, d'après les uns ou les autres, était une espèce de super-Gestapo, plus le K.G.B., multiplié par dix! – ce qui est faux. La preuve, c'est son inefficacité à prévoir les événements et ensuite à les combattre. Quand je pense que le général d'armée Nassiri, patron de la S.A.V.A.K. pendant des années, que l'Empereur, pour l'écarter, avait nommé ambassadeur à Islamabad, est revenu plus tard à Téhéran s'expliquer devant l'Ayatollah! Il a été immédiatement torturé et mis à mort. L'assassinat de Nassiri prouve que, même quand il s'agissait de sa propre survie, le grand chef de la S.A.V.A.K. était incapable d'effectuer une analyse correcte. S'il avait été efficace, le Shah serait encore sur le trône et Khomeiny en exil.

O. – Vous avez suivi de près le déclin du régime?

M. – L'Empereur, de plus en plus rongé par la maladie, voyait sa capacité de travail et de décision diminuer. A un mois d'intervalle, je l'ai vu vieillir de plusieurs années. Ce n'était plus le même homme. Et puis – phénomène qui n'existe pas seulement dans les autocraties orientales –, il était victime de son entourage. Il était désinformé, chloroformé, coupé du peuple.

Le Shah était en train de sortir l'Empire iranien du XIe siècle pour le conduire au XXe, ou peut-être au XXIe. Mais, dans son désir ardent de parcourir en une seule vie des siècles, il commit un certain nombre d'imprudences. Celles d'un homme moderne face à un monde moyenâgeux.

Ainsi, on lui a beaucoup reproché d'être allé à la Grande Mosquée un jour de fête musulmane, en uniforme, et de s'être fait apporter un fauteuil au lieu de se prosterner comme tout le monde. D'autres méchantes langues ont remarqué : « La Shabanou est arrivée avec un tailleur parisien au lieu d'être voilée », etc. Si ces choses font sourire en Occident, elles n'amusent pas des gens du XIe siècle, des foules d'un autre âge.

O. – Aviez-vous mis en garde le Shah contre les dangers de sa propre forme de mégalomanie, la course aux armements, les dépenses somptuaires, la corruption généralisée d'un entourage extravagant et provocant?

M. – Tout à fait.

O. – Vous l'avertissiez aussi de ces excès-là?

M. – Pas exactement en ces termes. On peut les exprimer sous forme de question. Par exemple : « Croyez-vous, Sire, que le pactole du pétrole soit aussi bien réparti qu'il devrait l'être ? » Voilà le genre de choses qu'on pouvait lui dire, qu'il acceptait volontiers de moi et de personne d'autre, à ma connaissance. Pourquoi en allait-il ainsi ? La réponse est simple. Les gens qui l'approchaient étaient terriblement impressionnés et le craignaient. Ils avaient tous le désir d'obtenir quelque chose de lui, cadeau, postes, avantages de toutes sortes... Pas moi.

La corruption est, et a toujours été, une maladie des hommes. Les pays où elle n'existe pas tiennent probablement sur les doigts d'une main et encore! Partout ailleurs, la corruption et le bakchich représentent une approche traditionnelle et ancestrale de la vie. Ce phénomène s'est amplifié en Iran, le jour où la corne d'abondance du pétrole s'est brusquement déversée. Un Niagara d'argent s'est alors abattu sur un pays qui n'était pas prêt à le recevoir.

Les gens de mon Service, présents en Iran, virent sous leurs yeux de grandes fortunes s'édifier, d'innombrables intermédiaires s'enrichir. La lecture attentive des communications, chiffrées ou non, nous ont permis de noter des conversations entre faisans issus de diverses volières qui maniaient des chiffres, avec un nombre impressionnant de zéros...

O. – Et parmi eux, quels Français ?

M. – Malheureusement pour la France, là comme ailleurs, les Français étaient souvent absents. Nous étions beaucoup moins actifs que les Anglo-Saxons, les Allemands ou les Italiens qui ne craignent pas de s'installer à l'étranger pour des mois quand il s'agit d'obtenir un contrat juteux, alors, que trop souvent les Français, à peine arrivés, s'enquièrent des horaires qui leur permettront d'être rentrés pour le week-end. Un des grands personnages de l'Arabie Saoudite me racontait, à l'époque où le prix du baril de pétrole était au plus haut, l'anecdote suivante : ils virent un jour arriver par avion spécial une puissante délégation d'une grande société japonaise conduite par le vice-président. Il était flanqué de toutes sortes de conseillers et de techniciens en tout genre. La plupart de ceux-ci parlaient arabe. Le soin extrême apporté à l'obtention d'un important contrat était tel qu'ils étaient accompagnés des secrétaires capables de taper dans la langue du prophète sur des machines à écrire à caractères arabes. Orientaux eux-mêmes, ils étaient prêts à rester dans le Royaume le temps qu'il fallait afin de gagner. Ce qui fut fait.

O. – Partagiez-vous avec vos collègues américains, par exemple, votre intuition et vos informations sur la fragilité du régime iranien ?

M. – J'en ai parlé à un certain nombre de mes collègues de la famille atlantique mais les Américains n'étaient pas très réceptifs. A l'étranger, nos amis américains ont tendance à rester entre eux. On boit du lait qui arrive par avion parce qu'il ne risque pas d'y avoir de microbes. On vit en vase clos, on se limite au circuit des cocktails. C'est très mauvais.

Un homme de l'ambassade soviétique à Téhéran qui faisait les courses, fréquentait le bazar, connaissait tout le monde, tapait sur l'épaule des marchands et parlait même le farsi populaire, revint des années plus tard à Téhéran pour occuper un poste important à l'ambassade. C'est l'exemple même de ce qu'il faut faire, et que nous avons essayé de réaliser.

O. – Avez-vous essayé, en fonction des mêmes principes, d'infiltrer l'entourage de Khomeiny en France, à Neauphle-le-Château ?

M. – C'était là le travail du ministère de l'Intérieur puisque cela se passait sur le territoire national. Mais je crains qu'en cette occasion le gouvernement français n'ait pas été très bien renseigné sur ce qui se passait dans l'entourage de Khomeiny... Son Éminence utilisait des cassettes pour enregistrer des discours enflammés où il appelait le peuple à la révolte et les forces armées à la désertion. Ces cassettes étaient ensuite transportées par valises diplomatiques en direction de Berlin-Est où se trouvait l'état-major du Toudeh, le parti communiste iranien clandestin. Nous nous sommes alors intéressés à ce qui se passait à Berlin-Est. Nous avons constaté que le parti

Toudeh de Berlin-Est faisait reproduire ces cassettes à des milliers d'exemplaires qui étaient acheminés vers leur destination en Iran, sans problème de transport et de frontière. Là-bas ces bandes magnétiques étaient déposées dans les boîtes aux lettres dè Téhéran, jetées par-dessus les murs des jardins d'Ispahan et d'ailleurs. Ainsi a été inaugurée une nouvelle technique moderne de diffusion subversive.

O. – Vous avez donc averti l'Élysée?

M. – Sur le plan français, j'ai fait en sorte qu'on prie Khomeiny de chercher refuge sous des cieux plus cléments. En d'autres termes, j'ai conseillé que l'on invite Son Éminence à quitter la France. Un matin, mon directeur de cabinet, le très capable Michel Roussin, est venu me voir avec le sourire et m'a dit : « Monsieur le directeur général, voilà, vous avez gagné. Demain ou après-demain, il va être notifié à l'Ayatollah Khomeiny qu'il doit quitter la France. On va le lui dire poliment, mais on va le lui dire. » J'étais rassuré. Le lendemain, mon directeur revient à peu près à la même heure, l'oreille basse : « Monsieur le directeur général, les nouvelles sont moins bonnes. Le vent a tourné. Il reste. » J'étais surpris : « Ah! Pourquoi reste-t-il? – Il y a eu une démarche de l'ambassadeur d'Iran au Quai d'Orsay, disant que le Shah ne voyait pas d'inconvénient à ce que Khomeiny reste en France. » J'ai eu un instant d'émotion et je lui ai demandé : « En êtes-vous sûr? » Il m'a répondu : « Absolument, monsieur. » Éberlué par cette nouvelle aussi insolite que regrettable, je décidai de partir pour Téhéran afin de recueillir de la bouche même de Sa Majesté impériale la confirmation de cet incroyable changement.

Quarante-huit heures après, je prenais un Mystère 20. De nombreux incendies obscurcissaient Téhéran. Une grève générale paralysait l'aérodrome de Mehrabad, l'aéroport de la capitale. Plus d'aide à la navigation et pas de kérosène. Ce Mystère 20 est un bon appareil, mais, comme disent les aviateurs, il n'a pas « les pattes très longues ». Son rayon d'action est trop court. C'est son seul défaut. J'emmenai avec moi M. Michel Roussin, mon aide de camp, et un spécialiste, un jeune et remarquable officier, le capitaine M., qui suivait les affaires iraniennes. Nous sommes allés passer la nuit à Chypre, à Larnaca. Au petit matin, nous avons fait le plein d'essence. Quand nous sommes arrivés à Mehrabad, des hommes aux mines patibulaires y traînaient. Pas de tour de contrôle. J'ordonnai à l'équipage de ne pas quitter l'appareil. Comme je disposais d'un système de communication avec une personne qui appartenait à l'entourage du Shah, une voiture nous attendait. Après une difficile traversée de cette ville immense dont les rues grouillaient de populace, le Shah m'a reçu dans un bureau du palais que je ne connaissais pas.

Premier détail insolite : dans cette petite pièce à la lumière tamisée se trouvait sur un guéridon, dans un angle, une grande lampe surmontée d'un très bel abat-jour qui diffusait une lumière basse. L'Empereur portait d'énormes lunettes fumées qui lui cachaient la moitié du visage. Je ne l'avais jamais vu avec des lunettes de ce genre. Après les salutations d'usage, je lui fis part de ma stupéfaction et du choc que j'avais reçu en apprenant que mon idée d'écarter Khomeiny de Paris avait été récusée à la demande de Sa Majesté elle-même. Après lui avoir rapporté les événements parisiens, je lui dis : « Sire, n'auriez-vous pas par hasard été victime d'un membre de votre entourage, d'une intervention au niveau des transmissions ou d'une trahison de votre ambassadeur en France ? » Il me répondit : « Mais pas du tout ! Cela est tout à fait conforme à mes instructions. »

Constatant mon effarement, il me dit : « Je vais maintenant vous en donner la raison, puisque nous sommes entre nous : si vous ne gardez pas Khomeiny en France, il ira à Damas, en Syrie. C'est trop près de l'Iran. J'ai des informations qui m'indiquent que, s'il ne va pas à Damas, il se rendra à Tripoli chez le colonel Khadafi. C'est ce qui peut arriver de pire. Comme mes relations avec la France sont exceptionnellement bonnes, je vous demanderai de faire savoir au président de la République que je compte sur son amitié pour — et je cite les propres termes du Shah — lui serrer la vis. Et en définitive, j'aime mieux que Khomeiny reste chez vous où il sera contrôlé. »

Je me suis dit en moi-même que, s'il connaissait la culture

française, je n'étais pas si sûr qu'il fût au courant du système de « démocratie molle » qui y régnait et des pauvres moyens dont nous disposions pour faire taire le saint homme qui glapissait de plus en plus fort.

L'instant le plus dramatique de l'entrevue a été lorsqu'il me déclara : « Dites-vous bien, mon cher comte, que je ne ferai jamais tirer sur mon peuple ! » Ayant vu, de l'aéroport au palais, les hordes qui répandaient la terreur dans Téhéran, je lui répondis : « Sire, dans ce cas, vous êtes perdu. »

Lorsque, avec une grande courtoisie, l'audience étant achevée, le souverain me reconduisit jusqu'à la porte, celle-ci s'ouvrit et la lumière crue de l'antichambre pénétra brusquement dans la pénombre du bureau. Le Shah retira ses lunettes avant de me tendre la main. Je le regardai avant de m'incliner et j'aperçus alors son visage en pleine lumière, ce même visage familier que j'avais vu quelques semaines auparavant. Il était ravagé par la maladie qui devait emporter cet homme que beaucoup adulaient, que d'autres détestaient, qui fit tant pour son Empire, qui était en fin de compte au premier rang des personnages de notre époque.

Après avoir été arrêté par une bonne douzaine de barrages militaires, où les soldats, régulièrement, me tenait en joue, le fusil automatique à un mètre de ma tête, nous parvînmes finalement à regagner Mehrabad où notre avion était miraculeusement intact.

Le lendemain matin, j'entrai dans le bureau du président de la République. Valéry Giscard d'Estaing se leva vivement pour venir à ma rencontre : « Alors ? » Et, pour une fois, sans les salutations d'usage, je dis : « C'est Louis XVI. » A quoi il me répondit : « Alors, c'est la fin. » Ayant beaucoup réfléchi depuis à ce drame, j'aimerais qu'un historien de talent écrivît un ouvrage en comparant les funestes destins de Louis XVI, du Tsar Nicolas II et du Shah Mohammed Reza Pahlavi. Ils ont tous trois été vaincus par leur propre faiblesse. Si ces monarques avaient été bien renseignés, ils auraient choisi une autre voie, celle de la fermeté éclairée, ce qui eût changé dans les trois cas le cours de l'histoire.

O. – Quand le Shah a connu l'exil, l'attitude de la France et du président Giscard d'Estaing l'a-t-il déçu ?

M. – Je ne sais pas s'il a été déçu par l'attitude de la France : il ne m'en a rien dit. Il quitta l'Iran sans même un poste émetteur ni un technicien radio qui lui eussent permis de rester en contact avec ses forces armées parfaitement loyales et fidèles et qui, par la suite, subirent une épuration féroce. Il faut savoir que l'administration Carter dans son désir imbécile de changer le système politique de l'Iran, avait fait pression sur le Shah qui, affaibli, ordonna à ses forces armées de ne pas réagir. Mieux, l'ineffable Carter dépêcha en Iran le général Hauser qui, au cours d'une tournée des popotes, prévint les forces armées iraniennes, les meilleures et les mieux équipées de la région, entièrement fournies en matériel américain, qu'elles n'auraient plus une pièce détachée au cas où elles voudraient réagir. Ainsi on mit au pouvoir Khomeiny et déclencha la révolution chiite. L'ensemble des forces armées fidèles et obéissantes à Sa Majesté Impériale n'attendait qu'un signe. Il ne vint pas. L'armée iranienne était une armée classique. Au milieu de la tourmente, quelques chars lourds de la garde impériale tentèrent une action. Ils étaient les mieux armés et parmi les plus modernes de l'époque, mais ils n'étaient entraînés que pour des combats classiques et non pas contre la subversion et la guerre révolutionnaire.

Par exemple, ils ne pouvaient rien contre le Coca Molotov. Comme partout, mais particulièrement dans les pays musulmans puisqu'elles ne contiennent pas d'alcool, les boissons du type Coca-Cola rencontrent un immense succès. En plus, la légende répandue de bouche à oreille a fait savoir à tous les machos du coin que la partie « Cola » est un aphrodisiaque. Ces bouteilles se trouvent partout. Les chiffons, aussi. Le pétrole, de même. Or, une bouteille + chiffons + pétrole = cocktail Molotov. Ces projectiles enflammés, jetés du haut des toits sur les chars lourds, les transformèrent aussitôt en brasiers dans lesquels les équipages périrent. Ils n'avaient aucun moyen de tirer contre un ennemi qui les surplombait.

Pourquoi l'administration américaine de l'époque avait-elle condamné et exécuté son meilleur et plus puissant allié dans cette région hautement volatile et stratégiquement essentielle ? La réponse se trouve sans doute dans un mélange de myopie, de mauvais renseignement et de naïveté historique : nos amis d'Outre-Atlantique croient que leur système démocratique et l'*American way of life* peuvent s'appliquer partout.

O. – Vous avez revu le Shah sur les différents lieux de l'exil ?

M. – Le Shah, parti dans des conditions assez lamentables d'Iran, a été tout de suite reçu par ce grand homme qu'était le président Sadate, qui l'a hébergé. Ensuite, il s'est rendu au Maroc où je l'ai revu dans des circonstances dramatiques. Le Roi Hassan II l'avait reçu avec la famille impériale et installé dans un vieux palais.

Peu de temps après, j'ai appris que les milieux de l'opposition marocaine commençaient à fomenter des troubles, en disant : « C'est une honte d'accueillir le " tyran " dans notre pays. » On m'avait même montré la photo d'un graffitti sur un mur de Casablanca. Pour un musulman, l'animal le plus honteux, c'est le cochon. Le chien vient en second. La grande insulte en arabe est : « Fils de chien! », « Fils de chienne! » On avait fait le jeu de mots suivant : « Le Roi est le chien du Shah. »

Je suis alors allé voir le Roi du Maroc pour lui dire que la présence du Shah dans le royaume chérifien pouvait créer de graves problèmes. Le Roi m'a écouté et m'a dit : « Mais vous comprenez bien que je ne peux refuser l'hospitalité à un homme qui vit un moment tragique de son existence. De plus, il s'agit d'un monarque musulman et vous savez que, pour nous Marocains, l'hospitalité est une exigence sacrée. Le Shah est ici et il pourra rester autant qu'il le souhaite. – Sire, je m'attendais à cette réponse de votre part, mais il me faut maintenant Vous dire une chose extrêmement pénible. Les nouveaux maîtres de l'Iran ont passé un contrat avec un certain nombre de spadassins et de tueurs à gages venant du Proche-Orient pour enlever des membres de Votre famille, la Reine ou les jeunes princes afin de les échanger ensuite contre la famille impériale d'Iran. »

Le Roi serrait les accoudoirs du fauteuil, les mains crispées, le visage tendu. Il m'a dit : « C'est abominable, mais cela ne change pas ma décision. » J'ai essayé de le convaincre. J'ai fait appel à toute la dialectique dont j'étais capable. Je lui ai rappelé qu'il était non seulement le Roi et le chef du royaume chérifien, mais que ses fonctions religieuses, son rôle de gardien du détroit de Gibraltar, si vital pour l'ensemble du camp de la liberté, lui imposaient d'autres responsabilités. A la fin de ce dramatique entretien, je compris qu'il était impossible au Roi du Maroc de demander à Sa Majesté Impériale de partir. Je lui proposai donc de m'acquitter moi-même de cette tâche pénible. Il voulut bien me laisser faire...

L'Empereur me reçut dans le palais qui avait été mis à sa disposition. Il y avait là également la Shabanou. Les enfants avaient été écartés. Ce fut l'un des entretiens les plus tragiques de mon existence. J'avais en face de moi celui qui, peu de temps auparavant, était l'un des hommes les plus enviés, les plus courtisés et les plus puissants de la planète. *Sic transit gloria mundi.*

Je lui racontai les menaces terrifiantes qui pesaient sur la famille du Souverain, son hôte. Je lui fis part de mes craintes quant à l'exploitation par certains éléments de sa présence au Maroc. Le Shah voulut bien considérer ma demande et, dès le lendemain matin, je me rendis auprès du Roi Hassan II pour lui annoncer son départ d'ici deux à trois semaines. Le Shah accompagné des siens s'envola pour les îles Bahamas et le Nouveau Monde avant de s'éteindre plus tard en Égypte.

O. – Le rôle que vous avez joué à ce moment-là, vous était-il dicté par votre propre analyse de la situation ?

M. – Oui, absolument.

O. – Vous n'étiez pas l'émissaire du président Giscard d'Estaing ?

M. – Non. Les deux souverains m'honoraient de leur confiance. Je faisais pour le mieux dans l'intérêt général.

19

Les bourbiers
du Proche-Orient
et d'ailleurs

OCKRENT. – Au cours des quinze dernières années, la menace globale qui, selon vous, pèse sur l'Occident, n'est-elle pas plus compliquée, plus floue qu'au temps de la guerre froide?

MARENCHES. – Les Soviétiques sont des gens qui agissent, en général, par intermédiaire. Ils font rarement les choses eux-mêmes. Ils ont une tringlerie adaptée, parfois très sophistiquée, qu'ils contrôlent au centimètre près. Si l'on regarde la mappe-monde, comme un melon avec ses tranches et ses quartiers, l'homme qui leur sert de relais pour les opérations allant du Canada à la Terre de Feu, c'est Fidel Castro. Leur agent pour ce type d'actions en Afrique, y compris l'Afrique du Nord, c'est toujours le colonel Khadafi. L'équipe qui assure les opérations du même type vers l'Est, en Asie à droite sur la carte, ce sont les vieillards d'Hanoï.

Le monde est encore partagé. Un certain nombre de pouvoirs sont délégués à ces compagnons de route.

O. – Les choses ne sont-elles pas moins simples maintenant que le terrorisme bouscule beaucoup de clivages traditionnels?

M. – Elles sont moins simples aujourd'hui, oui et non. Oui, parce qu'au fil du temps, les méthodes, les gens changent. Mais, aujourd'hui, beaucoup de potentats inamovibles sont encore au pouvoir. Pour les Amériques, Fidel Castro soutient et anime toujours les diverses subversions, Amérique centrale et zone des Caraïbes principalement, c'est-à-dire les approches du canal de Panama. Il s'agit de l'une des artères vitales du monde et la seule qui permette de faire communiquer les océans Atlantique et Pacifique, si l'on ne veut pas être obligé de parcourir des milliers de kilomètres supplémentaires par le Grand Nord arctique ou au sud de la Terre de Feu par le détroit de Magellan.

En second lieu, les staliniens d'Hanoï aident les opérations en Thaïlande et, si on les laissait faire, dans tout le Sud-Est asiatique, dont le Cambodge ne constitue à mes yeux qu'une étape.

En 1975, nous suivions les paliers de la chute de Phnom Penh, capitale du Cambodge, avec vigilance et angoisse. La civilisation abdiquait devant les barbares d'un nouveau style : les Khmers rouges. Nous avions à cette époque comme représentant dans ce malheureux pays, un jeune officier, né sur place et qui parlait khmer. Nous étions donc équipés mieux que quiconque pour suivre les événements. Je ne m'étendrai pas sur l'incroyable génocide qui a exterminé entre le quart et le tiers de la population du pays, dont pratiquement tous ceux au-dessus (et y compris) du niveau du certificat d'études. Peut-être les maîtres de l'Ankhar, dont plusieurs avaient été éduqués au quartier Latin et à la Sorbonne, appliquaient-ils un des mots célèbres de la Révolution française : « La Révolution n'a pas besoin de savants. »

L'arrivée des hordes sorties du fond de la jungle, souvent des gamins vêtus de pyjamas noirs ornés de foulards rouges, maniaques de la Kalachnikov, terrorisa la délicieuse capitale. Très vite, les Khmers rouges firent rassembler tous les Occidentaux dans l'enceinte de l'ambassade de France, seule ambassade dotée d'un grand parc. Il s'agissait de l'ancien palais du gouverneur du Cambodge. Ainsi notre ambassade servit-elle bientôt de refuge à tout ce qui n'était pas cambodgien. Il faut se souvenir que les Khmers rouges avaient l'appui de Pékin et c'est ainsi que, parmi les nouveaux hôtes de notre ambassade, se trouvèrent un certain nombre de représentants du système soviétique et des pays de l'Est.

Ces réfugiés subirent un traitement auquel ils n'étaient guère habitués. Ces procédés brutaux et discourtois nous étaient, en général, réservés. Ainsi des bandes envahirent-elles à plusieurs reprises les locaux des Russes. Au cas où ceux-ci n'ouvraient pas assez vite la porte, quelques giclées d'armes automatiques leur permettaient de comprendre les nouvelles applications du Congrés de Vienne. [1]. Le trafic radio (car nous avions évidemment nos propres moyens codés de liaison entre Paris et Phnom Penh) nous permettait de suivre plusieurs fois par jour l'évolution des événements. L'ambiance était surréaliste. Pour donner un seul exemple, au moment où l'Ankhar décida l'évacuation totale de Phnom Penh vers les rizières et la jungle, un vieil homme tenta d'expliquer à un cadre Khmer rouge qu'il avait un problème car sa femme était paralysée et grabataire depuis des années. Et il montra cette pauvre femme assise dans un fauteuil sommaire.

« Ah, dit le Khmer rouge, si tu as un problème, on va le régler. » Et, d'une rafale de Kalachnikov, il abattit la vieille dame.

« Tu vois, dit-il, tu n'as plus de problème! »

Un après-midi, on m'annonça que la situation autour de notre ambassade empirait d'heure en heure. Mon chef de poste me faisait savoir qu'il pensait que la liaison radio serait prochainement interrompue car les joyeux bambins tortionnaires et assassins commençaient à tirer sur les antennes. Je regardai comme souvent la carte du monde et pensai à ces fourmis noires sorties de la jungle tout comme émergent un certain nombre de peuples du néant historique. Où s'arrêteraient-ils? Jusqu'où leur multitude pourrait-elle déferler?

Il me vint brusquement une idée que, dans l'indépendance absolue qui était la mienne, je décidai d'appliquer sur-le-champ.

Sans en référer à personne, j'envoyai mon fidèle aide de camp, le lieutenant-colonel P., à l'ambassade d'U.R.S.S., pour faire savoir à l'ambassadeur que je souhaitais le voir inconti-

1. L'Empereur Alexandre Ier de Russie, le Roi de Prusse, Talleyrand, Metternich, Wellington, etc. se sont concertés, de novembre 1814 à juin 1815, pour refaire l'Europe après le bouleversement de la Révolution et de l'Empire.

nent à mon bureau. La surprise fut grande, car il s'agissait d'une première, mais l'ambassadeur, M. Stepan Tchervonenko, fit rapidement son apparition à la caserne Mortier, flanqué de l'inévitable interprète. Très interloqué par cette invitation impromptue et qui, bien évidemment, ne passait pas par les filières protocolaires du Quai d'Orsay, avant de pénétrer dans mon bureau, l'ambassadeur s'arrêta un instant devant l'immense épée à deux mains, éclairée par de petits projecteurs, qui ornait l'antichambre. Il ignorait totalement la raison de cette rencontre.

Je lui dis : « Je remercie Votre Excellence d'avoir bien voulu venir aussi vite, mais il s'agit d'une affaire tout à fait spéciale. J'apprends que vous avez un certain nombre de citoyens soviétiques et de ressortissants des pays de l'Est réfugiés à l'ambassade de France à Phnom Penh. »

L'ambassadeur me confirma qu'il était sans nouvelles et craignait le pire, étant donné la façon expéditive et peu conforme aux usages diplomatiques avec laquelle leurs ressortissants avaient été envoyés vers notre ambassade, *manu militari*, traînant de maigres baluchons. « Ils avaient été humiliés. »

Étaient présents à cette conversation dans mon vaste bureau, outre l'ambassadeur, et son accompagnateur, le colonel G. qui parlait russe et moi-même. Je donnai au diplomate la liste des personnels qui bénéficiaient de notre hospitalité. Ils se trouvaient être en bonne santé : « *Spassiba! Spassiba!* » me remerciait-il. Je lui offris ensuite, s'il le souhaitait, d'envoyer par nos moyens radio-électriques spéciaux un message à ses gens lui ayant expliqué que, dans un cas aussi grave, une solidarité supérieure devait se manifester et qu'enfin, je pensais avoir là l'occasion de lui faire une bonne manière qui dépassait les frontières politiques où les étiquettes du moment. Un instant plus tard, l'ambassadeur de toutes les Russies rédigeait un message chaleureux de sympathie et d'encouragement à l'adresse de ses réfugiés. Après son départ, je fis coder son message et expédiai celui-ci. Ce fut d'ailleurs le dernier télégramme que nous adressâmes à Phnom Penh qui avait sombré dans l'horreur.

Les Soviétiques ont eu le temps, depuis, d'apprendre à

262

leur tour, même par vassaux interposés, les complexités de l'Extrême-Orient.

O. – Revenons sur le rôle que joue, selon vous, le colonel Khadafi, au sein du dispositif soviétique. Les relations entre Moscou et Khadafi ne sont-elles pas plus ambiguës qu'avec le régime de Hanoï, par exemple ?

M. – Le colonel Khadafi joue un rôle précieux : il donne l'hospitalité et fournit la logistique de ses camps d'entraînement à divers groupes terroristes, tandis que ses forces occupent toujours le nord du Tchad.

Un ancien Premier ministre tunisien, ce bon M. Hedi Nouira, m'a raconté une anecdote intéressante. En visite à Pékin, il discutait autour d'une tasse de thé avec cet homme d'une finesse extrême et d'une grande expérience internationale qu'était Chou En-lai, très grand mandarin chinois sous sa défroque communiste. Pendant longtemps, avant leur rupture, les deux grands Empires communistes, Moscou et Pékin, avaient partagé les secrets de la conquête du monde par la Révolution prolétarienne. Le Tunisien a expliqué à Chou En-lai que son pays était sur le point de fusionner avec la Libye. Chou En-lai l'a arrêté au milieu de la phrase et lui a dit : « Il faut que vous sachiez que le colonel Khadafi est l'agent supérieur des intérêts soviétiques pour la région Sud-Méditerranée. » Fin de citation.

O. – Khadafi ne serait qu'un exécutant de Moscou ?

M. – Non, il ne faut pas mettre Khadafi dans le même panier que Castro. Castro est un vieux militant communiste qui n'a pas les coudées très franches pour la bonne raison qu'il vit aux crochets des Soviétiques en leur vendant son sucre au prix qu'ils décident. Khadafi, c'est tout le contraire. Il est moins facile à manipuler. C'est un mégalomane qui est probablement, disent certains spécialistes, à un stade assez avancé de la maladie. Mais il a, aux yeux des Soviétiques, une qualité extraordinaire. Non seulement, il n'a pas besoin de plusieurs millions de dollars par jour, mais, jusqu'à récemment, quand le

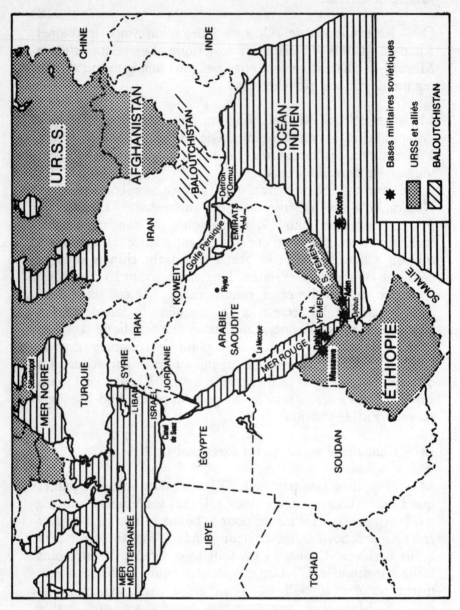

Bases militaires soviétiques au Proche et au Moyen-Orient.

prix du baril de pétrole était encore élevé, il achetait des armements russes en tout genre, air, terre, mer, qu'il payait comptant et en devises fortes. Comme beaucoup d'Africains, il n'a confiance que dans sa tribu. Il a donc disposé beaucoup de ces objets d'art militaire de haute technologie dans les rivages de la Grande Syrte, près de sa tribu d'origine. Avec la proximité de la mer et le sable, ces matériels supersophistiqués souffrent en permanence. Alors, il a été obligé de demander aux pays de l'Est un certain nombre de techniciens ou de militaires habillés en ouvriers pour entretenir ces matériels. Comme ils s'abîment terriblement, il faut les renouveler et, à ce moment-là, les Soviétiques reviennent et ils revendent encore du matériel. Un très bon système!

Khadafi peut aussi leur être utile par la démesure de ses ambitions. Il rêve de devenir le chef d'une sorte d'Empire qui irait, en gros, de la mer Rouge à l'Atlantique. Plus loin, je ne suis pas sûr qu'il roule pour lui.

Un exemple. Il y a un certain nombre d'années, je reçois la visite, comme chaque année, du chef des Services néo-zélandais, un bon ami à moi. Nous n'avions pas, à l'époque, mis en route un certain nombre de manœuvres regrettables et nous comptions encore quelques amis parmi nos alliés. Il revenait de Londres où il allait tous les ans passer une semaine auprès des grands frères des Renseignements britanniques. Il s'arrêtait à Paris pour une journée en ma compagnie. A la fin de cette journée très agréable, le patron des Services néo-zélandais m'a dit : « Évidemment, je suis passionné par tout ce que vous me racontez sur le vaste monde. Habitant aux antipodes, je n'ai pas grand-chose à vous dire de mon côté, et je m'en excuse. Cependant, j'ai quand même une information qui vous intéressera. Vous m'avez souvent parlé des problèmes de la zone méditerranéenne, des problèmes du Maghreb, des problèmes de l'ensemble du monde arabe et musulman, et entre autres, du colonel Khadafi. Un de mes informateurs m'a dit, il y a quelques semaines, que deux agents du colonel Khadafi étaient allés trouver, munis d'une valise qui semblait peser lourd, le Roi des îles Tonga. Au cas où la position des îles Tonga ne vous serait pas familière, je vous engage à prendre une carte du monde et à regarder dans l'océan Pacifique, très au sud, avant que vous n'arriviez à l'Antarctique. On y voit un groupe d'îles, les îles Tonga. »

J'ai trouvé cette information passionnante et j'ai demandé à l'un de mes marins en chef d'aller se promener du côté de l'état-major de la marine. Pourquoi les îles Tonga ? La réponse est claire : les îles Tonga, en cas de guerre militaire (je fais la différence entre la guerre globale que nous subissons constamment et la partie militaire de la guerre), ces îles feraient une excellente base pour sous-marins. Comme on imagine mal la marine libyenne installant une base au bout du monde, le colonel Khadafi ne pouvait agir que pour le compte d'une marine extrêmement puissante. En procédant par déduction, comme il ne pouvait s'agir de la marine américaine, je crois qu'on trouve assez vite...

O. – Khadafi a bien été la cible de divers services de Renseignement occidentaux, et il est toujours là.

M. – Les Services alliés ont pensé depuis de très nombreuses années à éliminer d'une façon ou d'une autre le colonel Khadafi, mais il n'y a jamais eu d'action réellement organisée et importante. Il n'y a même pas eu, sur ce sujet, une rencontre entre les patrons des grands Services alliés. Je pensais que c'était un homme dangereux pour l'Occident. Un certain nombre de choses auraient pu être faites, pour éventuellement négocier ensuite en position de force avec lui. Par exemple, il y a une opposition libyenne importante à l'étranger, non seulement des partisans de l'ancien Roi Idris, mais toutes sortes de gens, des hommes d'affaires qui ont eu maille à partir avec les sbires du colonel. A ma connaissance, personne n'a groupé ces gens-là. Personne n'a même fait une étude pour savoir qui sont ces opposants libyens et ce qu'ils proposent. Je crois aussi qu'il fallait étudier la possiblité d'une action commando. On aurait pu profiter de certaines attaques des forces libyennes du Tchad. Je pense que nous avons, nous Français, manqué une occasion quand une colonne libyenne de plusieurs centaines de véhicules descendait vers Faya-Largeau. Un passage de Jaguar aurait pu les anéantir, ce qui aurait sans doute provoqué des réactions décisives à l'intérieur de l'armée libyenne et du pays.

Au cours des années 70, il y a eu contre Khadafi quelques attentats : les Égyptiens par exemple ont songé à se défaire de lui physiquement.

O. – Le président Sadate, à l'époque, vous a-t-il consulté?

M. – Oui. Le président Sadate, l'un des hommes d'État de notre temps, ressemblait à un général anglais si ce n'était son teint nettement plus bronzé. Assez grand, bien fait de sa personne, les moustaches très *british,* revêtu de costumes confortables en toile du type saharienne, il fumait souvent la pipe. Il s'agissait d'un de ces hommes exceptionnels que l'Histoire veut bien susciter de temps à autre à un moment privilégié.

Son drame, c'est que, lorsqu'il voulut trouver dans les affaires si compliquées de la région une voie médiane, les extrêmes se refermèrent sur lui.

O. – Il vous a demandé comment se défaire du colonel?

M. – Oui, le 1er mars 1978.

O. – Que voulait-il? Votre conseil? L'assistance technique du S.D.E.C.E?

M. – Peut-être les deux. En réalité, c'était une question un peu farfelue. Je ne me trouvais pas à la tête d'une équipe de tueurs à gages. Pour ceux qui veulent effectuer une opération de ce genre, la grande difficulté est d'approcher la cible. Pour approcher la cible, il faut se fondre dans le paysage. On ne peut exécuter ce genre de besogne que dans des pays où les chargés de mission ressemblent à la population locale. Admettons qu'un pays ait voulu s'offrir les services d'un membre de la Mafia américaine, par exemple : les fines gâchettes de l'*organized crime* vous expédient quelqu'un *ad patres* avec une étonnante désinvolture, et une précision remarquable. Souvent du « travail » bien fait. Si l'exécuteur des basses œuvres débarquait vêtu d'un costume sombre, avec ses chaussures en crocodile pointues, sa cravate voyante, ses lunettes fumées, son feutre enfoncé sur

267

les yeux et son cigare, type bâton de chaise, vissé au coin de la bouche dès le matin, il serait vite repéré. Ceux qui tentent ce genre d'opération doivent utiliser des « locaux » qui ont une physionomie, une morphologie et des vêtements qui leur permettent de passer inaperçus.

O. – Qu'avez-vous répondu à Sadate ?

M. – J'ai répondu au Raïs que je n'étais pas à la tête d'une organisation qui effectuait ce genre de travail. A l'époque, il y avait, présents en Libye, deux cent cinquante mille Égyptiens, soit en gros, 10 pour cent de la population. Le président a dû reconsidérer la question car jamais il ne m'en reparla. C'est lui qui mourut des mains de tueurs drogués par le fanatisme.

O. – Est-ce qu'il est exact que le président Giscard d'Estaing voulait lui aussi monter une opération contre Khadafi et que vos Services s'y sont employés ?

M. – C'est absolument faux ! On a raconté à ce sujet une histoire rocambolesque dans laquelle on a voulu « mouiller » l'un des membres de mon équipe, le colonel de M.

O. – Et les Services américains ?

M. – Les Américains ne tuent pas les gens qu'ils considèrent comme leurs ennemis. Ils ne le font pas pour deux raisons. D'abord une raison morale : l'Amérique est un pays moralisateur. Ensuite, la C.I.A. ne dispose pas, à ma connaissance, d'hommes techniquement capables d'effectuer ce genre de travail.

O. – Ils n'ont pas de service Action ?

M. – Le Service Action ne sert pas à assassiner les gens ! Les Américains n'ont pas les quelques spécialistes qui pourraient servir à ce que, dans le jargon des Services spéciaux, on nomme les opérations « homo », homicides. Ils pourraient éventuellement les financer en faisant appel à des gens qui passent des

« contrats » et qui appartiennent à l'univers si vaste aux États-Unis, de l'*organized crime*. Ces gens-là sont peu fiables. Ils sont parfaits pour encaisser l'argent, mais beaucoup moins efficaces pour exécuter ensuite le contrat. Exécuter sans jeu de mots, bien entendu.

Depuis l'affaire du Watergate, la C.I.A. a les plus grandes difficultés à organiser des opérations totalement secrètes. J'avais un jour calculé le nombre de comités, internes ou externes à l'organisation, par lesquels devait passer la décision d'une telle opération. L'ensemble de ces comités rassemblait au moins une centaine de personnes et la presse aurait été littéralement au courant dans l'heure qui aurait suivi.

L'administration Carter a démantelé la partie humaine des Services de Renseignement des États-Unis. La partie technologique est restée intacte et très performante grâce, entre autres, aux satellites d'observation que les Européens n'avaient pas. Mais le capital humain a été quasiment massacré par une administration qui, par naïveté, par angélisme, a fait un travail que l'adversaire n'aurait pas pu accomplir, même s'il y avait travaillé pendant des dizaines d'années : ils se sont suicidés eux-mêmes en permanence. Bien sûr, nous retrouvons là le problème de fond que posent les services de Renseignement dans les démocraties.

Les États-Unis en ont fait la cruelle expérience en Iran. Nos amis américains étaient venus me voir dès la prise des otages de Téhéran en avril 1980. Ils m'ont posé la question : « Qu'est-ce qu'on peut faire ? » Le temps qu'ils arrivent à Paris, qu'ils me posent la question, il y avait déjà deux ou trois jours que l'opération avait eu lieu. Je leur ai dit : « Je ne vois pas très bien ce que vous pouvez faire parce que, si on avait pu se poser la question dans les cinq minutes qui ont suivi cette opération, je vous aurais peut-être suggéré une opération en forces héliportées au-dessus de l'ambassade et, dans le désordre des premières heures, il y avait peut-être quelque chose à tenter, quoique très risqué. » Plusieurs jours après, j'ai pensé qu'une telle opération était inconcevable, parce qu'en admettant même qu'on arrive dans cette ville grouillante de trois millions de gens et qu'on ait pu se poser dans les jardins de l'ambassade ou sur les toits, on n'aurait pas résolu le problème : les « Fous de Dieu », les gardiens de la Révolution, qui avaient ficelé les otages, auraient eu le temps de les assassiner. Peut-être aurait-on tué un certain nombre de ces gens-là, mais on n'aurait pas récupéré les otages. Ce n'était pas possible.

O. – Vous avez fait d'autres suggestions ?

M. – Les Américains m'ont demandé de réfléchir. C'est ce que nous avons fait. Non seulement nous y avons réfléchi, mais nous avons fait en sorte que des gens hautement spécialisés aillent regarder un peu ce qui se passait, à Téhéran et ailleurs. Quand vous voulez discuter d'une façon générale avec un terroriste ou un maître-chanteur, il faut examiner vos cartes et les siennes. Là, il était évident que les Américains n'avaient aucune carte, aucun moyen de pression d'autant plus qu'on est en face de gens qui ne partagent pas la même logique. Nous nous sommes aperçus que l'Ayatollah allait assez fréquemment chez lui dans la ville sainte de Qom. Il résidait dans un quartier assez tranquille, pas très loin d'un terrain vague où auraient pu se poser des hélicoptères. L'idée était de se saisir de Son Éminence et de l'amener ensuite, poliment, mais ferme-ment, sur un navire dans le nord de l'océan Indien, dans la mer d'Oman. C'était un peu l'opération « La Balue », comme l'avait fait Louis XI avec le cardinal du même nom. Je ne suis pas sûr que nos amis américains aient été tout à fait au courant de l'affaire du cardinal La Balue, mais enfin, l'idée était là, et elle était réalisable. A ce moment-là, évidemment, tout changeait puisqu'ils auraient pu échanger le saint homme contre les otages de l'ambassade. Ce projet a été très loin et très haut puisqu'il a été présenté au président Carter lui-même. Et le président Carter, tout en trouvant l'idée originale et passion-nante, a répondu : « On ne fait pas ça à un évêque et surtout à un homme de son âge ! » Fin de citation.

O. – Ce sont des considérations qui l'honorent.

M. – Sur le plan de l'humanisme, mais pas sur celui de l'efficacité. Au delà des mésaventures iraniennes, il faut savoir

270

que les États-Unis ont voté une loi stipulant qu'il était interdit d'assassiner au nom de la raison d'État. Moi, je trouve très bien qu'on interdise l'assassinat, mais je pose la question suivante : Peut-on le faire au cours des guerres ? Où commence la guerre ? Où commence le temps de paix ? Aujourd'hui, on va s'incliner sur les tombes innombrables de Verdun. Là, on tuait légalement. Quelle est la différence entre une opération du Service Action et une action de commando faite par des militaires en uniforme ? Quelle différence encore avec l'assassinat par sarbacane, par exemple, d'un trafiquant d'armes quelque part en Europe ? Où se situe la frontière entre la tuerie légale et la tuerie illégale ? Tout cela n'est-il pas recouvert d'une immense hypocrisie ? Je pose la question.

O. – C'est une question que vous vous êtes posée pendant les onze ans où vous étiez à la tête des Services ?

M. – Il faut toujours laisser planer le mystère sur un certain nombre de choses.

O. – Avez-vous donné l'ordre d'exécuter ce qu'on appelle, dans votre jargon, des opérations « homo » ?

M. – C'est une question à laquelle, bien entendu, je ne peux pas répondre, parce que, si je vous réponds « oui », c'est abominable et, si je vous réponds « non », de toute façon, on ne me croira pas. La seule chose que je veux dire, c'est que, en aucun cas, un patron des Services secrets ne devrait prendre la décision d'une action de ce genre sans l'accord, en tout cas tacite, du chef de l'État.

O. – Dans les cas de terrorisme et de prises d'otages, est-ce que vous considérez que l'une des seules ripostes possibles, c'est d'employer finalement les mêmes moyens ?

M. – Quand vous avez affaire à des irréguliers, à des terroristes et à des francs-tireurs que l'on baptise souvent terroristes et vice versa, il n'y a plus de règle. Tous les coups sont permis. Là, je crains qu'il ne faille, devant l'horreur absolue, se résigner à un certain nombre de moyens très difficiles à prendre pour des Occidentaux.

O. – Ces moyens, parfois, vous les avez pris ?

M. – Je ne ferai pas de remarque à ce sujet.

O. – Si vous étiez aujourd'hui à la tête du S.D.E.C.E. ou de la D.G.S.E., face aux Français détenus au Liban par des groupuscules divers, que feriez-vous ?

M. – Il est très difficile de répondre à une question de ce genre parce que je ne connais pas le dossier. J'ignore quels sont les renseignements que possèdent les Services français qui n'ont d'après ce qu'on dit, peut-être plus l'efficacité qu'ils ont eue à une certaine époque sur ces milieux-là. Il faut savoir que ces groupuscules naissent comme des champignons après la pluie. Certains se maintiennent des années, d'autres n'existent que vingt-quatre heures pour une seule opération. Si on n'a pas quelqu'un d'infiltré à l'intérieur du groupe terroriste, il est très difficile d'être renseigné.

O. – On peut aussi tenter des opérations coup de poing... comme les Soviétiques.

M. – On a raconté, mais ce n'est pas prouvé, que les quatre Russes qui ont été enlevés à Beyrouth étaient des gens du G.R.U., des Services de Renseignement de l'armée. Le G.R.U. aurait ensuite kidnappé un certain nombre de gens des milieux Libanais qui auraient pu faire le coup. Ils se seraient mis à en tuer un par jour jusqu'au moment où on leur a rendu les survivants. Mais ce n'est pas prouvé à cent pour cent.

O. – Ce serait là une méthode efficace ?

M. – Cela me semble une des rares méthodes efficaces parce que là on n'a pas affaire à notre forme de logique. Notre cartésianisme nous empêche de comprendre beaucoup de ces événements.

O. – En admettant que les Services français aient à leur disposition suffisamment d'informations sur la localisation de tel ou tel groupe détenant des otages français, est-ce que vous auriez, vous, monté une opération?

M. – Si on est sûr que le groupe X détient nos otages – et on ne peut le savoir que par le Renseignement –, il n'y a pas d'autre méthode. On sait aussi que se baladent en France des membres du même groupe, accompagnés ou non de leurs familles. Ce n'est pas la peine de s'en prendre à la piétaille; mais si, dans certains palaces bien connus, on repère des familiers et de la famille des gens qui sont à la tête de ce groupe X, je crois qu'il faut se saisir de ces gens-là et ensuite négocier. On le sait bien. Si vous n'avez rien dans les mains et qu'en face vos adversaires possèdent des atouts, comment négocier?

O. – Pourquoi est-ce que ça n'a pas été fait?

M. – Parce que probablement la décision politique n'a pas été prise dans ce sens. Je crois que nous aurions le moyen de le faire. Je ne suis pas persuadé que nous ayons les moyens d'être bien renseignés. Le renseignement précède l'action. Sans renseignement, il n'y a pas de possibilité d'action.

20

En guerre :
le terrorisme

MARENCHES. – Depuis une vingtaine d'années, j'avertis tous ceux qui veulent bien m'écouter. Ne croyez pas que l'explosion des premières armes nucléaires marquera le début de la troisième guerre mondiale. Celle-ci est commencée depuis de nombreuses années. Nous sommes à l'intérieur même de ce troisième conflit, mais nous ne le savons pas parce qu'il n'a pas les formes et les apparences des guerres classiques d'autrefois. Les seules évidence militaires de cette guerre, ce sont les conflits locaux ou régionaux (Afghanistan, Amérique centrale, Erythrée, etc.). C'est aussi le terrorisme qui choque tant les populations des « démocraties molles ».

Lénine n'a-t-il pas dit : « La violence est la sage-femme de l'Histoire » ?

Le conflit, lui, dans sa partie, si j'ose dire « civile », intervient dans la lutte pour le contrôle des matières premières, le contrôle psychologique des populations par les media, les Églises, l'enseignement, la désinformation sous toutes ses formes.

Personnellement, et au risque de choquer beaucoup de gens, entre autres dans les milieux officiels, je pense qu'un conflit atomique en Europe de l'Ouest a peu de risques d'éclater, pour une raison simple. Si les forces du pacte de Varsovie envahissaient un jour notre Europe, ce serait pour prendre le contrôle des immenses moyens technologiques et industriels de la C.E.E.

La puissance industrielle de l'Europe ajoutée à celle de l'Europe soviétique formerait un ensemble plus fort que les États-Unis.

De plus, les communistes, par religion, ne détruisent pas les moyens de production, usines et machines. Ce sont les anarchistes, gauchistes et autres qui cassent. Pas eux.

Dernier argument : les troupes du pacte de Varsovie stationneraient-elles dans des pays ravagés par l'atome ? Non. Je ne suis pas en train de dire qu'il faut renoncer aux armes atomiques. Mais je crois que, si la partie militaire du conflit devait se déclencher en Europe, elle serait conventionnelle avec peut-être l'emploi d'armes nucléaires tactiques, sans l'emploi des armes atomiques massives de grande destruction.

Méfions-nous des technocrates glacés : ils ne comprennent rien au soldat politique. L'arme nucléaire française n'est-elle pas en quelque sorte et pour beaucoup une nouvelle ligne Maginot derrière laquelle on peut ronronner tranquillement ?

OCKRENT. – Est-ce que les démocraties sont en mesure de gagner la guerre du terrorisme ?

M. – Nous risquons de perdre parce que nous sommes encore des guerriers classiques. Nous n'avons pas compris qu'il existe désormais une nouvelle forme de guerre à laquelle nous ne sommes pas préparés. S'agit-il des tentacules d'une même hydre ou y a-t-il plusieurs têtes ?

Je crois que c'est un mélange des deux. Un terrorisme local peut naître d'un groupe de trois copains qui se réunissent dans l'arrière-salle d'un bistrot au Moyen-Orient, chez le *Kawadji*. En sirotant le café ou en fumant la pipe à eau, ils se disent : « Tiens, si l'on montait un coup ? » Cela peut s'étendre jusqu'aux principales formes du terrorisme international, celles-là, animées, financées, organisées, armées souvent par la grande centrale qui les utilise de par le monde. En général, elles remontent vers Moscou à travers une tringlerie compliquée et adaptée et où, naturellement, n'apparaissent pas les chefs. Quand le groupe de copains commence à être connu des milieux du terrorisme international, il devient récupérable, à

276

condition qu'il soit efficace. Ces terroristes sont souvent au départ des groupes folkloriques, parfois de droite. On met des chapeaux ronds, on joue du biniou et on essaie de retrouver les racines de la bonne duchesse Anne, par exemple.

Cela finit très à gauche avec les Irlandais, soutenus par les Libyens. Il y a quelques années, on avait découvert des fonds qui avaient transité par les séparatistes québécois, l'I.R.A. irlandaise et, de là, en Bretagne, sous un déguisement gaélique.

Les grands défecteurs confirment ces informations. Ils sont passés de l'Est à l'Ouest depuis vingt-cinq ans. Quelques-uns ont assisté à la mise en place de la centrale du terrorisme destinée à déstabiliser l'Occident.

La plupart des grands Services occidentaux connaissent assez bien la topologie des organisations, la localisation de leurs camps d'entraînement. On sait qu'il y a eu, qu'il y a toujours en Libye, en Syrie, au Sud-Yémen et ailleurs, des camps d'entraînement où se pratique un très grand œcuménisme. Des pèlerins, d'un style très particulier, affluent du monde entier pour s'initier aux techniques de sabotage, selon le manuel du parfait terroriste. Les professeurs n'y sont pas issus d'une même nation. Il ne faut pas croire qu'il n'y ait que les Palestiniens d'extrême gauche ou que des gens de l'Est pour répandre cet enseignement. Nier l'existence de ces camps est un exercice de désinformation type. Évidemment, les organisateurs ne vont pas dire : « Oui, c'est vrai, bien entendu » et envoyer leurs photos dédicacées. Lorsque d'anciens élèves venus d'horizons différents racontent la même histoire, qu'ils décrivent les méthodes d'entraînement dans ces camps, on est forcé de reconnaître que tout cela est, hélas, exact.

Le non-professionnel du coin, lorsqu'il manie des explosifs, ne les manie souvent qu'une seule fois et c'est la dernière... Un amateur, si distingué soit-il, fruit des amours interdites d'un boy-scout et d'une enfant de Marie, est incapable d'assassiner froidement, d'utiliser des explosifs ou de se servir convenablement d'un fusil à lunette. J'ajoute que, lorsqu'il s'agit de fanatiques plus ou moins religieux, il existe une autre forme d'entraînement qui est l'entraînement psychologique. Quand on explique à des garçons qu'ils doivent conduire un camion

277

fou chargé de dynamite contre un objectif avec lequel ils vont sauter, il est certain qu'en dehors de la partie technique, la drogue psychologique est décisive. Il s'agit de leur faire la bonne piqûre, sans seringue : l'ambiance dans laquelle ils baignent durant des mois les persuade qu'en cas d'accident sur cette terre, ils monteront tout droit au ciel.

O. – Plusieurs formes de terrorisme apparaissent parfois simultanément dans des lieux différents : prise d'otages au Liban, détournement d'avion à Athènes, explosion au Salvador, bombe à l'aéroport de Francfort. Coïncidence entre des logiques d'action différentes, ou logique unique ?

M. – La logique est très simple. On n'invente pas un motif de terrorisme. On prend des motivations qui existent, au niveau historique, politique ou géo-historique. Un exemple : le terrorisme arménien existe dans le monde entier. Il se trouve en France une communauté arménienne, de l'ordre de trois cent mille personnes pourtant très bien assimilées. Ce terrorisme est fondé sur le génocide des Arméniens, c'est-à-dire le massacre d'une grande partie de cette population par les Turcs, dans des conditions abominables, en 1915.

O. – Ce terrorisme arménien a manifestement changé de nature au cours des années 80, dans le chaudron libanais ?

M. – Il reste essentiellement antiturc. La preuve, c'est qu'on tue des diplomates turcs un peu partout dans le monde. C'est la vengeance de la deuxième génération arménienne, des petits-enfants des gens massacrés.

O. – Quand vous les dirigiez, vos Services se sont-ils mêlés du terrorisme basque ?

M. – Le S.D.E.C.E. avait à connaître cette forme de terrorisme par ses ramifications extérieures. Le Service, je le rappelle, opère en dehors des frontières françaises.

O. – L'Espagne est en dehors de la France...

M. – Dans les hautes sphères gouvernementales, on avait tendance à sourire : « Ah! Les Espagnols, eh bien, c'est leur problème! » Au cours des réunions au plus haut niveau, j'écoutais, puis je concluais : « Méfions-nous, il s'agit d'une affaire internationale. » Il y a à peu près deux tiers de Basques en Espagne et un tiers chez nous. Je prenais la liberté de dire à ces messieurs que, si les explosions avaient malheureusement lieu en Espagne, il y aurait des retombées chez nous.

On en a pris conscience, comme d'habitude, trop tard. La grande faiblesse des nations occidentales devant les agressions internationales, et particulièrement le terrorisme, c'est que nous continuons à penser en termes nationaux, alors que les terrorismes fonctionnent en termes internationaux, globaux. Les Basques pensent au minimum en termes de Basques, c'est-à-dire de Basques hispano-français. Nous pensons, nous, en termes français ou espagnols.

Pendant des années, il n'y a pas eu de bonne coopération, réelle et franche, entre le gouvernement français et le gouvernement espagnol. Chacun jouait sa propre partie. Maintenant, d'après les résultats, cette collaboration commence à prendre forme. Mais on a perdu des années en essayant de jouer au petit malin. Le terrorisme est une maladie internationale. Les microbes ne connaissent pas de frontières. Si nos voisins les attrapent, nous risquons d'être aussi bien contaminés par le terrorisme que par le Sida.

Un jour, en septembre 1974, l'ambassadeur de France à La Haye a été séquestré cinq jours par un commando japonais. Il a d'ailleurs fait preuve d'un grand courage. Nous avons assisté à l'opération. C'était effrayant. Il s'agissait de l'Armée révolutionnaire rouge japonaise. On s'est aperçu qu'on avait relâché peu de jours auparavant le chef de ce groupe terroriste extrêmement dangereux. Quelques jours plus tôt, où était-il? A la prison de la Santé. On l'avait mis à l'ombre pour je ne sais quelle raison et puis on l'a relâché, sans que les Services spéciaux en fussent avertis. C'est bien dommage car nous aurions prévenu nos collègues hollandais et évité ainsi une humiliation regrettable pour la France. Cet homme s'est ensuite rendu tranquillement à La Haye pour organiser l'attentat contre l'ambassadeur de France.

O. – Entre 1970 et 1981, il y a eu des tractations entre le gouvernement français et certains groupes terroristes pour qu'ils épargnent la France. Je pense à l'affaire Abou Daoud par exemple. Vous étiez dans le coup?

M. – Absolument pas! Des contacts ont été pris par d'autres éléments du gouvernement. Si vous me demandez ce que j'en pense à titre personnel, je répondrai que c'est une grande lâcheté que de traiter avec des groupes terroristes et surtout d'essayer de les pousser ailleurs pour qu'ils ne vous compliquent pas la vie. Céder au chantage incitera naturellement les gens sans scrupules qui ont obtenu le maximum d'un gouvernement, à recommencer leur sale coup sur d'autres victimes. Enclencher le mécanisme de la peur est dangereux. Y céder, pire encore.

O. – C'est pourtant ce qui a été fait?

M. – C'est ce qui a été fait dans certaines occasions, je le crois, oui.

O. – Vous étiez au courant de ces occasions?

M. – Non.

O. – Cela s'est fait sans vous, mais vous étiez au courant?

M. – Je l'ai appris par la suite.

O. – C'était pourtant une époque, vous l'avez dit, où la coopération était très étroite entre vos Services et la D.S.T.

M. – C'est vrai. Mais ce n'est pas la D.S.T. qui passait des accords de ce genre. Ils étaient décidés au niveau politique.

O. – C'est-à-dire par l'Élysée?

M. – Ces affaires du terrorisme ont, en général, été menées par les services du ministère de l'Intérieur.

O. – Elles ne concernaient pas du tout vos Services?

M. – Au cours des dernières années, une fois par mois, avait lieu un déjeuner de travail dans le pavillon de musique de l'hôtel Matignon, au fond du parc, entre un certain nombre de hauts responsables des problèmes de sécurité, le directeur de cabinet du Premier ministre, le directeur général de la police nationale et quelques autres.

O. – Vous y participiez vous-même?

M. – Oui. Il y avait une forme de liaison. La faille de l'organisation gauloise, pardon, française, c'est toujours la désunion des tribus. Elle coûte très cher. Chacun veut garder son renseignement bien à lui, son tuyau personnel afin d'en tirer de la gloriole.
Je n'ai jamais engagé de tractations avec les terroristes. Notre mission consistait à comprendre leur mentalité et leur organisation. Traiter avec des terroristes, c'est souvent leur donner la reconnaissance dont ils ont soif, cette importance qu'ils recherchent à coups de bombes. Le kidnapping à répétition peut devenir une source de profits considérable au plan politique et financier.

O. – Votre mission était aussi de les infiltrer?

M. – Exact. Nous avons essayé, et réussi par moments, à infiltrer des organisations du Moyen-Orient.

O. – Par exemple?

M. – Nous avons eu un médecin qui a fait un travail remarquable. Un jour, il a disparu. Il n'y a rien de plus dangereux que d'infiltrer ces organisations. Ces gens-là n'ont aucun respect de la vie. On l'a vu avec l'Armée rouge japonaise. Après avoir lié leurs victimes à un arbre, ils tiraient la peau du visage jusqu'aux pieds, par fines bandelettes, dépeçant ceux d'entre eux qu'ils considéraient comme des traîtres.

O. – Concrètement, un travail d'infiltration comme celui de ce médecin apportait quel genre d'informations ?

M. – Toutes sortes d'informations sur les personnages qui agissaient dans les différents groupes et, de temps en temps, sur ce qu'ils préparaient.

O. – Et sur le financement aussi ?

M. – Et aussi sur les modes de financement. Les terroristes sont très bien organisés. Même si vous avez un homme à vous dans un groupe, vous ne savez pas tout sur l'ensemble parce qu'ils pratiquent le système du cloisonnement.

O. – Vous aviez, dans vos services, des gens qui suivaient l'évolution de tel ou tel groupe ?

M. – Tout à fait.

O. – Dans ce genre de travail de fourmi, est-ce que parfois, au long de ces onze années, vous vous êtes rendu compte, avec vos hommes, que vous aviez réussi à empêcher tel ou tel attentat ou telle ou telle opération ?

M. – Absolument. Nous avons eu, par exemple, un jour, une information qui précisait que des terroristes palestiniens avaient fait la connaissance, comme c'est souvent le cas, de deux braves filles dans une boîte de nuit. Ils les avaient recrutées un peu à la façon des proxénètes. Ils leur avaient expliqué qu'ils étaient israéliens, qu'ils avaient des paquets ou des cadeaux à envoyer à une vieille tante en Israël. En réalité, ces paquets contenaient des bombes. Nous l'avons appris et nous avons trituré les fils pendant que leurs bagages se trouvaient dans un aéroport près de Paris. Leurs artificiers n'ont pas toujours le talent des nôtres. Naturellement, ces pauvres filles ont été arrêtées par les Services. En dehors de leur naïveté et de leur bêtise d'oies scandinaves, elles étaient innocentes.

O. – Il y a eu en France, quand vous étiez à la tête du S.D.E.C.E. et peu de temps après, au moins deux attentats particulièrement meurtriers : rue Copernic en octobre 1980, et rue Marbeuf en avril 1982.

M. – Tout le monde a été surpris par ces attentats parce que, encore une fois, le terrorisme par nature est imprévisible. Supposez que le terrorisme international définisse une liste de dix ou de cent objectifs en France. Les forces de sécurité doivent protéger les dix ou les cent objectifs vingt-quatre heures par jour. Le terrorisme, lui, choisit parmi les dix ou les cent UN objectif auquel il va s'attaquer. Si vous n'êtes pas en possession de cette liste, si vous n'avez pas à ce moment-là quelqu'un qui a pu s'infiltrer dans le groupe en question, avec les difficultés que l'on devine, s'il ne vous passe pas un petit bout de papier ou un coup de téléphone pour prévenir, si vous n'avez pas la chance invraisemblable de voir la moto avec les deux tueurs qui arrivent parmi d'autres motos innocentes au coin de la rue X – comment voulez-vous détecter quoi que ce soit ? Bien sûr, dans les systèmes totalitaires, il n'y a pas, ou très peu, de terrorisme. Les pays de l'Est sont des sociétés fermées, dont les frontières sont hermétiques. Il s'agit d'un système où les autochtones sont munis d'un passeport intérieur, ils ne peuvent pas se déplacer comme ils l'entendent. La police est omniprésente. C'est un système effrayant. Comment allons-nous trouver un *modus vivendi* entre les libertés individuelles, démocratiques auxquelles nous devons nous cramponner, que nous devons défendre, et ce système odieux ? C'est l'une des grandes questions de notre époque.

O. – Il y avait pourtant en France à l'époque une panoplie judiciaire, il y avait la Cour de sûreté, il y avait un dispositif de mesures d'exception. Est-ce que, selon vous, il faut de tels instruments pour lutter contre le terrorisme ?

M. – La Cour de sûreté de l'État n'a pas jugé de terroristes, elle a jugé des indépendantistes et des rebelles. Il faut une juridiction plus spécialisée, qui puisse frapper vite et fort. Une bonne coordination nationale est indispensable car les terroris-

283

tes utilisent les frontières contre nous, afin de ralentir l'action des forces de sécurité! Mais la vraie riposte est avant tout une action des Services spéciaux pour essayer de pénétrer les milieux du terrorisme.

En 1978, j'ai eu l'honneur de déjeuner avec l'amiral de la Flotte, lord Mountbatten, comte de Birmanie, au domicile de ma cousine, l'écrivain Thérèse de Saint Phalle. J'étais alors dans les fonctions que l'on sait. Ma cousine était un membre actif du Comité français des Collèges du Monde-Uni, œuvre à laquelle était très attaché lord Mountbatten et que préside aujourd'hui son neveu, S.A.R. le prince de Galles.

Je remerciai lord Mountbatten de nous avoir sortis de la jungle de Birmanie et le mis ensuite en garde contre le danger que représentait pour lui – grand symbole de la monarchie britannique dans ce qu'elle a de plus noble et de plus courageux – le terrorisme, entre autres celui de l'I.R.A., financé en partie par Khadafi.

Devenant plus technique, j'expliquai à lord Mountbatten que les gens d'en face utilisaient toujours le « maillon le plus faible ». Je veux dire par là que, lorsqu'un objectif, c'est-à-dire une victime, avait été choisi, l'adversaire se livrait à une étude détaillée sur sa vie et ses habitudes, observée, souvent suivie, photographiée à son insu. Il arrivait même qu'un médecin, son vis-à-vis d'un soir, examinât ses ongles, son teint, etc. pour établir un diagnostic qui servirait le but de l'adversaire. S'il s'agissait d'un grand personnage, le « maillon faible » était l'endroit ou le moment qui se révélait être le défaut de la cuirasse.

La petite embarcation sur laquelle lord Mountbatten avait l'habitude de sortir en mer, alors qu'il recevait l'été à Classiebawn Castle, près de Clifforey, dans le comté de Sligo, en Irlande, ses enfants et petits-enfants, n'était pas constamment surveillée. Tandis que je le mettais en garde en évoquant les précautions qu'il se devait de prendre, l'illustre marin se mit à rire : « J'en ai vu d'autres et je ne crains rien! »

Les tueurs n'eurent aucun mal à déposer le 27 août 1979 dans son bateau qui n'était malheureusement pas gardé jour et nuit comme il aurait dû l'être, les explosifs qui le déchiquetèrent ainsi que l'un de ses petits-fils, blessant gravement des membres de sa famille et notamment sa fille, lady Brabourne.

O. – L'attentat contre le Pape, en mai 1981, et le procès du tueur, Ali Agça, ont-ils, selon vous, mis en lumière ce que vous appelez la tringlerie du terrorisme international ?

M. – Je savais que cette tentative d'assassinat contre le Pape aurait lieu. J'en avais été prévenu. J'avais reçu une information...

O. – Vous en aviez été prévenu comment ?

M. – Pas par téléphone ! Je sais depuis 39-40 que le téléphone est un instrument dont il faut uniquement se servir pour les choses sérieuses, c'est-à-dire pour désinformer. Ce renseignement-là était important parce qu'il était crédible. Il s'incrivait dans un contexte.

Je me suis dit : « Admettons que l'on veuille éliminer le chef de l'Église catholique. » On se demande alors : « Pourquoi le ferait-on ? » La base même de l'analyse du Renseignement est qu'il ne faut jamais juger selon notre sensibilité judéochrétienne de la fin du XXe siècle.

J'avais appris, et j'avais enseigné à mes collaborateurs, civils et militaires, à se lever littéralement de leur bureau pour aller s'asseoir de l'autre côté de la pièce en adoptant si possible la mentalité de l'adversaire. Dans l'affaire du Pape, il fallait pratiquer ce jeu, se mettre en face, à l'Est. Qu'obtiendrait-on en tuant ?

En pratiquant cette analyse, on découvre qu'on peut vouloir l'éliminer pour trois raisons majeures.

Premièrement, cet homme vient de l'autre côté. Il connaît les techniques et les mentalités des gens de l'Est. Il n'y a rien que les communistes détestent davantage que quelqu'un qui comprend leurs méthodes. Comment percevoir l'enfer si l'on est un ange ? D'anciens diables connaissent le milieu. Or le Saint-Père, lui, est issu de l'endroit où foisonnent les diables. Il les connaît bien, ainsi que leurs manigances que ne saisirait pas un Pape né à l'Ouest.

Deuxièmement, on se débarrassait d'un pontife dont la tâche historique est la reprise en main de l'Église catholique, minée par le doute et dont beaucoup de prêtres, naïfs et généreux, ne sont pas indifférents aux appels des sirènes marxistes quand ils ne manient pas eux-mêmes la Kalachnikov.

La troisième raison, c'est que, s'il meurt, un Pape sera élu, sans doute un Italien, beaucoup moins dur et averti qu'un homme qui venait lui-même du froid.

Ces raisons majeures – j'ai failli dire cardinales – font que j'ai décidé alors de prévenir le Saint-Père et d'envoyer un officier général de mon entourage immédiat, accompagné d'un fonctionnaire du Service de rang élevé, très compétent, M.C. Le Vatican a été averti par l'intermédiaire d'un important personnage ecclésiastique français de mes amis, ancien de la France libre. Il se trouve que, par un triste hasard, mon officier général et l'évêque en question sont morts tous les deux depuis.

Ce renseignement parvint en janvier 1980 au Vatican. Le Saint-Père répondit que son sort était entre les mains du Seigneur. Je suis très respectueux de cette attitude, quoique je pense qu'il faille parfois aider le Seigneur.

Nous n'avons donc plus parlé de cette affaire. On peut penser, étant donné les relations proches, millénaires, entre l'État du Vatican et l'État italien, que devant un problème de cette taille, les Services du Vatican en ont parlé à qui de droit à Rome.

O. – Quand l'attentat a eu lieu, vous n'avez donc pas été surpris?

M. – Je n'ai malheureusement pas été surpris. Je le déplore, bien entendu, et je me suis demandé si les Services italiens avaient fait le nécessaire pour protéger le Souverain pontife. Je ne connais pas, à ce jour, la réponse.

Le juge Martello, qui a conduit l'enquête, est venu me voir à Paris. J'étais couvert par le secret d'État. Je n'ai pas répondu à une seule de ses questions (il y en avait une trentaine), mais nous nous sommes vus longuement.

O. – En 1985, le procès d'Ali Agça a eu lieu à Rome, et ce garçon que l'on a décrit tantôt comme un dangereux extrémiste, tantôt comme un fou irresponsable, a déclaré : « L'Union soviétique est l'empire du mal et le centre de la toile d'araignée du terrorisme international. » Pour vous, est-ce trop simple pour être vrai ?

M. – Je crois que les Soviétiques, qui sont efficaces et pragmatiques, utilisent un certain nombre d'organisations terroristes pour conduire ce genre de guerre. Ils en ont une approche globale.

Dans le cas de ce jeune terroriste, Mehmet Ali Agça, c'est une horrible soupe. Chacun y trouve son compte. Ceux qui pensent qu'il a été aidé par la tringlerie *ad hoc*, bulgare et autre, envoyé pour abattre le protecteur moral de la résistance polonaise et en même temps le chef de l'Église catholique dans le monde, trouveront bon d'entendre ce qu'il raconte d'un côté, et puis, quelques instants plus tard lorsqu'il déclare : « Je suis Jésus-Christ », les autres constateront avec satisfaction que c'est un fou.

Je me demande s'il n'a pas essayé de transmettre par des formules codées apparemment sans queue ni tête des messages à des gens de l'extérieur. Ce n'est pas impossible. Quand les Français, durant l'Occupation, écoutaient la B.B.C. et qu'on entendait des phrases du genre : « La lune se lèvera à onze heures trente sur les Champs-Élysées » ou « Jézabel t'envoie un bisou de la part de tante Solange », cela signifiait « Envoie à tel endroit une caisse de grenades défensives ». Ce chargé de mission terroriste a peut-être appris par cœur, parce qu'on a dû le fouiller, un certain nombre de formules qui ont l'air aussi farfelues que les messages de la B.B.C. et qui constituent en réalité des messages.

Ali Agça est un instrument. Il a à moitié réussi son œuvre parce que le pape est devenu maintenant presque un vieillard. Il suffit de regarder les photos. Un instant avant l'attentat, c'était un homme relativement jeune, en pleine forme, un athlète qui faisait du ski, qui nageait. C'est maintenant un monsieur âgé. Les employeurs d'Ali Agça ne peuvent pas lui dire : « Tu as raté ton contrat. » J'emploie le mot « contrat » parce que c'est le terme utilisé par les milieux du crime international. Son contrat, il l'a rempli à moitié.

O. – Vous estimez que, de votre temps, la lutte contre le terrorisme était plus efficace qu'aujourd'hui?

M. – Je crois qu'à l'époque la police était beaucoup plus motivée qu'elle ne l'a été récemment. Je crois ensuite que l'on a fait à l'époque tout ce qu'on a pu pour améliorer la coopération entre les Services spéciaux en Europe. Je ne sais pas si c'est le cas maintenant : nous avons, ces dernières années, je crois, refusé d'extrader un certain nombre de tueurs. Le terrorisme international ignore non seulement les frontières mais il se sert des frontières contre les sociétés démocratiques. Ce qu'il faut construire contre le terrorisme, c'est un système fédéral, j'allais dire mondial.

Concrètement, il faut, au niveau français, avoir une coordination, la meilleure possible, entre les différents instruments de la sécurité nationale.

Au niveau international, dans la famille atlantique, il faut là aussi une meilleure coordination. Il faut créer un « organisme antiterroriste », qui pourrait être une branche spécialisée des Services.

On doit traiter les terrorismes comme des microbes. Il faut étudier les microbes, savoir les déceler, les regarder au microscope, comprendre comment ils apparaissent, quel est le terrain favorable, comment ils se reproduisent et leurs méthodes.

O. – C'est un peu ce qu'on avait tenté de faire avec la cellule antiterroriste à l'Élysée?

M. – Ce n'est pas au niveau de l'Élysée que les choses doivent se traiter! Ce n'est pas un bon système. On n'emploie pas des gendarmes dirigés directement par la présidence de la République et des gendarmes qu'on met, de plus, en civil! C'est contraire à la tradition depuis que cette admirable arme existe, soit depuis huit siècles. Mettre des gendarmes en civil quand, dans les rapports de la gendarmerie, la phrase est toujours : « *Nous, gendarmes, revêtus de notre uniforme...* » C'est une erreur psychologique, une erreur d'organisation, qui prouve qu'on ne connaît pas les militaires de la gendarmerie. J'ajoute que faire accomplir des actions parfois illégales par des défenseurs patentés de la légalité, et de plus assermentés, est une faute.

O. – L'Allemagne fédérale s'est donné les moyens, jusqu'à un certain point, d'éradiquer le mal. L'Italie aussi.

M. – Quand on extirpe le chancre du terrorisme, c'est un peu comme lorsqu'on arrache une mauvaise herbe : si l'on coupe l'herbe avec une tondeuse, les racines restent en terre et l'herbe repousse peu après. Si, par contre, vous prenez une touffe d'herbe et que vous l'arrachiez à la main très délicatement, cela a des chances d'être plus efficace car les racines suivent. Je crois que, malheureusement, c'est ce qui s'est passé en Allemagne et en Italie où l'on a éradiqué la plupart des racines, mais pas toutes. La preuve, c'est que le terrorisme renaît de ses cendres tel un phénix de la mort.

O. – Comment expliquez-vous que, dans les années 70, ce phénomène ait fleuri à une telle échelle dans ces deux pays-là et pas en France ?

M. – L'origine des terrorismes n'est pas au Moyen-Orient ou en Europe. Historiquement, les premiers terroristes contemporains sont les Tupamaros en Uruguay. On a vu alors que les Sud-Américains, les Latinos, des gens charmants, intelligents, un peu farfelus, jamais à l'heure, pouvaient se transformer en exécutants efficaces et ponctuels.

Le terrorisme est fondé sur un romantisme, comme l'étaient les nihilistes russes : on se sacrifie pour la Cause, avec un grand C, et la Cause peut être ce que l'on veut.

Les Français sont moins fanatiques, ou plus civilisés. Les Français supportent mal l'idée de mourir. C'est un penchant slave, éventuellement germanique, souvent oriental dans les pays de l'Islam, surtout chiite, parce que le ciel devient aussitôt votre récompense.

L'opinion ne comprend pas les terroristes. Ces groupuscules

forment de petites cellules. L'on y est souvent éduqué ensemble. On prend ses repas, on fait l'amour ensemble. C'est un milieu clos. Aux yeux des filles, les garçons qui s'occupent de terrorisme sont de grands romantiques, des héros prêts à mourir pour la Cause.

Ces notions reposent sur des lectures de rapports ou des contacts que nous avons eus avec des terroristes capturés ou repentis. Ils racontent la manière dont ils ont vécu, un peu à la façon des drogués. Les drogués désintoxiqués parlent de leur comportement, de ce qu'ils ressentaient au cours du « voyage ». Le terrorisme est aussi une drogue.

Le terrorisme en Europe cherche à démembrer les pays qui la composent, afin que la grande Europe ne puisse se former. On peut alors se poser l'éternelle question : « A qui profite le crime ? »

O. – Est-ce qu'il y a nécessairement manipulation ? Ou bien peut-on considérer qu'une forme de terrorisme local reste locale et se nourrit d'elle-même ?

M. – Un terrorisme local se nourrit lui-même, mais il est certain que les intérêts stratégiques supérieurs font qu'on essaie toujours de s'introduire à l'intérieur du système terroriste local pour l'exploiter, le faire passer de l'échelon tactique à l'échelon stratégique.

O. – Et là, quand vous dites « on », c'est qui ?

M. – Ceux qui ont intérêt à ce que l'Europe ne se fasse pas. En clair : l'Empire soviétique. Il est intéressant de constater que, de même qu'on n'a jamais vu une ambassade russe occupée par les Ayatollahs ou autres, on n'entend pas parler de terrorisme à l'intérieur des frontières de l'Empire. Il y a eu pendant longtemps un terrorisme ukrainien, mais je crois que, s'il y avait des mouvements internes d'une certaine ampleur, cela se saurait.

O. – Les Services occidentaux sont-ils impuissants à exploiter à leur tour les séparatismes locaux ?

M. – Tout à fait. Et ce n'est pas dans leur philosophie.

O. – Ils ont su le faire ailleurs.

M. – Un certain nombre de gens avaient pensé pouvoir monter des actions terroristes à l'intérieur des frontières de l'Empire soviétique, mais, dans une société aussi fermée que celle des pays de l'Est, c'est extrêmement difficile, alors que dans l'Europe encore libre n'importe qui entre et sort comme il l'entend.

O. – Jusqu'à quel point l'Union soviétique réussirait-elle à maîtriser les différentes ramifications du terrorisme arabe?

M. – Je crois que, pendant plusieurs années et jusqu'à récemment, plusieurs groupes terroristes étaient plus ou moins manipulés par le K.G.B ou le G.R.U, à travers une « tringlerie » très compliquée. Je n'ai pas suivi récemment les affaires dans le détail, mais il m'apparaît que maintenant le phénomène leur échappe. Il y a tout de même un danger d'exemple et de contagion même pour une société aussi disciplinée, aussi structurée, aussi monolithique, que l'Empire soviétique.

Il est difficile de dissimuler totalement, aux classes qui réfléchissent à l'intérieur des frontières, ce qui se produit dans le reste du monde. Cela se sait, et il est certain que ces pratiques peuvent donner des idées à un certain nombre de – « nationalités » – pour reprendre leur appellation. Je crois qu'il y a beaucoup de gens qui leur échappent même s'ils les ont servis autrefois ou s'ils ont été utilisés par eux.

O. – Est-ce que l'expansionnisme de l'islam chiite ne représente pas un danger nouveau pour l'Union soviétique?

M. – Le terrorisme chiite, comme toujours quand on parle d'organisations du Moyen-Orient, est divisé intérieurement. Certains chiites sont des chiites locaux, tandis que d'autres organisations chiites sont appuyées, aidées, financées, conseillées par l'Iran. Quelque 90 pour cent des chiites du monde se trouvent en Iran. Or l'Iran a une immense frontière commune avec le sud de l'Empire soviétique et certaines populations de l'Iran parlent la même langue que les tribus qui sont de l'autre côté. Le régime des « Fous de Dieu » est aux antipodes d'un régime qui se veut athée, et qui donc se méfie beaucoup de ce régime clérical fanatique. Mais nous savons que les Soviétiques ont infiltré les rangs du clergé iranien. Ce sont des gens qui font bien les choses. On a su les détails de l'opération parce qu'un de leurs officiers est passé chez les Britanniques. Je crois savoir que les Britanniques ont prévenu les Ayatollahs, mais, étant donné les sentiments traditionnels et inamicaux qui existent entre l'Iran et l'Angleterre qui en a été une puissance occupante, les Ayatollahs ont choisi d'abord de ne pas les croire.

Puis ils ont mené leur enquête et ils se sont aperçus qu'en effet une partie du clergé chiite avait été pénétrée par les agents soviétiques. C'est alors qu'ont eu lieu des arrestations et des exécutions nombreuses de gens qui étaient traités de « communistes ». Ce qui n'empêche pas Moscou, maître en « realpolitik » de ménager ses relations avec Téhéran, ne serait-ce que pour contrer l'Irak. Là, nous retrouvons la stratégie globale.

21

Le Service et l'alternance
L'affaire Greenpeace

MARENCHES. – J'ai rencontré le président Mitterrand peu après la Libération, lorsque j'étais moi-même aide de camp, puis chef du cabinet civil du général Juin. Il était en charge des prisonniers de guerre. Nous nous sommes perdus de vue ensuite. Alors que j'étais directeur général du S.D.E.C.E. et lui premier secrétaire du parti socialiste, du vivant du président Pompidou, je l'ai invité à déjeuner à la caserne des Tourelles pour lui parler du vaste monde.

Je pensais qu'il était de mon devoir de tenir au courant, dans les grandes lignes, sur la façon dont je voyais le monde, des hommes qui pouvaient être un jour au pouvoir et qui, ainsi, seraient informés sur ce qui se passait sur la planète. A ce titre, j'ai trouvé naturel d'inviter un certain nombre de Français, qu'ils soient ou non dans l'opposition de l'époque. Parmi eux, il y avait le président de la République actuel, Charles Hernu, Pierre Mauroy et d'autres. Je n'ai jamais demandé au président Pompidou, ni par la suite au président Giscard d'Estaing, la permission de le faire. Loyalement tenus au courant après, ils ne me le reprochèrent jamais.

Je déplore que, dans notre système, mais c'est peut-être dû au caractère de notre peuple, en ce qui concerne la défense nationale, la stratégie étrangère (encore faudrait-il qu'il y en ait une), nous n'ayons pas un consensus, comme on en voit dans d'autres pays démocratiques, et un système bipartisan. Je trouve regrettable que, lorsque les modérés sont au pouvoir, la gauche convenable, celle qui n'est pas à l'Est, ne soit pas informée des grandes affaires et vice versa. Cela ne correspond pas à l'idée que je me fais de la démocratie.

A la suite d'une élection, la nouvelle équipe, peu importe celle qui arrive au pouvoir, ne sait rien. Elle est obligée de tout apprendre ou de tout réapprendre. Au plan de l'efficacité, c'est lamentable!

OCKRENT. – En mai 1981, le président Mitterrand vous a-t-il proposé de rester à la tête du S.D.E.C.E., rebaptisé D.G.S.E.?

M. – M. Mitterrand m'avait demandé, sept ans plus tôt, en 1974, si, au cas où il serait élu président de la République, je resterais avec lui. Je lui ai dit : « Oui, à condition que vous n'ayez pas de ministres communistes. » Il se mit à rire et me répondit : « Ah là là! Surtout pas. Il n'y a aucun danger! »

Après l'élection présidentielle de 1981, la même question m'a été posée, à laquelle j'ai fait la même réponse. De toute façon, je souhaitais partir depuis déjà dix-huit mois et j'en avais prévenu le président Giscard d'Estaing.

Nous avions surtout parlé avec François Mitterrand, lors de ce déjeuner, début 1974, de l'Empire soviétique, et de ses ramifications internationales. A sa question : « Les Soviétiques tuent-ils toujours? », ce qui voulait dire : « Assassinent-ils toujours? », je lui répondis : « Oui, ceux qu'ils considèrent comme des traîtres. »

En 1981, le sort des urnes ne permit pas à mon successeur pratiquement désigné, mon ami, M. Philippe Mestre, de me succéder à ce poste unique. Directeur du cabinet du Premier ministre d'alors, M. Raymond Barre, il avait les qualités d'intelligence, d'entregent, de sérénité, l'habitude des hauts emplois, le sens du commandement et de l'humour, qui lui auraient permis de réussir. De plus, passionné par cette nouvelle tâche, il s'y était très bien préparé. Dommage, car avec lui le Service fût resté au niveau qui convenait : le plus élevé.

O. – Vous êtes parti le 16 juin 1981 sans voir le nouveau président de la République?

M. – Il n'a pas manifesté alors le désir de me rencontrer et on ne m'a même pas demandé de passer des consignes! L'homme qui a été choisi pour me succéder durant dix-sept mois et qui se révéla n'être qu'un intérimaire, n'a pas manifesté lui non plus le désir de me voir ni de savoir de ma bouche comment fonctionnait l'organisme que j'avais rétabli et que je dirigeais depuis 1970.

Je n'ai vu le président de la République qu'au cours d'une brève entrevue au moment où j'ai quitté le Conseil d'État, dans les mois qui suivirent ma nomination à ce grand corps de l'État. Nous n'avons pas parlé du Service.

Un certain nombre d'officiers ou de fonctionnaires de ce grand Service – et parmi les plus remarquables – furent remerciés ou partirent dans des conditions peu convenables. Je ne peux et ne veux en dire plus.

O. – Même à l'écart du Service, vous avez sûrement conseillé quelqu'un comme François de Grossouvre, qui était à l'Élysée chargé des Services spéciaux?

M. – Je connais M. de Grossouvre, mais n'ai jamais été, contrairement à ce que l'on a raconté dans une certaine presse, une sorte de conseiller secret de l'Élysée.

O. – En 1985, le Service a été ébranlé par une affaire qui n'est toujours pas close, l'affaire Greenpeace. N'avez-vous pas été consulté à cette occasion?

M. – Plusieurs choses sont remarquables dans cette affaire : la première, c'est que cette opération a poursuivi la destruction des Services spéciaux français. La presse unanime reconnaît maintenant que certaines nominations et évictions faites en 81 ont dangereusement déstabilisé la Maison.

Deuxième constatation : au moment où éclate cette affaire, le même mois, les Allemands doivent faire face à plusieurs affaires de pénétration qui tentent de discréditer de nouveau la B.N.D. [1]. N'y a-t-il pas une coïncidence étonnante? Je suis de

1. Service allemand de Renseignement correspondant à la D.G.S.E.

ceux qui ne croient pas beaucoup au hasard dans ce genre de profession. Du point de vue global, continuer à détruire les Services spéciaux français et allemands, pour certains, c'est une bonne chose.

Quand on sait ce qui s'est passé avec la C.I.A. au cours de ces dernières années (maintenant, la situation se redresse, grâce à William Casey et à l'appui que lui donne le président Reagan), quand on se souvient de toutes les affaires qui ont ébranlé les Services spéciaux britanniques, on se dit que cette opération n'est pas perdue pour tout le monde.

O. – Parlons clair : iriez-vous jusqu'à soutenir que l'affaire Greenpeace a été montée par les Soviétiques?

M. – Non, pas du tout. Il n'existe pas de supermonstres soviétiques, gnomes au cerveau de cinquante kilos et enfermés dans je ne sais quelle cave du Kremlin, concoctant des scénarios supermachiavéliques. Ils sont rarement des fabricants de trains. Mais quand ils voient un bon train qui va sortir d'une gare et qui part pour une bonne destination, ils galopent le long du quai et grimpent dans les wagons, en profitant de l'occasion.

Pour en revenir à Greenpeace, il faut prendre le problème d'en haut. La France a, depuis plusieurs décennies, une politique de défense qui est notamment fondée sur le feu nucléaire. Lancée par le général de Gaulle, elle a été approuvée par tous les gouvernements de gauche ou de droite qui se sont succédé. N'ayant pas les immenses étendues désertiques de l'Empire soviétique ou des États-Unis, il faut bien que la France effectue ses essais quelque part.

Les Américains, quand ils se livrent à des essais nucléaires au Nouveau-Mexique ou dans les grandes étendues de l'Ouest, n'ont pas de problèmes de surveillance, puisqu'il n'y a rien, en dehors des serpents à sonnette et de quelques scorpions. Quant aux autres, encore moins puisque leurs essais se passent en Sibérie où ce genre de bestioles n'abonde pas. On a appris ainsi, il y a quelques années, qu'une fusée russe était retombée au moment du départ, tuant un grand nombre de généraux, et même un ou deux maréchaux, ce qui à l'époque avait été bien entendu caché. Dans les espaces sibériens, il n'y a pas de pacifistes, d'écologistes, de Verts... Il y fait trop froid!

La France a décidé d'utiliser ces vastes espaces de l'océan Pacifique qui, jusqu'à présent, sont encore français. La France essaie de cacher ses expériences de tir pour deux raisons. La première, c'est que probablement elle ne tient pas à ce qu'on aille regarder de trop près, sous un prétexte ou un autre. Elle essaie d'interdire, grâce à la Royale, la marine nationale, que certaines personnes s'en approchent, à commencer par les pacifistes. Elle ne veut pas avoir sur les bras une méchante affaire où cinquante pacifistes seraient contaminés par des expériences atomiques. Si l'on voit la montagne qui a été faite à la suite de la mort de ce pauvre photographe qui se trouvait à bord du *Greenpeace*, qu'est-ce que ce serait si demain cinquante braves gens, femmes ou bébés, étaient plus ou moins irradiés comme à Tchernobyl?

O. – Y a-t-il eu de votre temps des opérations pour protéger les mêmes intérêts et contre les mêmes gens? Des opérations qui ont réussi et dont on n'a pas parlé?

M. – Si on n'en a pas parlé, c'est qu'elles ont réussi. Dans ce genre de beauté, si j'ose dire, l'un des objectifs, c'est que cela ne se voit pas et qu'on n'en parle jamais.

O. – Quels genres d'opérations avez-vous montées, vous, dans le Pacifique?

M. – Nous avons lancé un certain nombre d'opérations pour empêcher des gens d'aller sur les lieux faire du Renseignement, prendre des photos, effectuer des prélèvements pour analyses.

O. – Y a-t-il eu aussi des opérations de sabotage?

M. – Il y a eu un certain nombre d'opérations qui ont fait que, souvent, ces gens ont eu des problèmes mécaniques. A quelques exceptions près, ils n'ont jamais causé de soucis à la marine.

O. – Leur bateau était-il tout à coup hors d'état de marche?

M. – Disons qu'il y a eu une série de « manques de pot », qui a fait qu'un grand nombre de bateaux ont eu des pannes, des avaries, mais jamais de mort. Jamais, jamais de mort! C'est contre-productif, ces choses-là. Du travail d'amateurs...

O. – Certaines de ces opérations visaient-elles la même organisation Greenpeace?

M. – Ah! Les mêmes familles peuvent porter des noms différents. Le fond reste identique.

O. – Ce sont des familles qui, selon vous, sont manipulées ou, en tout cas, infiltrées?

M. – Il y a de tout. A la base et au départ, les gens sont souvent des purs. On y trouve des militants de toutes les nationalités, de toutes les philosophies, qui croient vraiment qu'on peut sauver la paix en agitant des banderoles ou en allant dans le Pacifique sur de petits bateaux qui ne tiennent pas très bien la mer. Malheureusement, ils sont vite infiltrés par les « pro » qui les manipulent.

O. – Ce serait le cas de Greenpeace?

M. – Je n'en serais pas surpris parce qu'il est classique que, dans presque toutes les organisations où se trouvent les mots *peace, pax,* « paix », se profilent des Services de l'Est.
Supposez que, demain, on assiste à de grandes manifestations sur la place Rouge, à Moscou, où des centaines de braves gens agiteraient des banderoles où serait inscrit en caractères cyrilliques : « Ramenez nos gosses d'Afghanistan! », « Ramenez nos enfants (un million) qui stationnent sur la frontière chinoise (sept mille six cents kilomètres) », « Réduisez le budget de la Défense », « Retirez les forces qui enserrent Berlin », « Quittez tous les pays occupés de l'Europe de l'Est », « Détruisez au bulldozer le Mur de Berlin! », etc. Cette manifestation ne se produit jamais, à l'exception de temps à autre d'une poignée d'originaux héroïques. Ils s'agitent un instant, munis de banderoles, sur la place Rouge, et sont immédiatement

embarqués par la milice. Dans la version optimiste, on les revoit au bout de quelque temps en plus ou moins bon état. Dans la version pessimiste, on ne les revoit jamais.

Les seules exceptions, celles qu'on connaisse, viennent des Églises protestantes, en Allemagne de l'Est. Il y a eu certaines petites manifestations, certains prêches dans les temples protestants où des pasteurs courageux ont parlé de paix, de moins de service militaire, mais c'est très rare.

O. – Pour en revenir à l'affaire Greenpeace, auriez-vous approuvé, vous, la décision d'aller saborder ce bateau dans un port néo-zélandais ?

M. – La réponse est : « Non. » Ce n'est pas « non » tout court. C'est « non » avec des explications.

Les Services spéciaux, en guerre permanente, ne connaissent pas de temps de paix.

Il y a une règle d'or : si vous agissez en territoire ennemi, tous les coups sont permis. Chez des amis, on ne peut pas faire n'importe quoi. Or la Nouvelle-Zélande, comme l'Australie, est un pays ami de la France. Elle appartient au camp des démocraties libres. Ce pays a fourni une contribution au cours des deux guerres mondiales sur tous les théâtres d'opérations en Europe, au Moyen-Orient et en Extrême-Orient. La visite de quelques cimetières militaires en France, où reposent ces braves venus des antipodes, nous en administrerait la triste preuve. On y a vu des contingents de soldats admirables et des chefs remarquables comme dans le désert de Libye au temps de Rommel et durant la campagne d'Italie. Selon mon expérience, quand on a une difficulté qui concerne un ami, il faut aller le trouver et lui dire : « J'ai un problème. » Je l'ai fait avec les Australiens et les Néo-Zélandais dont je conserve, en lieu sûr, précieusement, des lettres qui sont autant de témoignages d'une grande amitié et d'une exceptionnelle confiance.

J'ai souvent monté des opérations à l'extérieur et je suis allé voir à ce propos nos amis traditionnels. Je leur ai dit : « La France a une difficulté. Voilà comment je pense la résoudre. Voulez-vous m'aider ? » C'était la première question.

La seconde : « Si vous ne voulez pas ou ne pouvez pas

m'aider, cela vous ennuie-t-il de regarder dans l'autre direction tel jour, à telle heure ? » Cela s'est produit plusieurs fois. Parvenir à ce degré de confiance représente bien sûr des années d'amitié, de combats livrés en commun, de « coups » faits ensemble ou les uns pour les autres.

L'un des alliés pouvait « opérer » dans un endroit donné parce qu'il était mieux placé qu'un autre. Il m'est arrivé de conseiller, sur leur demande, certains de nos amis traditionnels à propos de l'envoi de personnels dans tel ou tel pays et, à l'occasion, parfois nous avons même choisi ensemble le profil de ceux qui seraient désignés. Nous avons réussi, pour la communauté du Renseignement occidental, un certain nombre d'affaires de ce genre. Je ne crois pas à la politique de la peau de banane dans le même camp.

Je n'ai pas d'informations qui proviennent actuellement du Service. Je m'en garde, pour des raisons faciles à comprendre. Je suis triste. On a voulu porter l'estocade au Service. On a vu des policiers spécialement choisis poursuivre sur le territoire français des fonctionnaires français. Ce genre de scandale ne s'était jamais vu. S'ajoute à cela un règlement de comptes entre politiciens que je ne veux pas connaître mais qui me dégoûte.

Lorsqu'on aura besoin de volontaires pour la D.G.S.E., que ce soient des civils, des officiers ou des sous-officiers, je me demande où on les trouvera car ces gens-là, contrairement à ce que l'on croit, ne font pas les choses par cupidité. Les risques ne se prennent pas pour de l'argent, mais pour l'honneur, pour le service de l'État, de la Couronne, de tout ce que vous voudrez. On ne trouvera plus cette qualité-là maintenant, parce qu'on a envoyé à l'abattoir des officiers français. Deux membres des Services français ont payé en silence, et dans des conditions parfaitement désagréables, l'incurie qui a présidé à cette malheureuse opération. Ils ont toute ma sympathie.

O. – Auriez-vous pensé, les connaissant, qu'ils puissent être aussi maladroits ?

M. – Je ne conçois pas qu'on commette des maladresses genre « petit Poucet » qui sème des cailloux blancs pour qu'on retrouve sa trace plus facilement. Cela me paraît impensable. D'après la presse, on va à Londres acheter un canot pneumatique et, comme par hasard, on tombe sur un vendeur qui est soit un honorable correspondant des Services britanniques, soit un officier de réserve des mêmes Services, et qui, à l'instant même où vous avez refermé la porte de la boutique :

1) Se penche pour noter le numéro minéralogique de votre voiture;

2) Saute sur le téléphone pour prévenir la Centrale.

On aurait pu acheter ce bateau en Belgique, en Hollande, à Cannes, au Portugal, en Espagne, n'importe où! Cela ne peut être une erreur. C'est une provocation.

O. – Mais une provocation dans quel but?

M. – Pour continuer à détruire le Service. Il ne peut s'agir que de cela.

O. – Qui aurait intérêt à déstabiliser ou à miner les Services secrets?

M. – Les gens qui les craignent ou qui en sont jaloux. On ne peut juger cette opération sur des informations de presse. Il faudra une enquête très approfondie pour situer les responsabilités. De toute façon, et quels que soient les résultats de cette enquête, c'est la faute du commandement – pas des exécutants.

O. – Il reste quand même deux officiers français astreints à résidence sur un atoll du Pacifique où ils ont l'obligation de rester trois ans. Avez-vous connu ce genre d'expérience avec des officiers des Services quand vous étiez à leur tête?

M. – Non, jamais. Là encore, ou vous avez des gens des Services (civils ou militaires) qui opèrent sur le territoire de l'adversaire et, à ce moment-là, s'ils meurent, ils meurent au cours d'un acte de guerre. S'ils se font capturer chez des amis, c'est que leurs supérieurs n'ont pas pris la précaution de prévenir ceux-ci de nos intentions. Et nous n'avons même pas de monnaie d'échange! On aurait pu monter une opération un peu astucieuse. Il y avait, à l'époque, des bonnes âmes et autres « missionnaires » qui faisaient de l'agitation dans le territoire français de la Nouvelle-Calédonie. Peut-être un bienheureux hasard aurait-il pu laisser entre nos mains certains de ces pèlerins, surpris par exemple en flagrant délit, en train de remettre des fonds à des agitateurs indépendantistes canaques? Les Néo-Zélandais d'ailleurs n'ont-ils pas eux-mêmes un problème intérieur avec les Maoris qui sont les habitants d'origine de l'île? Les Services français auraient pu agiter et aider ces milieux... Ils ne l'ont jamais fait.

Si ces suggestions avaient été imaginées et retenues, le gouvernement français aurait été dans une position plus confortable pour négocier plus tôt avec M. Lange et arranger discrètement les choses. Il reste qu'après cette pantalonnade, nos amis néo-zélandais réclament les excuses de la France, sept millions de dollars et condamnent à un transfert sous surveillance dans un atoll deux officiers français. C'est regrettable en raison du passé et du rôle que nous pourrions jouer ensemble dans cette partie du monde.

O. – Pour vous, qui n'étiez pas un militaire classique, une opération d'une telle envergure, c'est une opération importante. Auriez-vous pu, selon la procédure qui était en vigueur à votre époque, prendre la décision seul? Sans accord du pouvoir politique?

M. – Disons seulement que j'étais un officier de réserve non conformiste. Pour une opération qui se serait passée dans un territoire ami, aussi loin de nos bases, j'aurais bien évidemment évoqué la question avec le chef de l'État. Une opération aussi délicate doit avoir l'aval du décideur politique qui a peut-être une vision d'ensemble qu'il est important de connaître. Une discipline absolue est de rigueur pour un certain nombre d'opérations qui ne peuvent être entreprises sans l'aval, ou en tout cas un clin d'œil, je dis bien : un clin d'œil physique, du pouvoir.

Il faut l'accord du chef de l'État qui est le responsable et le chef des armées. Vous lui proposez une opération : il vous répond par un clin d'œil s'il approuve. S'il reste de marbre, vous avez son accord tacite. Ou alors le président peut décider négativement et, dans ce dernier cas, après avoir défendu votre point de vue, vous n'avez plus qu'à vous incliner devant son choix. Il est bien entendu que, si l'affaire tourne mal, le directeur général doit payer. C'est la règle du jeu. Tel était l'accord que j'avais avec les présidents que j'ai eu l'honneur de servir.

O. – L'opération Greenpeace a coûté relativement cher ?

M. – Oui. Là encore, tant qu'il s'agit de fonds spéciaux, des fonds du Service, on n'a pas besoin de faire appel à des rallonges. Dans une opération comme celle-là qui, paraît-il, n'était pas programmée au budget, il faut qu'une certaine procédure légale débloque ces fonds. Il n'est pas pensable, dès lors qu'il s'agit de plusieurs millions de francs, que cette affaire demeure à l'échelon de base, secrétaires ou petits comptables. Il va de soi que des responsables de haut niveau en sont informés.

M. Hernu, le ministre de la Défense, a voulu couvrir ses subordonnés. Il a courageusement voulu protéger le président de la République dont il est un des rares grenadiers. Qu'on ait voulu nuire au Président, pour des opérations de politique politicienne ou pire, et j'insiste sur le pire, n'est pas impensable.

O. – Qu'y a-t-il de pire que la politique politicienne ?

M. – La guerre.

O. – Pour en revenir à la procédure financière, à quel moment une partie des fonds de la D.G.S.E., à l'époque du S.D.E.C.E., ont-ils été rattachés à Matignon ?

M. – Le processus que j'ai connu était le suivant : les fonds normaux règlent les collaborateurs qui administrent la Maison. Les fonds dits spéciaux sont alloués au Premier ministre qui en ristourne une grande partie au directeur général. Pendant mes nombreuses années de service, cela se passait trimestriellement. S'il y avait un besoin de fonds exceptionnel à un moment donné, parce que les circonstances l'exigeaient, on demandait ce que, dans le jargon, on appelait une « rallonge ». Mon directeur financier se rendait à Matignon et Matignon, avec l'accord de l'Élysée pour les affaires de premier plan, débloquait les sommes nécessaires.

O. – A quel niveau ces contacts étaient-ils pris ? Au niveau des conseillers techniques du Premier ministre, ou de son chef de cabinet ?

M. – Cela se passe au moins au niveau du directeur de cabinet. Le directeur de cabinet est le bras droit de son maître. Celui-ci est forcément au courant. Forcément. Obligatoirement.

O. – A votre connaissance, cette procédure coutumière a-t-elle été modifiée ?

M. – Je ne vois pas pourquoi on l'aurait modifiée, étant donné qu'elle fonctionnait depuis fort longtemps, à la satisfaction de tous.

Un contrôle annuel était effectué par un président de chambre de la Cour des comptes, toujours le même et pas son adjoint. Ils examinaient les comptes en détail avec mon directeur des affaires administratives et financières. A mon époque, ces comptes étaient tenus avec la plus grande rigueur. Nous donnions des noms de code aux diverses opérations. On pouvait dire l'opération « Hannibal » ou l'opération « Olympe ». C'était simplement pour camoufler une opération qui pouvait se situer au Moyen-Orient, en Afrique ou ailleurs. Les contrôleurs financiers n'ont pas à entrer dans le détail d'une opération.

O. – On a l'impression quand même que, dans ce genre d'affaires, le pouvoir politique, en France, peut agir en toute impunité puisqu'il n'y a ni contrôle parlementaire ni contrôle tout court. A la lumière de votre expérience et ayant à l'esprit les exigences démocratiques, un contrôle parlementaire, pour commencer par celui-là, est-il compatible avec les exigences propres aux Services spéciaux ?

M. – Les Américains, et plus précisément l'administration de M. Carter, ont détruit la C.I.A. Ils ont réussi à faire, en très peu d'années, ce que le K.G.B. ne serait pas parvenu à réaliser dans ses rêves les plus fous. On a assisté à l'autodestruction des Services américains, F.B.I. compris, ce qui est moins connu. Beaucoup d'Américains se sont brusquement lancés dans une espèce de danse macabre, une danse du scalp autour des Services spéciaux. Faisant plaisir à qui l'on pense, bien entendu. Les opérations passaient devant je ne sais combien de commissions. Les projets d'opérations paraissaient dans les media, au moment où les experts commençaient à peine à y réfléchir.

Quels que soient les pays et les époques, quels Services seraient secrets s'ils n'étaient pas secrets ? Mieux vaut ne pas en avoir ! En revanche, je ne vois pas pourquoi deux députés et deux sénateurs, connus pour leur patriotisme, qu'ils soient de droite ou de gauche – car là n'est pas la question – ne viendraient pas de temps en temps rendre visite au directeur général qui, devant la carte du monde, leur expliquerait ce qu'il fait, sans entrer dans les détails. Pourquoi pas ?

O. – Avec le recul que vous donne votre expérience, à votre avis, l'affaire Greenpeace est-elle une *grosse* affaire qui va marquer dans l'histoire assez mouvementée, il faut bien le dire, des rapports entre le politique et les Services secrets en France ? Ou bien est-ce une affaire qui a paru très sensationnelle sur le moment et qui va s'estomper ?

M. – On peut prendre une petite affaire et la gonfler pour la rendre énorme. C'est une question d'éclairage ou de glace truquée. On peut prendre une énorme affaire et la rendre minuscule.

L'affaire Greenpeace est une affaire quelconque. L'exploitation qui en a été faite l'a rendue importante, parce qu'elle éclabousse tout le monde au lieu d'avoir été bloquée au niveau des Services. L'affaire Greenpeace a crevé le plafond et sali le

305

politique. Ceux qui se réjouissent que cela soit arrivé à un gouvernement de gauche commettent une erreur. Demain, il se pourrait que la gauche se réjouisse des malheurs identiques d'un gouvernement de droite. Les affaires de défense, les affaires des Services spéciaux sont, par définition, apolitiques : elles ne sont ni de droite ni de gauche, mais elles appartiennent à un domaine supérieur, celui de la France.

22

Pour un Conseil national
de sécurité

MARENCHES. – Pendant des années, j'ai maintenu le Service en dehors de toute politique politicienne. Après moi, le Service a été tiraillé par des pressions diverses. Quand les Services spéciaux se mêlent de politique, ils sont perdus et cela pour une raison très simple : lorsqu'il y a un changement de gouvernement, le gouvernement suivant se venge. Une des faiblesses du système français, c'est qu'il n'y a pas, comme dans la plupart des pays développés, un Conseil national de sécurité. Pourquoi est-ce nécessaire? C'est très simple : pour coordonner l'action d'un certain nombre de ministères ou de services qui, jusqu'à présent, ne sont pas des modèles de jeux d'équipe. On l'a encore constaté récemment dans des affaires aussi regrettables que Greenpeace ou les otages.

Ce Conseil national de sécurité serait un organisme dense mais restreint. Il n'est pas nécessaire d'embaucher un fonctionnaire civil ou militaire de plus pour le constituer. Les gens existent. Il suffit de les choisir. Il faut mettre à la tête de cet organisme un homme de grande envergure, complètement indépendant, qui puisse parler d'égal à égal avec – je cite au hasard – le ministre de l'Intérieur, celui des Affaires étrangères, de la Défense et qui soit à même de coordonner leurs efforts. Il faut que ce personnage ait la confiance absolue du décideur politique, au niveau du président de la République ou du Premier ministre. A mon avis, il conviendrait de mettre sous le commandement du Conseil national de sécurité le Service de

Renseignements, dit D.G.S.E., en lui enlevant son Service de contre-espionnage extérieur et de regrouper celui-ci avec la D.S.T. dans une direction générale du Contre-Espionnage. Pourquoi ? Parce qu'autrefois (et on a bien voulu reconnaître que pendant mon commandement, cela n'a pas été le cas), ces Services passaient le plus clair de leur temps à se battre entre eux, pour le plus grand bienfait de nos adversaires.

Dans un gouvernement comprenant différents partis, le ministre de l'Intérieur n'appartient pas obligatoirement au même parti que le décideur politique du premier niveau. Je le dis pour le principe. Or, toutes les polices dépendent actuellement du ministre de l'Intérieur. Le décideur ne reçoit de renseignements, en ce qui concerne l'intérieur du système français, que d'un ministre qui, il faut l'espérer, dit la vérité. Et s'il était l'agent de l'adversaire ? Le décideur politique ne reçoit ses informations que d'une seule source...

Les grands chefs n'entendent au fond que ce qu'ils ont envie d'entendre. Sun Tzu a dit : « L'ordre ou le désordre dépendent de l'organisation. Le courage ou la lâcheté des circonstances. La force ou la faiblesse des dispositions. »

On peut imaginer un ministre de l'Intérieur qui serait un agent double. On a déjà vu plus étrange. Il faut donc détacher la D.S.T. du ministère de l'Intérieur, la placer sous le commandement du Conseiller national de sécurité qui disposerait ainsi des renseignements de l'ensemble des Services secrets. Il serait en cas de coup dur le meilleur des fusibles, ce qui éviterait que des « affaires », comme nous en avons vu récemment, ne remontent au niveau politique. Son rôle dans ce cas, serait celui d'un bouc émissaire de haute stature. Il y aurait donc un directeur général pour le Renseignement extérieur et un directeur général du Contre-Espionnage. A ce moment-là, la coordination pourrait s'effectuer. Je suis depuis des années partisan de cette réforme. J'ai rédigé un, deux ou trois rapports sur ce sujet au fil du temps. La plupart des grands personnages à qui j'en ai parlé, après avoir approuvé, les ont mis dans un tiroir et se sont empressés de les oublier.

OCKRENT. – Depuis que vous n'avez plus la direction des Services français, vous n'avez pas pour autant quitté le monde du Renseignement ?

M. – Je n'ai pas remis les pieds au Service depuis mon départ. J'entends, bien sûr, des quantités d'échos et je déplore beaucoup de choses. Couper un arbre, c'est facile. Le faire pousser est beaucoup plus long. Il faut du temps. Je suis triste, mais pour parler net, je ne « fais » plus de Renseignement.

J'ai un certain nombre d'idées sur ce qui se passe dans le vaste monde et même parfois des remèdes que je préconise aux responsables de haut niveau qui me font l'honneur de me consulter. Je soumettrai un peu plus loin quelques idées à explorer.

O. – Vous êtes devenu un « consultant » du Renseignement ?

M. – Oui, mais contrairement à d'autres grands consultants, je le fais par goût, par conviction, non par intérêt.

O. – M. de Marenches ne demande pas de chèque ?

M. – Voilà. C'est mon luxe. Personne au monde ne peut dire qu'il m'ait payé. Je sais que c'est désuet, mais c'est ainsi. Je règle moi-même mes billets d'avion. Certains anachronismes me conviennent. Si je ne suis pas d'accord avec le grand chef qui demande à me rencontrer, je n'ai pas besoin de le ménager de manière qu'il y ait un autre chèque, puisqu'il n'y en a jamais eu. Il y a des gens qui ont des yachts, des chevaux de courses, ou qui passent leur vie dans les boîtes de nuit ou autour des tapis verts. Ce n'est pas mon cas, non par vertu, mais parce que cela m'ennuie. Et j'aime trop les chevaux pour les forcer à courir. Un certain nombre de chefs d'État, de personnalités de la politique internationale qui me connaissent depuis de nombreuses années (en général avant que je n'occupe les fonctions de directeur général du S.D.E.C.E.) par amitié et par confiance, parce que je ne leur ai jamais menti ni doré la pilule, souhaitent avoir mon avis. Quelquefois ils me demandent de réfléchir à tel problème et de venir leur en parler plus tard. Il m'arrive ainsi, je vous l'ai dit, de voir le président Reagan, le Roi du Maroc, le Roi d'Espagne et quelques autres...

J'éprouve une affection déférente et une grande admiration pour le Roi d'Espagne, le descendant des bâtisseurs qui firent la gloire de l'Espagne de la haute époque. Il descend également des Rois de France.

Il entra dans l'Histoire avec quelque difficulté car son parrainage était pour certains discutable. La personnalité, le sens de l'État qui se confondent chez les monarques avec le sens de la propriété, sa grande habileté politique, produisirent le miracle de faire passer l'Espagne d'un système autocratique à une démocratie exemplaire.

Depuis des années, j'ai le privilège de rencontrer le Roi de temps à autre pour procéder à un tour d'horizon.

Il est avec le Roi du Maroc l'autre gardien du détroit de Gibraltar.

Plus que la géopolitique, ce sont l'histoire et la Franche-Comté qui m'ont rapproché du Souverain espagnol.

Ayant appris que je possédais d'importantes archives familiales qui intéressaient entre autres la Franche-Comté d'avant la conquête par la France [1], le roi me demanda de venir le voir à Madrid. Je lui apportai deux lettres de l'Empereur Charles Quint, six de Philippe II, ses ancêtres, et quelques-unes du Téméraire, l'ensemble en très bon état et muni de sceaux presque intacts, adressées à l'un des miens.

Il était amusant et sympathique de penser que, près de cinq siècles plus tard, les descendants, l'un de l'illustre dynastie et l'autre d'une modeste et ancienne Maison, se retrouveraient assis autour d'un guéridon sur lequel s'étalaient ces documents.

Ce jour-là, et pour revenir au XXᵉ siècle, alors que le Roi Juan Carlos me parlait des problèmes que posent partout les jeunes, je lui fis cette réflexion :

« Les jeunes s'ennuient. Il n'y a plus de grande guerre (sauf la troisième guerre globale, invisible pour la plupart), plus d'aventures outre-mer, plus d'explorations terrestres, plus de nouvelles frontières à affirmer... Avec des pelles et des pioches, dont le fer de mauvaise qualité s'émoussait sans cesse, n'ayant comme moyens de transport que des animaux de trait, l'Antiquité et les temps anciens avaient pu bâtir des travaux

1. Louis XIV l'a annexée grâce au traité de Nimègue, en 1678.

colossaux, les sept merveilles du monde et la Grande Muraille de Chine [1]. De nos jours, avec les moyens extraordinaires que procurent à l'homme les machines géantes de travaux publics, les explosifs, y compris nucléaires, nous n'abordons pas ou peu de projets de génie civil dignes de notre temps.

III. Lettre de Philippe le Bon, duc de Bourgogne
confirmant Anselme de Marenches dans sa charge a l'Université de Dole, 1454
(Archives de Marenches)

« – A quoi faites-vous allusion? demanda le Roi.

« – Sire, dis-je, la légende veut qu'Hercule, dans un mouvement d'humeur et de colère, séparât l'Europe de l'Afrique, créant ainsi le détroit de Gibraltar.

« Pourquoi, par exemple, ne pas relier les deux continents par une liaison fixe, pont ou tunnel? Un tel projet enthousiasmerait les jeunes, donnerait du travail, y compris l'infrastructure routière à travers le Maghreb et l'Espagne, à des milliers de jeunes des deux continents qui, l'ouvrage terminé, verraient

1. Seul ouvrage fait de main d'homme visible par les cosmonautes.

311

leurs noms gravés sur un monument commémoratif. Et, cette fois-ci, on dresserait non une liste de morts, mais le nom de ceux qui auraient participé à ce formidable ouvrage de paix. »

Le Roi partageait ces idées et, le lendemain, je tins le même langage au souverain chérifien.

Je ne prétends pas, bien entendu, être l'inventeur de ce projet qui a souvent été envisagé, mais peut-être ces conversations ont-elles permis de lui donner un coup de pouce... Actuellement, une. société marocaine et une société espagnole y travaillent.

O. – Pensez-vous que les démocraties peuvent encore apporter l'espoir et l'aventure ?

M. – Elles apportent du confort, c'est différent. Churchill a le mieux défini cette question quand il disait à peu près ceci : « Le système démocratique est la table des fauves, mais il n'a qu'une qualité, c'est que tous les autres régimes sont pires. » C'est malheureusement vrai.

Les démocraties capitalistes libérales seraient perdues si, par exemple, les ouvriers des usines Renault se portaient volontaires pour partir par trains entiers travailler à Moscou. Là je dirais que notre système a fait faillite et qu'il mérite de disparaître.

Le contraire se produit. Depuis une génération, une douzaine de personnages sont passés de l'Ouest à L'Est, alors qu'on en compte à peu près quinze millions dans le sens inverse. Proportion : un contre un million. C'est le vote le plus extraordinaire qu'on ait jamais vu, mais on n'en parle jamais. Je regrette que les politiciens occidentaux qui aiment jouer le rôle de père Noël en tout genre ne sortent jamais des chiffres fondamentaux comme ceux-là.

O. – Les démocraties ont quand même à leur actif quelques conquêtes récentes : en Amérique du Sud, en Amérique latine, on a vu des pays passer pour une fois de ce côté-là.

M. – Le propre des dictatures dites de droite, c'est qu'on peut s'en débarrasser. On ne peut se débarrasser des dictatures d'extrême gauche parce qu'elles sont très solides et fondées sur un système qui a fait ses preuves, avec une police impeccable, dans son genre, bien entendu. Les systèmes communistes, on ne s'en débarrasse plus. Je crains d'être assez de l'avis d'un homme éminent... Jean-François Revel qui craint que la démocratie ne soit un accident historique.

O. – Le Renseignement sert-il vraiment à la conduite des affaires? Ne s'agit-il pas d'un théâtre de l'ombre, sans grande incidence finalement sur le cours des choses?

M. – Sun Tzu, il y a vingt-cinq siècles, vous répond : « Percez à jour les plans de l'ennemi et vous saurez quelle stratégie sera efficace et laquelle ne le sera pas. » Il a inspiré des générations de Chinois – dont Mao Zedong –, de Japonais, ainsi que les états-majors des pays de l'Est. Par l'intermédiaire des Mongols et des Tatars, ses idées ont été transmises à la Russie. De Sun Tzu à l'électronique, en passant par les satellites capables de photographier à des kilomètres d'altitude les bateaux dans les ports, les avions ou les fusées sur les bases, les chars dans les zones de stationnement en distinguant même les traverses de chemin de fer du B.A.M., le nouveau Transsibérien – celui-ci, loin de la frontière chinoise –, la filiation est continue. Les grands capitaines, les chefs d'État ont cru au Renseignement et ont mis en œuvre les moyens pour l'obtenir. Il est la clef de toute décision. Il est à la base de n'importe quelle stratégie, qu'elle soit militaire, politique, économique, technologique.

Nous voici loin des douze agents de Moïse explorant le pays de Canaan. Le champ d'action des Services secrets est sans limite : l'ingérence, la désinformation, la subversion qu'il faut dépister et contrer, l'observation de la planète où il existe de surprenantes coïncidences entre certains phénomènes, l'observation aussi de l'espace, et du dessous des mers.

Nous assistons à une extension formidable de la zone d'action et en même temps à une contraction du temps : les chefs d'État et leur entourage ne disposent pas d'un laps de temps très long pour prendre leur décision. Leurs délais de

313

réaction se mesurent en jours et en heures, sans parler des quelques minutes ou secondes de l'Apocalypse nucléaire.

Je m'intéresse à la guerre globale. Rien de ce qui survient en France n'est très différent de ce qui se passe ailleurs. Partout la menace, l'agression sont les mêmes. Nous retrouvons ces méthodes dans chaque pays, sur les cinq continents. La stratégie générale est identique. La tactique varie quelquefois, mais peu. Il ne faut pas, une fois de plus, se tromper de conflit. Nous avons dangereusement négligé la guerre globale, celle qui, en plus de la guerre militaire, agresse les âmes, les cœurs, les esprits, les cerveaux. La formule classique est plus commode, parce qu'il y a un temps dit « de guerre » et un temps dit « de paix ». On se rappelle le départ pour la Grande Guerre en 1914 à la gare de l'Est.

La guerre telle que nous la subissons actuellement est totale, globale, multiforme, polychrome. Il faut se méfier de ceux qui disent : « Il n'y a pas de conflits. » Ils sont mal informés ou dangereux. Chargé d'observer la partie immergée de l'iceberg où les eaux sont glauques et la faune redoutable, jamais depuis quarante ans que je m'intéresse officiellement ou officieusement à ces problèmes, jamais la situation n'a été, à mon avis, aussi dangereuse. Nous nous trouvons en face d'un système d'armes psychologiques que nous n'avons pas l'habitude d'analyser, que nous avons négligé et qui nous a fait peur. Certains militaires d'Indochine et d'Algérie avaient commencé à entrevoir le B, A, BA de cette guerre si dangereuse. Les événements ont mal tourné. Des soldats d'alors ont été blessés, mutilés dans leur vie, leur carrière, leur âme. On a vite refermé le dossier et l'on n'ose pas en parler aujourd'hui. Si l'on néglige cette forme d'agression qui est la plus dangereuse, nous serons vaincus. Nous sommes déjà en passe de l'être puisque nous ne croyons plus à grand-chose, alors qu'en face de nous, nous avons des gens déterminés.

Aujourd'hui, on ne conquiert plus le terrain pour avoir les hommes, on conquiert les âmes, on conquiert le psychisme. Une fois qu'on a le psychisme, on a l'homme. Quand on a l'homme, le terrain suit. La plus grande astuce du diable, c'est de faire croire qu'il n'existe pas. Le moment est venu d'utiliser le mot « subversion ». Arme redoutable car elle essaie de ne pas se montrer. Elle reste intelligemment et subtilement juste en dessous du seuil de belligérance. On peut difficilement l'attaquer. Si on prononce un mot à son encontre, on se fait traiter de fasciste. On est désarmé. On a inventé des « mythes incapacitants ». Cette méthode redoutable s'inscrit dans l'infiltration d'une partie des media, d'une partie de ceux qui enseignent aux âmes, aux cœurs et aux cervelles, je veux dire le clergé, l'école, l'Université. Jadis, pour tenir le pouvoir il fallait contrôler l'Église, donc les âmes, au XIXᵉ siècle, c'est l'instruction, donc les cerveaux. Aujourd'hui, c'est l'audiovisuel qui prime et l'Université. En Occident on n'apprend plus, comme on le fait dans les pays de l'Est, l'amour de la patrie, du travail, mais le laxisme, l'indiscipline, le non-respect des vertus anciennes, la recherche des paradis artificiels. En un mot ce que j'appelle l'« ordre inverse ».

On a vu dans le Sud-Est asiatique – et ce n'est pas fini – la victoire de la guerre révolutionnaire sur la guerre classique, la victoire des hommes qui, comme les combattants de l'An II, se battent pieds nus contre le matériel et la richesse. Et nous allons voir pire. Pourquoi ? Parce que la puissance américaine se trouve confrontée au « soldat politique ». Le soldat politique est de tous les temps. Il est le soldat du Christ qui se croise pour reprendre Jérusalem, le cavalier d'Allah qui chevauche vers Budapest ou à travers l'Espagne, le Waffen SS ou le soldat russe à Stalingrad, le combattant viet, le résistant afghan. Il est l'homme motivé par une foi, une philosophie, une croyance, une religion quelle qu'elle soit, bonne ou mauvaise.

Je n'en vois pas aujourd'hui, dans l'Occident européen ni aux États-Unis. Conserver apparaît insuffisant. Pourquoi ne serions-nous pas les soldats politiques de la liberté, pensant au mot d'Albert de Mun : « Je ne serai pas le soldat vaincu d'une cause invincible » ? Il ne faut pas avoir honte de le dire. Il ne faut pas avoir honte de désigner l'ennemi. En 14, le soldat-paysan de l'infanterie française défendait son village, son terrain. Aujourd'hui, on prétend que c'est terminé. Attention ! si nous ne trouvons pas une motivation, surtout pour les jeunes à qui l'on ne propose rien, je crois que ce qu'a dit Soljenitsyne sera malheureusement vrai. Il a dit à peu près ceci : « Ce ne sont pas les difficultés d'information qui gênent l'Occident, mais l'absence du désir de savoir. C'est la préférence donnée à l'agréable sur le pénible. C'est l'esprit de Munich, l'esprit de complaisance et de concession, illusions froussardes de sociétés d'hommes qui vivent dans le bien-être, qui ont perdu la volonté de se priver, de se sacrifier et de montrer de la fermeté. »

Depuis qu'il y a des hommes sur la terre, constitués en familles, en tribus, puis en nations, il y a toujours eu, dans la vaste comédie-tragédie que joue l'humanité, des camps.

Nous sommes encore dans le camp dit de la liberté. En face, c'est le goulag, le vrai clivage depuis la Seconde Guerre mondiale. Les « démocraties molles » ont résisté, plutôt mal que bien, aux coups de boutoir que donne l'U.R.S.S., ce vaste Empire classique fondé sur une religion d'État, le communisme. Ses dirigeants y croient encore, ou font semblant d'y croire. L'immense peuple, non, mais on ne lui demande pas son avis. L'Asie, qui représente la plus grande surface terrestre du monde, sera un jour le théâtre d'un conflit entre le monde blanc, représenté par les Russes, et l'autre, les Chinois. De quel côté pencheront les Asiates qui se situent entre les deux ? Les Russes, à ce moment-là, retourneront à leur destin séculaire qui est celui d'être le plus exposés aux invasions des gens de la steppe. Ce jour-là, peut-être, serons-nous contents de les revoir dans le même camp que nous. Mais c'est pour le siècle prochain. Actuellement, je crois que le Proche et le Moyen-Orient sont la zone dangereuse, danger tout de même limité, sauf si Moscou se décide un jour à souffler sur les braises.

Si demain l'on m'annonce que les divisions motorisées soviétiques repassent la frontière de l'Amou-Daria pour rentrer chez elles, que l'Afghanistan est évacué, je vérifierai si, par une autre route, cent kilomètres plus loin, d'autres divisions de relève ne réintègrent pas l'Afghanistan. Si, un jour, nous apprenons que depuis l'aube des bulldozers sont en train de démolir le mur de la honte à Berlin, si demain l'on apprend que l'U.R.S.S. a décidé de ne plus aider les Cubains pour dix à douze millions de dollars par jour, si l'on apprend que les troupes cubaines quittent un certain nombre de pays d'Afrique pour réintégrer leur île (les Cubains sont des Américains et ces Américains-là, quand ils occupent l'Afrique, on n'en parle jamais), quelque chose aura changé. Pas avant.

316

Je ne crois pas à ce qu'un humoriste appelait les paroles verbales et toutes les conférences et autres parlotes ne sont faites que pour amuser le tapis. C'est le cinéma permanent.

Je pense au Proche et au Moyen-Orient ou aux résistants afghans qui meurent par milliers. Personne n'en parle, car le poids des morts est différent selon les zones géographiques.

Épilogue

OCKRENT. – Vous avez souhaité, en guise d'épilogue, développer de votre propre chef certains thèmes qui vous paraissent essentiels.

MARENCHES. – Les voici en effet, au-delà de toute considération d'actualité ou de fonction.

La bombe démographique

Sujet tabou entre tous, car hautement émotionnel. Il ne peut être abordé froidement sans que le terme « raciste » ne soit aussitôt brandi.

La politique de l'autruche est de rigueur. Or il s'agit là de la question principale que pose la nature à l'humanité : voulons-nous un monde organisé où prime la qualité de la vie ou une planète surpeuplée en proie aux conflits raciaux fratricides où l'on assistera à l'attaque du Nord, riche, peu encombré sur le plan démographique et productif, par les masses grouillantes et affamées du Sud et cela aussi bien en Amérique qu'en Eurasie ? Les media nous présentent les images déchirantes d'enfants du tiers monde au ventre ballonné, aux membres grêles et aux

319

grands yeux attendrissants mais jamais, ou très rarement, on n'aborde la cause principale de cet état désolant : la surpopulation sur des terres ingrates, soumises aux catastrophes naturelles et que gèrent des gouvernements souvent peu compétents et dont le souci principal est de détourner une partie des fonds octroyés par le Nord vers des dépenses somptuaires ou des caches sûres, comme autant d'écureuils exotiques. Sur dix bébés qui naissent, neuf voient le jour dans le tiers monde. Certains, non avertis, pensent qu'avec ses trois cent vingt millions d'habitants, la C.E.E. représente l'une des grandes masses de l'humanité. Erreur! Nous ne serons bientôt que 5 pour cent et quelques fractions du total. L'Inde, dans cent ans, aura un milliard six cents millions d'habitants et sera le pays le plus peuplé du monde. Actuellement, plus d'un homme sur cinq est chinois. Le Nigeria compte aujourd'hui cent cinq millions d'habitants. Il en aura trois cent douze millions en l'an 2020 et plus de cinq cents millions en 2100. Telle île merveilleuse des Antilles est un paradis avec x population. Elle se transformera en purgatoire lorsque ce chiffre sera multiplié par trois ou quatre et sera devenu un enfer de la faim, de la dictature et de l'émigration forcée si ce désordre continue.

Le club des « démocraties molles » auquel nous avons le bonheur d'appartenir représente un septième de la population globale. A la fin de la Seconde Guerre mondiale, en 1945, les membres de ce club fermé en représentaient 25 pour cent. Bientôt, nous ne serons que 10 pour cent. La position morale des diverses religions dont les principales sont nées à la même période de l'histoire de l'homme (quelques siècles ne forment qu'un court instant) est irréprochable sur le sujet si grave du respect de la vie. Mais à ces époques dépeuplées, la famille tirait sa force, et souvent sa survie, du grand nombre d'enfants qui la composaient. Beaucoup mouraient en bas âge et il fallait une progéniture nombreuse pour cultiver la terre, fournir des soldats et prendre soin des vieux parents.

Les régulateurs naturels accomplissaient leur rôle cruel. La grande peste noire du XIVe siècle élimina plus du tiers de la population de l'Europe et autant en Asie. Nous avons heureusement combattu ces fléaux. Contrairement à une idée reçue,

320

les guerres atroces et spectaculaires tuent un pourcentage peu élevé d'êtres humains.

Le Vietnam, qui a été le pays qui a subi le plus long conflit de notre époque, a vu cependant sa population doubler.

La France n'est pas à l'abri de ces convulsions et il convient en premier lieu de protéger nos citoyens de couleur, par exemple les Antillais, souvent français depuis plus longtemps que beaucoup d'autres et qui seraient les premières victimes d'une immigration incontrôlée, en provenance des pays du tiers monde; car beaucoup de gens non avertis ne font pas la différence...

Si les gouvernements des hommes, avec tout le respect dû à la morale, ne proposent pas un remède énergique à cette menace démographique, nous assisterons à l'affrontement Sud-Nord. La faim et la misère contre la prospérité travailleuse mais irresponsablement accrochée à ses privilèges. Ou bien le tiers monde, contenu de force, n'aura pour avenir que la faim, le chômage, l'analphabétisme, en un mot la misère morale et physique. La conscience est l'arme des faibles contre les forts.

L'avancée des déserts

Le président Senghor, venant déjeuner à mon bureau, il y a quelques années, m'expliqua qu'au Sénégal le désert avançait inexorablement de plusieurs kilomètres par an. Selon lui, ce n'était qu'une question de temps avant que son pays n'en fût recouvert. La déforestation par la main de l'homme qui augmente la désertification et modifie les climats suit un rythme accéléré. Ces menaces mortelles peuvent être combattues par une action mondiale déterminée, coordonnée à des moyens gigantesques, égaux aux montants des dépenses d'armement. Mais la menace venue de l'Est nous empêche de financer cette action historique.

Je crains que les démocraties sympathiques mais molles ne soient pas à la hauteur de ce défi. Il ne faut pas trop s'en faire car, comme le disait un humoriste britannique : « A titre individuel, de toute façon, ça finit très mal! »

321

Il est vrai – et c'est l'histoire même des civilisations – que les Empires naissent, vivent et meurent. Rome fut détruite par elle-même et par les judéo-chrétiens. Plus près de nous, l'Autriche-Hongrie, l'Espagne, le Portugal, la France, l'Empire britannique, pour n'en citer que quelques-uns, tous, à une époque donnée, dominèrent le monde ou une bonne part de celui-ci. Seuls subsistèrent, grâce à la langue apportée et qui souvent a unifié les peuples asservis, une partie de la culture des colonisateurs. Il reste de nos jours, et provisoirement, une exception : la Russie soviétique. En repoussant les hordes mongoles qui l'avaient partiellement occupé pendant deux siècles, l'Empire des Tsars, l'U.R.S.S. actuelle, règne sur le plus vaste et potentiellement le plus riche de tous.

Je me suis longtemps demandé pourquoi les conquérants récents, les vilains Portugais, Espagnols, Belges, Danois, Allemands, Français, Britanniques, Italiens et Hollandais, ont été chargés de tous les péchés. Or, un beau matin, réfléchissant à cela dans ma baignoire, j'ai trouvé (probablement grâce à la présence bienfaisante de l'eau) la réponse que voici : tous sont arrivés par bateau, après avoir franchi les mers et les océans. Seul, à l'exception des cavaliers arabes, le Russe s'est avancé par voie de terre et n'a jamais eu que des fleuves à franchir.

Les Empereurs et leurs cosaques, leurs successeurs actuels (il faudrait analyser longuement le système bicéphale parti/gouvernement), règnent directement ou indirectement (pays satellites) sur ce qui est de loin la plus grande masse terrestre : de l'océan Pacifique à quelque deux cents kilomètres de Strasbourg (le saillant de Thuringe). On peut se demander et j'ai posé la question à un ambassadeur d'U.R.S.S. à Paris : « L'Oural ne constitue-t-il pas la frontière naturelle de l'Européen et des Blancs ? » Surpris et choqué, le diplomate me répondit par un : « *Niet!* » retentissant.

Le système dirigé du Kremlin veut et doit rester maître à tout prix de cet immense conglomérat disparate. Son système rigide et monolithique, religion d'État et russification, n'autorise pas la moindre brèche, le moindre abandon de territoire car ce serait pour lui le commencement de la fin.

Le célèbre « grand vent de l'Histoire » s'est arrêté au rideau de fer. Il n'a soufflé que sur les vieux, les faibles, ceux qui, rongés par les mythes incapacitants, ne croient plus en eux-mêmes.

Interrogé il y a près de vingt ans par notre ministre de la Défense, mon ami, M. Pierre Messmer, sur les tractations d'alors entre Soviétiques et Japonais en vue de gigantesques investissements en Sibérie, je lui répondis que l'obstacle majeur serait le petit groupe d'îlots situé au nord du Japon, Habomai (inhabité), Shikotan, ainsi que Kunashiri et Etorofu qui appartiennent aux Kouriles du Sud, occupées par le Japon au XVIIIᵉ siècle. Les Kouriles du Nord sont un archipel qui prolonge le Kamtchatka, terre russe. Le sud des Kouriles, rendu à Staline en 1945, provoqua un grand élan de reconnaissance de son peuple. Entre la restitution de ces îlots sans intérêt et les immenses capitaux qui se proposaient de les racheter, je connaissais la réponse : « Pas question! On garde. » Car il s'agit du « Sol sacré de la Patrie ».

Je connais bien les Soviétiques marxistes et athées. Ils sont les derniers et les seuls à conserver encore cette notion [1]. Il est remarquable qu'en cas de coup dur, Staline et la Nomenklatura

1. Le Serment du soldat soviétique (*Prisyaga*) :
« Moi, citoyen de l'Union des Républiques socialistes soviétiques, en entrant dans les rangs des forces armées, je jure d'être un soldat d'honneur, brave, discipliné, vigilant, d'observer scrupuleusement le secret militaire et le secret d'État, d'exécuter sans murmurer tous les règlements et ordres émanant de mes chefs.

« Je jure d'étudier consciencieusement les questions militaires, d'entretenir avec soin le matériel de guerre et celui appartenant au peuple et d'être jusqu'à mon dernier souffle dévoué à mon peuple, à ma Patrie et au gouvernement soviétique.

« Sur ordre du gouvernement soviétique, je serai toujours prêt à défendre ma Patrie, l'Union des Républiques socialistes soviétiques; en tant que soldat des forces armées, je jure de la défendre courageusement avec adresse, dans la dignité et dans l'honneur, sans épargner ni mon sang ni ma vie, pour remporter sur les ennemis une victoire totale.

« Si je venais à transgresser ce serment solennel, que le châtiment sévère de la loi soviétique s'abatte alors sur moi, que je sois en butte à la haine et au mépris des travailleurs. »

aient toujours fait appel aux vieilles traditions (y compris à la Vierge et aux icônes, devant l'avance nazie).

Pour en revenir à la période actuelle, je crois que le national-communisme, tant qu'il ne sera pas sorti de ce que j'appelle sa phase de religiosité, de prosélytisme et d'expansionnisme, avec comme but avoué et proclamé *urbi et orbi* la soumission du monde entier, reste pour le moment la menace principale. Il nous contraint notamment à une course aux armements ruineuse et désagréable *car notre capacité de souffrance est nulle,* alors que la sienne est immense. (Je n'ai jamais vu cette donnée fondamentale au programme des ordinateurs.) Nous ne pouvons répondre à cette menace que par l'effort qu'impose le désir impératif de survie, dans un système matériellement privilégié par rapport aux autres. Les privilèges et surtout celui de la liberté ne se méritent-ils pas tous les jours ? J'espère que nous n'assisterons pas dans quelque temps à une nuit du 4 août de l'Occident. Notre arme essentielle est la résolution de chacun. Notre pire ennemi : l'esprit d'abandon, dit de Munich, le complexe suicidaire des lemmings [1].

Le drame permanent de notre camp, c'est que les démocraties libérales n'ont pas de stratégie d'État constante, donc pas de « suivi ». Elles confondent stratégie et tactique. Encore celle-ci est-elle presque toujours fonction de la politique intérieure. C'est la course-poursuite, les lévriers derrière le lièvre mécanique de la prospérité matérielle. Le titre du livre de François de Closets : *Toujours plus !* [2] est notre devise.

Les États-Unis ont les moyens d'une grande stratégie mondiale mais pas l'expérience, l'imagination ni la continuité (changement d'administration tous les quatre ans). De plus, ils ont la faiblesse de vouloir être aimés. On aime les petits, rarement les géants.

Enfin, pourvus de quantité d'excellents spécialistes, ils souffrent cruellement d'un manque de généralistes de haut vol.

1. Cette sorte de campagnols vivant du nord de l'Europe à l'Asie arctique essaie de traverser la mer pour obéir à son instinct de migration et finit par en mourir.
2. Grasset, 1982.

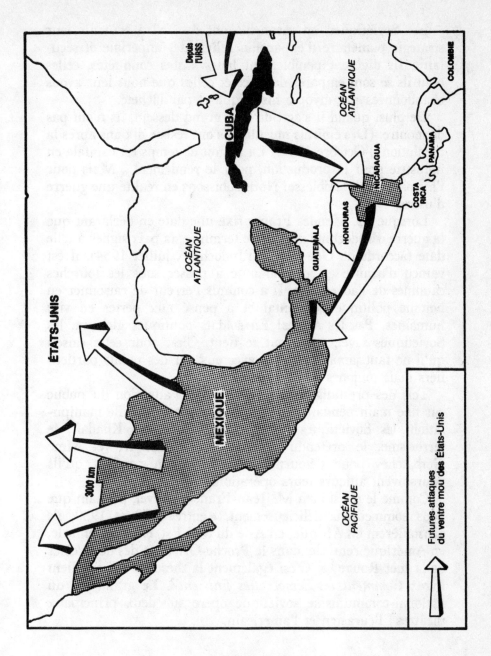

Le tremplin : Cuba
Le détonateur : l'Amérique centrale (le Nicaragua)
La bombe : le Mexique

325

Les Soviétiques, en revanche, ont du mal à soutenir leur stratégie planétaire d'expansion religieuse, impériale et séculaire. Ils digèrent péniblement leurs vastes conquêtes, celles dont ils se sont emparés de force et celles que nous leur avons abandonnées par myopie historique et par lâcheté.

De plus, quand il s'agit de leur grand dessein, ils n'ont pas de montre. (Des émirats musulmans ont résisté dix ans après la révolution d'Octobre 1917.) La notion de temps est capitale en industrie pour la production, pour le rendement... Mais pour l'histoire, quelle faiblesse! Nous subissons en réalité une guerre d'usure.

Lorsque M. Mendès France fixe une date en déclarant que la guerre d'Indochine devra être terminée, la paix signée à telle date (accords de Genève sur l'Indochine, juillet 1954), il est vaincu d'avance et se condamne à passer sous les fourches caudines de l'adversaire. Il a commis l'erreur de raisonner en homme politique occidental et a pensé aux pertes en vies humaines. Pas les autres! En soldats politiques globaux, les Soviétiques savent que tout se tient. C'est pour cette raison qu'il ne faut jamais négocier avec eux sur des points particuliers mais toujours sur l'ensemble.

Tels des prestidigitateurs qui attirent l'attention du public sur une main pendant que l'autre se livre à la vraie manipulation, les Soviétiques utilisent les Castro, les Khadafi, le terrorisme, le prétendu nouveau « look » de M. et Mme Gorbatchev pour détourner notre attention pendant qu'ils poursuivent ailleurs leurs opérations.

Comme le dit si bien M. Jean-François Revel, pendant que nous sommeillons délicieusement, « entre 1970 et 1980, ils s'installèrent en Afrique, en Asie du Sud-Est, en Asie centrale, en Amérique centrale, dans le Proche-Orient et des deux côtés de la mer Rouge [1] ». C'est également la thèse de son excellent livre : *Comment les démocraties finissent* [2]. Le grand jeu du national-communisme soviétique opère sur deux principaux théâtres : l'eurasien et l'américain.

1. *Le Point*, 12 mai 1986.
2. Grasset, 1983.

De leur point de vue (au sens littéral du terme), situons-nous au Kremlin.

– Premier sous-théâtre eurasien : l'Europe occidentale.

– Deuxième sous-théâtre eurasien : le Sud, Proche et Moyen-Orient et sud de l'Asie centrale.

– Troisième sous-théâtre eurasien : l'Extrême-Orient.

Quant au deuxième théâtre : le ventre mou des États-Unis, le long de sa frontière de trois mille kilomètres avec le Mexique pauvre et surpeuplé (an 2000, cent vingt millions d'habitants) face à la richesse et à l'abondance, séparé des États-Unis par une frontière difficilement défendable. La voie est toute tracée. Cuba, Amérique centrale (le détonateur) puis le Mexique (la bombe). J'ai défendu ces idées simples depuis un quart de siècle mais les gestionnaires à la petite semaine ont bien du mal à regarder vers l'horizon car ils ont la vue basse.

Quelques amis comme le général Walters ont repris mes idées [1]. En effet, j'ai indiqué à de nombreux amis américains, dont le Président actuel, les dangers qu'en observateur attentif je percevais et dont voici quelques-uns :

– Présence sur le territoire des États-Unis de douze à quinze millions d'illégaux qui peuvent un jour être « organisés » en une redoutable Cinquième Colonne.

– Pas de carte nationale d'identité.

– Langue anglaise non imposée.

– Arrivée massive des « Hispaniques » qui colonisent les anciens territoires espagnols et mexicains et qui forment l'avant-garde d'une force qui, un jour, réclamera le retour de ces territoires à ses anciens propriétaires de langue espagnole.

Toute la question est de savoir si le fameux « melting-pot », ce creuset national, fonctionnera toujours malgré les arrivages massifs aux États-Unis de milliers de clandestins par jour, qui ne se dispersent pas mais restent groupés, formant des taches de plus en plus étendues de culture allogène.

L'Europe, elle, doit apprendre à se tenir debout seule sans la béquille américaine. Elle doit oublier son attitude de femme

1. *Paris-Match,* 8 février 1986.

entretenue et s'habituer à ne compter que sur elle-même car, un jour pas très lointain, les Américains seront tentés d'évacuer leurs troupes d'Europe pour défendre leur frontière sud. Et c'est là une partie du maître-plan soviétique.

D'autre part, pourquoi vouloir que deux cent quarante millions d'Américains défendent trois cent vingt millions d'Européens à des milliers de kilomètres de chez eux et d'autant plus qu'ils sont maintenant tournés vers le Pacifique? Cependant, il serait, en temps de guerre militaire, suicidaire pour eux d'abandonner l'Europe occidentale. Ils devront toujours, quoi qu'il arrive, se cramponner à tout prix aux deux mâchoires de la tenaille : les Iles Britanniques et le Maroc.

Il est intéressant de revenir de temps à autre à quelques notions de base et de prendre ainsi conscience des réalités pour conclure en fin de compte que tout n'est pas perdu :

U.S.A. + Canada + C.E.E. = près de six cents millions d'habitants.

Empire soviétique + Europe de l'Est (sur laquelle ils ne peuvent guère compter) = moins de quatre cents millions.

Derrière l'Empire, la Chine est, au minimum, inamicale. Ne parlons pas du Japon : cent vingt millions d'habitants.

Le petit n'est pas celui que l'on pense, si l'on parvient à s'extraire de la désinformation et des ambiances truquées.

Pour terminer, je voudrais inviter les responsables, ceux qui ont la charge de la survie du camp de la liberté, à réfléchir et à examiner les propositions suivantes :

MAÎTRE-PLAN DE L'OCCIDENT

1. Constitution d'un état-major suprême interallié de guerre globale, pluridisciplinaire, militaire et civil, pour répondre à toutes les menaces du temps dit de guerre et du temps dit de paix, face à un adversaire chez lequel ce système fonctionne depuis toujours.

2. Constitution d'une armée européenne au matériel standardisé avec celui des États-Unis (chars construits en commun, genre Airbus). Cette armée sera constituée :

a) des armes nucléaires, fusées, lasers, etc.

b) d'un corps de bataille destiné au théâtre européen.

c) d'une force expéditionnaire hautement mobile et pouvant intervenir n'importe où, rapidement, sur des théâtres extérieurs.

d) à l'arrière du corps de bataille européen, une armée de milice, modèle suisse, chargée de faire face aux *Spetznaz*[1] russes et autres. Seul, le soldat de milice connaît bien sa région, son canton. Sa motivation lui permet de défendre son territoire. Cette armée servirait de réserve au corps de bataille.

Les technocraties militaires ont trop souvent tendance à oublier qu'un combattant individuel motivé reste le meilleur système d'armes (États-Unis/Viets).

e) défense civile et protection de la population.

f) l'emploi durant le temps dit de paix de l'arme idéologique vers les populations soumises des pays de l'Est et de l'Asie soviétique est à étudier. En un mot, prendre modèle sur ce qu'ils font eux-mêmes car, comme le dit si bien Mme Suzanne Labin : « Les mots et les idées sont les troupes de choc de la guerre révolutionnaire. » Les moyens radio modernes, et bientôt les images, ne connaîtront pas de frontières. Je sais que les émissions à destination des pays de l'Est et de l'Asie soviétique sont très écoutées. Il faut augmenter massivement ces moyens afin d'émettre dans de nombreuses langues locales.

Pendant le temps dit de paix, ce que j'appelle l' « opération Moustique » consiste à aider puissamment ceux qui se battent contre le grand agresseur : Savimbi, en Angola, les résistants afghans, les résistants cambodgiens et tous ceux qui luttent

---

1. Unités spéciales de sabotage (air, terre, mer) de l'armée soviétique.

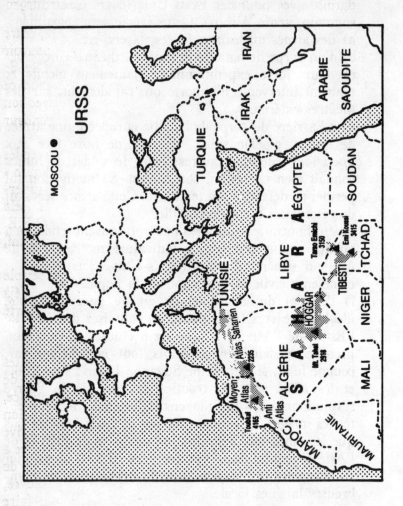

Théâtre d'un O.T.A.N. nouvelle manière (sans N)

pour la liberté. Un moustique ne peut certes pas tuer un ours mais il peut lui rendre la vie difficile sinon impossible. S'il est piqué jour et nuit, il cessera peut-être de dormir, de manger. Harcelé sans cesse, ne finira-t-il pas par rentrer chez lui ?

Enfin, il nous manque l'essentiel. La guerre nucléaire, entre autres, a ceci de commun avec la boxe, c'est qu'il faut pouvoir frapper et encaisser. Or, l'examen de la petite presqu'île de l'Europe occidentale surpeuplée ne nous permet pas d'avoir ce que possède l'Américain avec son Far West, le Russe avec son « Far East », c'est-à-dire les vastes espaces et *la profondeur stratégique*.

Il est à la portée de notre imagination de constituer avec les pays du Maghreb (Maroc, Algérie, Tunisie), un « Far South » qui nous donnerait les mêmes chances que les deux super-puissances. Nous serions l'autre, et à égalité. De plus, cela éviterait dans les années qui viennent un conflit entre la C.E.E. et le Maghreb. Pour qu'il ne devienne pas un jour un ennemi, il faut que celui-ci soit complémentaire de l'Europe.

Le Sahara, le plus vaste désert du monde, et dont le pétrole sera épuisé vers la fin de ce siècle (il ne restera que du gaz, déjà très abondant en Europe), peut procurer au camp de la liberté les vastes espaces et à ses riverains les fonds dont ils ont besoin.

Je pense, par exemple, que les fusées seraient mieux dans les massifs montagneux du Tibesti ou du Hoggar et nos stocks de réserve gérés en commun dans l'Atlas, qu'enfouis, en Provence, sous le plateau d'Albion. Un arrangement de dimension historique doit donc être mis au point avec nos voisins de la rive sud de la Méditerranée, où chacun apporterait ce dont l'autre a besoin, la nourriture, les capitaux, les techniques d'un côté, de l'autre non seulement les grands espaces et la main-d'œuvre, mais peut-être un sens du sacré qui commence à nous faire défaut.

Avoir essayé de monter une industrie d'armement dans un pays aussi près du danger et aussi potentiellement instable que l'Égypte est une erreur stratégique majeure. C'est au Maroc, pour des raisons évidentes, que cette industrie devrait être installée.

Au cas où la République fédérale allemande et la France

331

seraient occupées par les troupes du pacte de Varsovie, les Pyrénées et la Péninsule ibérique représentent un obstacle non négligeable, un ultime rempart. En octobre 1940, Hitler, alors au faîte de sa puissance, rencontra Franco à Hendaye, sur les rives de la Bidassoa. Il se vit refuser par Franco le passage vers l'Afrique du Nord. Celui-ci lui rappela que Napoléon avait perdu plus de monde en Espagne qu'en Russie.

Je propose de repenser l'OTAN [1] en supprimant le N.

Ainsi, ni vassaux ni dépendant des États-Unis, mais amis et alliés, solidaires devant la menace actuelle, nous survivrons ensemble dans un nouveau système de défense atlantique et eurafricain.

1. Organisation du traité de l'Atlantique-Nord.

En guise de post-scriptum

QUELQUES CONSEILS A UN DIRECTEUR GÉNÉRAL
DES SERVICES SPÉCIAUX
OU A UN CONSEILLER NATIONAL DE SÉCURITÉ

Soyez en bon état physique et mental. Ayez des nerfs d'acier ou, mieux encore, faites semblant de ne pas en avoir du tout. Un calme olympien est de mise pour cette merveilleuse et terrifiante fonction. N'élevez jamais la voix car l'autorité n'est pas une question de décibels.

Soyez, si possible, indépendant. N'ayez plus d'envies ou de besoins... car vous dépendriez d'eux.

N'oubliez pas vos vieux amis, car eux vous tiendront au courant de ce qui se passe « dehors », dans la vie « normale ». Il faut rester en contact avec la vie réelle. Méfiez-vous des nouvelles rencontres. Elles ne sont pas toujours fortuites. Soyez discret, pas voyant ni mondain. Allez peu dans les réceptions et les dîners en ville. On n'y entend que des potins. Vos propos seront déformés. Vous y perdrez votre temps et c'est mauvais pour la ligne!

Avant d'accepter cet emploi unique, exigez d'avoir l'accès permanent au décideur mais n'en abusez pas. Une confiance totale doit être réciproque. Vous aurez surtout de mauvaises nouvelles à annoncer. Les bonnes resteront au niveau technique. Il faut TOUT dire et ne jamais trahir par omission. Tant pis si, auprès d'un chef d'État faible, vous passez pour un épouvantail! Ne craignez jamais de déplaire.

Soyez courtois et proche du petit personnel. Son dévouement, en France, est sans limite. Soyez attentif et ferme avec vos grands collaborateurs. Comme l'écrivait Machiavel, soyez, si possible, aimé et craint à la fois. Méfiez-vous de ceux qui pensent qu'ils seraient mieux à votre place. S'ils existent, c'est le signe que vous n'êtes pas à la hauteur. Déléguez et faites confiance, en donnant leur chance aux jeunes.

Réservez du temps pour le silence et la méditation devant la carte du monde car c'est votre décor. J'ai toujours été désagréablement frappé de constater que, dans le lieu de travail des plus grands chefs politiques, il y avait rarement des cartes ou une mappemonde.

Méfiez-vous de vos sentiments personnels. Ils interfèrent dans la froide analyse.

Cartésien, ne négligez pas la puissance de l'irrationnel. Soumis à la surinformation et à la surdésinformation, nous raisonnons trop souvent en termes d'émotions prédigérées. Apprenez à oublier. Apprendre est facile. Comme disait Jules Renard : « Ayez des idées arrêtées, mais pas toujours au même endroit. »

Entrez dans la peau et le mental de ceux que vous cherchez à comprendre.

Ne vous prenez jamais au sérieux. Le courage et le sens de l'humour sont deux vertus cardinales.

Enfin, ne manquez pas votre sortie... à temps.

L'Empereur Auguste, digne devant la mort, eut ce dernier mot : « *Acta est fabula* [1]. »

M.

---

1. « La pièce est finie. »

Remerciements

Un grand merci à la ravissante et tenace Christine Ockrent avec qui j'ai eu grand plaisir à composer ce livre. Elle a su me faire parler, moi, l'homme du silence. Quelle patience elle a eue... J'admire!

Je n'aurais pas fait ce livre sans l'insistance affectueuse de ma cousine, Thérèse de Saint Phalle, et de mon ami, le président Jean-Luc Lagardère, ainsi que celle du président des Éditions Stock, Jean Rosenthal, qui a bien voulu m'aider de ses conseils efficaces.

Je joins à ces remerciements les personnes aussi compétentes que dévouées qui ont permis la sortie de ce livre : Joël Champale, la « Miss », Michèle, Valérie, John, Fabienne, Mireille, Isabelle, Roland, Irmeli Jung, Jean Larue.

MARENCHES.

NOTE DE L'ÉDITEUR

La totalité des droits revenant au comte de Marenches est versée, sur sa demande, à des organisations charitables.

Index

GIRAUD Général : 41, 65.
GISCARD d'ESTAING Valéry : 11,
149 à 151, 154 à 156, 162-163,
170, 183, 186, 189, 255, 258,
268, 293-294.
GLADSTONE : 145.
GOEBBELS Joseph : 77.
GORBATCHEV Mikhail : 117, 326.
GORCHOV Amiral : 212.
Greenpeace : 12-13, 295 à 299, 303,
305 à 307.
GROSSOUVRE François de : 295.
G.R.U. : 201-202, 217-218, 272,
291.
GUILLAUME Capitaine Gunther :
203.
GUITRY Sacha : 109.
Gulf Oil : 181.
GUY Claude : 87.

I.R.A. : 277, 284.
IDRIS Roi : 266.
IEKATERINBOURG Massacre de
72.
IGNATIEV Général-comte : 71-72.

J

JARUZELSKI Général : 199-200.
JOBERT Michel : 151, 154.
JUILLET Pierre : 150, 153.
JUIN Maréchal : 11-12, 28-29, 38,
42 à 47, 50 à 53, 55 à 57, 59 à 67,
69, 71-72, 74, 78, 80-81, 88,
90-91, 95-96, 99, 101, 107, 119,
141, 293.

H

HABRÉ Hissène : 159.
HABSBOURG Otto de : 80-81,
222.
HAIG Alexander : 226.
HARRIMAN Averell : 79.
HASSAN II : 172, 174, 180, 257-
258.
HASTINGS Kamuzu Banda Dr :
191.
HAUSER Général : 256.
HAVRINCOURT Marquis d' : 35.
HEINSEN Ralph : 34.
HENNET de GOUTELLE Général :
41.
HERNU Charles : 293, 303.
HIMMLER : 110.
HISS Alger : 80.
HITLER Adolf : 21, 27, 50,
61-62, 66, 68, 80-81, 83, 184,
332.
HOUPHOUËT-BOIGNY Félix : 158.
HULL Cordell : 35.
HUSSEIN Saddam : 231-232, 234-
235, 245.

K

KADJAR Roi : 241.
KAISER Henri J. : 79.
KATYN Massacre de : 199.
K.G.B. : 127, 143, 184, 201-202,
204 à 206, 209, 218, 291, 305.
KHADAFI Colonel : 159, 161-162,
164, 254, 259, 263, 265 à 268,
284, 326.
Khmers rouges : 260-261.
KHOMEINY Ayatollah : 156, 232,
235, 245 à 247, 250, 252 à 254,
256, 270.
KHROUCHTCHEV Nikita : 94.
KIPLING Rudyard : 137.
KISSINGER Henry : 187, 222.
KNOPP Colonel von : 38.
KOENIG Général : 90.
Kolwezi : 13, 161, 169, 171.
KOSTOV Vladimir : 202.

L

M

N

O

P

Table des matières

Cet ouvrage a été réalisé sur
Système Cameron
par la SOCIÉTÉ NOUVELLE FIRMIN-DIDOT
Mesnil-sur-l'Estrée
pour le compte des Éditions Stock
le 25 août 1986

Imprimé en France
Dépôt légal : Septembre 1986
N° d'édition : 251 – N° d'impression : 4272
54-07-3519-01
ISBN 2-234-01879-X